ELOGIOS PARA *LUCRO PRIMEIRO*

"Empreendedores costumam confundir fluxo de caixa com lucratividade. *Lucro Primeiro* torna o processo tão radicalmente simples que você não tem mais desculpa para não ter lucro e fluxo de caixa!"

— GREG CRABTREE, autor de *Simple Numbers, Straight Talk, Big Profits*

"Mike não é apenas um dos mais inovadores autores sobre pequenas empresas da atualidade, seu sistema *Lucro Primeiro* — simples de aplicar e com resultados impactantes — pode ser a diferença entre andar constantemente na corda bamba financeira ou ser previsivelmente lucrativo. E um negócio previsivelmente lucrativo não é apenas menos estressante e mais gratificante: ele permite que você se concentre no que realmente importa... servir seus clientes!"

— BOB BURG, coautor de *The Go-Giver* e *The Go-Giver Leader*

"Por que tão poucas empresas são realmente lucrativas para seus proprietários? *Lucro Primeiro* transforma a sabedoria convencional e mostra o verdadeiro motivo da dificuldade dos donos de negócios para obter ganhos líquidos. Este livro mostra como levar mais dinheiro para casa quase imediatamente."

— DORIE CLARK, autora de *Você Intraempreendedor*

"*Lucro Primeiro* é uma revelação. Eu gostaria de ter conhecido esse sistema quando comecei meu negócio."

— JOHN JANTSCH, autor de *Duct Tape Marketing* e *SEO for Growth*

"Finanças são a principal dor de cabeça de um empreendedor. *Lucro Primeiro* é uma leitura obrigatória para evitar a falência das grandes ideias nos negócios. Inteligente, fácil de implementar e absolutamente eficaz (além disso, você vai gostar de lê-lo)."

— SOFÍA MACIAS, autora de *Pequeño Cerdo Capitalista*

"Empreendedores e consultores de pequenas empresas finalmente têm um kit prático de ferramentas para aumentar a lucratividade! Todo mundo que tem contato com o mundo das pequenas empresas deve ler e aplicar esses princípios que mudam o jogo."

— JOE WOODARD, CEO da Woodard Events e Woodard Consulting

Eu fiz uma promessa e comecei a implementar o sistema *Lucro Primeiro* depois de ler o Capítulo 1. Na metade do livro, minha empresa já estava gerando lucros."

— BARRY MOLTZ, autor de *How to Get Unstuck*

LUCRO PRIMEIRO

FOLHA DE PAGAMENTO   ESTOQUE
IMPOSTOS   SERVIÇOS PÚBLICOS   ALUGUEL

LUCRO PRIMEIRO

Transforme seu negócio de uma máquina de gastar dinheiro em uma máquina de fazer dinheiro

MIKE MICHALOWICZ

Autor de *Clockwork*, *The Pumpkin Plan* e *The Toilet Paper Entrepreneur*

ALTA BOOKS
E D I T O R A
Rio de Janeiro, 2019

Lucro Primeiro: Transforme seu negócio de uma máquina de gastar dinheiro em uma máquina de fazer dinheiro
Copyright © 2019 da Starlin Alta Editora e Consultoria Eireli. ISBN: 978-85-508-0451-4

Translated from original Profit First. Copyright © 2014, 2017 by Mike Michalowicz. ISBN 9780735214149. This translation is published and sold by permission of Penguin Random House LLC, the owner of all rights to publish and sell the same. POR-TUGUESE language edition published by Starlin Alta Editora e Consultoria Eireli, Copyright © 2019 by Starlin Alta Editora e Consultoria Eireli.

Todos os direitos estão reservados e protegidos por Lei. Nenhuma parte deste livro, sem autorização prévia por escrito da editora, poderá ser reproduzida ou transmitida. A violação dos Direitos Autorais é crime estabelecido na Lei nº 9.610/98 e com punição de acordo com o artigo 184 do Código Penal.

A editora não se responsabiliza pelo conteúdo da obra, formulada exclusivamente pelo(s) autor(es).

Marcas Registradas: Todos os termos mencionados e reconhecidos como Marca Registrada e/ou Comercial são de responsabilidade de seus proprietários. A editora informa não estar associada a nenhum produto e/ou fornecedor apresentado no livro.

Impresso no Brasil — 1ª Edição, 2019 — Edição revisada conforme o Acordo Ortográfico da Língua Portuguesa de 2009.

Publique seu livro com a Alta Books. Para mais informações envie um e-mail para autoria@altabooks.com.br

Obra disponível para venda corporativa e/ou personalizada. Para mais informações, fale com projetos@altabooks.com.br

Produção Editorial Editora Alta Books	**Produtora Editorial** Juliana de Oliveira	**Marketing Editorial** marketing@altabooks.com.br	**Vendas Atacado e Varejo** Daniele Fonseca Viviane Paiva	**Ouvidoria** ouvidoria@altabooks.com.br
Gerência Editorial Anderson Vieira		**Editor de Aquisição** José Rugeri j.rugeri@altabooks.com.br	comercial@altabooks.com.br	
Equipe Editorial	Adriano Barros Bianca Teodoro Ian Verçosa	Illysabelle Trajano Kelry Oliveira Keyciane Botelho	Maria de Lourdes Borges Paulo Gomes Thales Silva	Thauan Gomes Thiê Alves
Tradução Claudia Moreira	**Copidesque** Wendy Campos	**Revisão Gramatical** Jana Araujo Thamiris Leiroza	**Revisão Técnica** Carlos Bacci Economista e empresário do setor de serviços	**Diagramação** Luisa Maria Gomes

Erratas e arquivos de apoio: No site da editora relatamos, com a devida correção, qualquer erro encontrado em nossos livros, bem como disponibilizamos arquivos de apoio se aplicáveis à obra em questão.

Acesse o site www.altabooks.com.br e procure pelo título do livro desejado para ter acesso às erratas, aos arquivos de apoio e/ou a outros conteúdos aplicáveis à obra.

Suporte Técnico: A obra é comercializada na forma em que está, sem direito a suporte técnico ou orientação pessoal/exclusiva ao leitor.

A editora não se responsabiliza pela manutenção, atualização e idioma dos sites referidos pelos autores nesta obra.

Dados Internacionais de Catalogação na Publicação (CIP) de acordo com ISBD

M6211   Michalowicz, Mike
   Lucro primeiro: transforme seu negócio de uma máquina de gastar dinheiro em uma máquina de fazer dinheiro / Mike Michalowicz ; traduzido por Claudia Moreira. - Rio de Janeiro : Alta Books, 2019.
   224 p. : il. ; 17cm x 24cm.

   Tradução de: Profit First
   Inclui índice e anexo.
   ISBN: 978-85-508-0451-4

   1. Administração. 2. Negócios. 3. Contabilidade. I. Moreira, Claudia. II. Título.

2019-753
CDD 658.4012
CDU 65.011.4

Elaborado por Odilio Hilario Moreira Junior - CRB-8/9949

ALTA BOOKS
EDITORA

Rua Viúva Cláudio, 291 — Bairro Industrial do Jacaré
CEP: 20.970-031 — Rio de Janeiro (RJ)
Tels.: (21) 3278-8069 / 3278-8419
www.altabooks.com.br — altabooks@altabooks.com.br
www.facebook.com/altabooks — www.instagram.com/altabooks

Para minha filha, Adayla, e seu cofrinho

DEPOIMENTOS PARA
LUCRO PRIMEIRO

Darnyelle Jervey: *"É bom construir um negócio que trabalhe para mim.* Lucro Primeiro *está me ajudando a colocar minha visão em prática em meu próprio negócio."*

Darnyelle Jervey é proprietária da Incredible One Enterprises, uma empresa de consultoria em otimização de negócios que oferece treinamento e consultoria para empreendedores em ascensão e proprietários de pequenas empresas com negócios milionários. Ela começou a aplicar o sistema Lucro Primeiro em seu negócio em janeiro de 2015. Estava economizando 10% da receita e tinha um fluxo de caixa consistente, mas não mantinha registro de seu lucro. Todo o lucro obtido permanecia na empresa para fins de "reinvestimento".

Antes de implementar o sistema Lucro Primeiro, os 10% de lucro poupados por Darnyelle somavam cerca de US$65 mil. Nos últimos 15 meses, Darnyelle adicionou mais US$231.763,20 à sua conta de lucros. No ano passado, a Incredible One Enterprises cresceu 258%.

Resultado: US$296.763,20 em lucro, 258% de crescimento da receita e mais de US$1 milhão em vendas.

Carrie Cunnington: *"As finanças do meu negócio são organizadas e claras. Eu sou lucrativa (isso!), disciplinada, motivada e estou no controle."*

Carrie Cunnington é fundadora da Cunnington Shift, um consultório de coaching que capacita profissionais de alto desempenho para criar mudanças positivas e encontrar maior satisfação em suas vidas. Quando começou a aplicar o sistema Lucro Primeiro em seu negócio, em 2014, ela tinha um fluxo de caixa consistente e ainda assim mal pagava as contas. Não importa o quanto tentasse, ela não conseguia controlar as finanças da empresa.

Orientada por Shannon Simmons, uma Profissional Lucro Primeiro, Carrie implementou o sistema Lucro Primeiro em sua empresa e, mais tarde, inspirada no que o modelo fez por seus negócios, ela e o marido começaram a implementá-lo também em suas finanças pessoais. Eles erradicaram todas as suas dívidas até o final de 2016 e ensinaram as suas filhas a usar o modelo.

Resultado: Livre de dívidas e registrando lucros trimestrais.

Christian Maxin: *"Eu agora preciso de apenas 60 minutos por semana para gerenciar meu planejamento financeiro."*

Christian Maxin é proprietário da dP elektronik GmbH, uma empresa com sede em Isernhagen, na Alemanha, líder de mercado em soluções de segurança eletrônica para portas, portões, elevadores e barreiras. Antes do sistema Lucro Primeiro, Christian se sentia pressionado o tempo todo e "constantemente inseguro" sobre as finanças de sua empresa. Toda semana, ele passava horas atualizando planilhas e fazendo planejamento.

Com a implementação do sistema Lucro Primeiro, em 2014, Christian agora dedica apenas uma hora por semana para o planejamento financeiro, sente-se relaxado com as finanças da empresa e dorme o suficiente! Ele acumulou um "colchão de segurança" significativo, que permite que seu negócio compense as perdas de curto prazo nas vendas, e os pagamentos mensais de impostos são realizados sem complicações. Em menos de dois anos, Christian aumentou o lucro em 50%, o que significa mais de US$250 mil, e seus negócios cresceram 20%.

Resultado: Christian é capaz de visualizar rapidamente a saúde financeira de sua empresa: US$250 mil em lucros adicionais e crescimento de 20%.

Paul Finney: *"Quando você tem dinheiro, as oportunidades começam a aparecer como nunca."*

Paul Finney é proprietário da October Kitchen LLC, um serviço de chef que oferece refeições preparadas frescas e congeladas entregues em casa na cidade de Hartford, Connecticut, e em lojas de varejo para viagem. Paul e sua esposa, Alison, ficaram frustrados porque não conseguiam reter mais do fluxo de caixa por todo seu árduo trabalho. Eles não faziam retiradas para si, e isso estava afetando sua motivação. Em 2015, Paul encontrou *Lucro Primeiro* na Amazon e logo depois começou a trabalhar com um Profissional Lucro Primeiro.

Desde a implementação do sistema Lucro Primeiro, Paul se sente "renascido". As vendas da October Kitchen cresceram de US$3 mil para US$15 mil por semana. Paul conseguiu reduzir seus custos com alimentos em 20%, e a empresa tem uma taxa de crescimento anual estável de 10% a 15%. Ter dinheiro disponível permitiu que Paul e Alison identificassem e aproveitassem as oportunidades de crescimento. A October Kitchen está a caminho de uma receita anual de US$1 milhão em 2017.

Resultado: 500% de crescimento em vendas semanais; corte de 20% nos custos.

Helen e Rob Faulkner: *"Após 18 anos em operação, nós finalmente sentimos que somos um sucesso."*

Helen e Rob Faulkner possuem e trabalham no Saddle Camp, um acampamento de aventura e escola de equitação para meninas nos arredores de Sydney, Austrália. Realizando um sonho de infância, Helen iniciou seu negócio aos 21 anos. Depois de 20 anos de altos e baixos, ela estava a ponto de desistir. Os negócios estavam em baixa, logo teriam que substituir os pôneis, e não tinham reservas de caixa. Helen, desesperada, acabou perguntando à "Siri" em seu iPhone: "É hora de desistir do meu sonho?" Em seguida, perguntou: "Como posso tornar meu negócio mais lucrativo?" e *Lucro Primeiro* apareceu na tela.

Nas primeiras quatro semanas de implementação do sistema Lucro Primeiro, Helen e Rob pagaram suas contas, criaram um sistema para alocar fundos para despesas e compras vultosas, e fizeram sua primeira distribuição de lucros. Eles veem em *Lucro Primeiro* o "ingrediente que faltava" para tornar a empresa lucrativa.

Resumo: Helen e Rob deram uma reviravolta em seus negócios e anunciaram a primeira distribuição de lucros dentro de quatro semanas após a implementação do sistema Lucro Primeiro.

AGRADECIMENTOS

Se eu tivesse que fazer este projeto sozinho, teria levado dez vezes mais tempo e este livro seria um décimo do que é hoje. Quando percorro as páginas uma última vez antes de ir para a gráfica, sinto arrepios. Realmente acredito que este livro mudará o mundo. E a razão disso é o incansável esforço de um exército de colegas e amigos incríveis, todos motivados a servir os empreendedores e ajudá-los a se tornarem permanentemente lucrativos.

Primeiramente, gostaria de agradecer a Anjanette Harper, minha parceira de redação. Quando criamos a primeira versão de *Lucro Primeiro*, o objetivo era simples: "Escrever um livro que *possa* mudar o mundo." Reconstruir o *Lucro Primeiro* neste segundo livro melhorou o que já era bom, e posso orgulhosamente colocar um selo de "isso vai mudar o mundo". Anjanette, você é o yin do meu yang. Já foram 5 livros, faltam 20!

Quando um homem pede um sanduíche de beterraba e quatro cafés para o almoço, você sabe que está trabalhando com alguém que está em um patamar superior. Kaushik Viswanath, meu editor na Portfolio, leu página por página, frase a frase, dezenas de vezes para tornar o sistema Lucro Primeiro ainda mais fácil de entender, sem nunca comprometer o sistema, o tom ou meu estilo. Obrigado, Kaushik, por fortalecer ainda mais o conceito Lucro Primeiro, e me capacitando ainda mais a ser eu mesmo.

Obrigado a Liz Dobrinska, minha designer gráfica, que disse: "Ah! Eu tenho uma ideia", e trouxe visuais poderosos para conceitos vagos. Minha imensa gratidão a Go Leeward (goleeward.com [em inglês]), a melhor agência de palestras do planeta, de longe, que me ajudou a viajar pelo mundo para falar sobre o Lucro Primeiro para quem quisesse ouvir.

Há algumas pessoas nos bastidores que passam todos os dias ensinando contadores, contabilistas, coaches e empreendedores sobre o sistema Lucro Primeiro. Eles são verdadeiros guerreiros do lucro. Ron Saharyan (mais conhecido como Obi-Ron Kenobi), é o maior defensor do Lucro Primeiro que eu já conheci. Se você se deparar com Obie-Ron na rua, é provável que ele lhe dê um adesivo, livro ou camiseta do Lucro Primeiro. Um grande obrigado a Kristina Bolduc (mais conhecida como Kebby), que mantém a equipe do Profit First Professionals afiada; e Erin Moger (mais conhecido como Mo) e Mike Scalice (mais conhecido como o lenhador havaiano), que, juntos, ajudam cada vez mais empresas a dominarem o sistema Lucro Primeiro.

Meus agradecimentos não estariam completos sem agradecer a você, o corajoso empreendedor. Você é a definição de super-herói. Está lutando por lucratividade para si mesmo, sua família, seus funcionários, sua comunidade e nosso mundo. Continue lutando, super-herói. Continue a lutar.

E por último, mas certamente primeiro em minha alma, para Krista, você é minha vida.

Sumário

INTRODUÇÃO
1

Capítulo 1
SUA EMPRESA É UM MONSTRO DESCONTROLADO QUE COME DINHEIRO
11

Capítulo 2
OS PRINCÍPIOS ESSENCIAIS DO LUCRO PRIMEIRO
33

Capítulo 3
IMPLEMENTANDO O LUCRO PRIMEIRO EM SEU NEGÓCIO
49

Capítulo 4
AVALIANDO A SAÚDE DO SEU NEGÓCIO
59

Capítulo 5
PORCENTAGENS DE ALOCAÇÃO
77

Capítulo 6
COLOCANDO O LUCRO PRIMEIRO EM AÇÃO
91

Capítulo 7
LIQUIDE SUA DÍVIDA
115

Capítulo 8
ENCONTRE DINHEIRO DENTRO DA EMPRESA
133

Capítulo 9
LUCRO PRIMEIRO: TÉCNICAS AVANÇADAS
149

Capítulo 10
O ESTILO DE VIDA LUCRO PRIMEIRO
165

Capítulo 11
COMO EVITAR QUE TUDO VÁ POR ÁGUA ABAIXO
179

EPÍLOGO
191

Apêndice 1
O GUIA RÁPIDO PARA CONFIGURAÇÃO DO LUCRO PRIMEIRO
195

Apêndice 2
O FORMULÁRIO DE AVALIAÇÃO INSTANTÂNEA
197

Apêndice 3
GLOSSÁRIO DE TERMOS ESSENCIAIS
199

ÍNDICE
203

INTRODUÇÃO

"Eu sou uma idiota."

Nunca esquecerei do dia em que Debbie Horovitch estava diante de mim e chorou. Em meio às lágrimas, ela continuou balbuciando "eu sou uma idiota" sem parar.

Debbie, a empreendedora por trás da Social Sparkle & Shine Agency — uma empresa de Toronto, Califórnia, especializada em serviços de mídia social — abordou-me em um evento CreativeLive em São Francisco. Eu estava lá para ensinar estratégias de crescimento de negócios de meu segundo livro, *The Pumpkin Plan* [sem publicação no Brasil]. Durante uma das sessões do evento, expliquei o conceito básico do sistema Lucro Primeiro. Uma de suas ferramentas é a Avaliação Instantânea, uma maneira de avaliar rapidamente a saúde financeira real do seu negócio. Quando fiz a avaliação em um participante voluntário, o sistema Lucro Primeiro fez sentido para todos na sala.

Todas as apresentações do CreativeLive são transmitidas online ao vivo e 8 mil espectadores sintonizaram no meu evento. Tuítes e comentários começaram a aparecer de todo o mundo. Como a Avaliação Instantânea é muito rápida e fácil, não fiquei totalmente surpreso ao ver muitos comentários de espectadores online dizendo que avaliaram seus negócios naquele momento. Empreendedores, CEOs, freelancers, empresários — todos compartilhavam o alívio que sentiam ao aprender esse método simples. Era como se cada um tivesse experimentado uma repentina clareza total, uma sacudida instantânea de confiança sobre o lado financeiro de seus negócios.

Então Debbie me encontrou durante o intervalo e disse: "Poderíamos aplicar a Avaliação Instantânea ao meu negócio?"

"Claro", falei. "Leva um minuto ou dois."

Com a caneta na boca, as pessoas se movimentando ao nosso redor, repassei seu negócio naquele momento, como se Debbie e eu estivéssemos em nosso próprio mundo. Rabisquei seu número de receita anual no quadro. Apuramos as porcentagens. Debbie olhou para os resultados e começou a tremer em meio a soluços. Ela não suportava olhar a própria situação ou onde a Avaliação Instantânea dizia que deveria estar.

"Eu fui uma idiota", disse ela, com lágrimas escorrendo pelo rosto. "Tudo que tenho feito nos últimos dez anos está errado. Eu sou tão idiota. Eu sou uma idiota. Eu sou uma idiota."

Preciso admitir: sou o tipo de pessoa que chora junto — quando as pessoas choram, eu faço o mesmo. Assim que Debbie começou, meus olhos se encheram de lágrimas e a caneta na minha boca caiu no chão. Coloquei meu braço em volta dela para tentar consolá-la.

Durante dez anos, Debbie colocou a alma em sua empresa, dando-lhe tudo o que tinha, sacrificando sua vida pessoal para dar vida ao seu negócio, e ainda assim ela não tinha um centavo (ou um negócio de sucesso) para mostrar. Claro que ela sabia a verdade sobre suas dificuldades o tempo todo, mas preferiu fugir dessa verdade e continuar a viver em negação.

Trabalhar sem descanso é uma maneira muito fácil de encobrir um negócio doente. Pensamos que se pudermos trabalhar cada vez mais — se aguentarmos firme — algo de bom acontecerá um dia. Algo grande estará a sua espera quando você dobrar a esquina, certo? Em um passe de mágica, algo apagará todas as dívidas, o estresse financeiro e a preocupação. Afinal, não merecemos isso? Não é assim que a história deveria terminar?

Não, meu amigo, isso só acontece nos filmes — não experimentamos nada parecido na vida real.

Depois que Debbie fez a Avaliação Instantânea, ela teve que encarar a realidade: seu negócio estava afundando — os dez anos anteriores foram uma batalha para se manter na superfície — e ela estava afundando junto. Ela continuou dizendo: "Eu sou uma idiota. Eu sou uma idiota."

Essas palavras me tocaram porque já estive na mesma situação. Eu entendia exatamente como era encarar a verdade nua e crua sobre meus negócios, minha conta bancária, minhas estratégias e meu sucesso duramente alcançado.

Desenvolvi o sistema Lucro Primeiro para resolver meus próprios problemas financeiros. Funcionou. Na verdade, mais do que funcionou: foi um milagre. Anos de luta e problemas financeiros foram resolvidos, não da noite para o dia, mas em horas. Eu me perguntei se esse sistema funcionaria apenas para mim e meu cérebro defeituoso ou se serviria para outras pessoas.

Então, experimentei em outro negócio do qual era sócio, uma pequena fábrica de artigos de couro em St. Louis. Funcionou. Experimentei em outras empresas, grandes e pequenas. Funcionou. Escrevi sobre esse sistema em meu primeiro livro, *The Toilet Paper Entrepreneur* [sem publicação no Brasil] em um pequeno parágrafo facilmente ignorável. E então algo aconteceu: comecei a receber e-mails de outros empresários que diziam ter experimentado e visto os resultados. Escrevi sobre isso no *Wall Street Journal*, e mais histórias de sucesso apareceram.

Depois que escrevi meu segundo livro, *The Pumpkin Plan*, incluí o sistema Lucro Primeiro em minhas palestras. Após conhecer Debbie no evento CreativeLive percebi que os empreendedores precisavam de mais do que apenas um parágrafo ou um capítulo sobre o assunto. Muitos líderes empresariais viviam e trabalhavam em regime de escravidão absoluta em seus negócios. Se eu quisesse fazer uma diferença real para as Debbies (e Mikes) do mundo, sabia que tinha que escrever um livro sobre o sistema Lucro Primeiro.

Lucro Primeiro foi publicado pela primeira vez em 2014 e, a partir daí, dezenas de milhares de empreendedores implementaram o sistema e transformaram seus negócios. Eles não estão apenas gerando um lucro real; estão *expandindo* seus negócios em grande escala. É o clássico "matar dois coelhos com uma cajadada só".

Enquanto escrevo esta versão atualizada do livro, estou em um avião, em algum lugar sobre a Pensilvânia ou o Texas, ou talvez seja a Rússia. Viajo tanto nestes dias que confio no piloto para me dizer onde estou. Meus companheiros de voo estão assistindo a um filme que já viram quatro vezes, trabalhando ou "descansando os olhos" com a boca aberta e um ronco ocasional. Alguns estão olhando as nuvens pela janela. Eu? Estou pensando em todas as empresas que estamos sobrevoando. Deve haver milhares delas abaixo de nós.

A Small Business Administration (SBA) afirma que existem 28 milhões de pequenas empresas somente nos Estados Unidos. A SBA define como pequena empresa aquela que gera US$25 milhões ou menos de receita anual. Isso inclui meu negócio e imagino que inclua o seu. Ora, inclui até mesmo a empresa de Justin Bieber (sua "pequena empresa" de vendas de música faturou apenas US$18 milhões no ano passado). Então, são 28 milhões de nós, empreendedores "esquisitões", apenas nos Estados Unidos. Se verificarmos o tamanho da nossa família empresarial global, veremos que o número de pequenas empresas ultrapassa os 125 milhões[1]. Isso é um monte de empreendedores, muitas pessoas com co-

---

[1] http://www.ifc.org/wps/wcm/connect/9ae1dd80495860d6a482b519583b6d16/MSME-CI-AnalysisNote.pdf?MOD=AJPERES

ragem, inteligência e determinação que decidiram que tinham algo de valor para oferecer ao mundo e tiveram a chance de construir alguma coisa a partir disso.

Inclui você, amigo empreendedor. Você pode estar na fase inicial, seus planos e sonhos escritos em um guardanapo (ou papel higiênico!). Se você está apenas começando, ânimo! Você se concentrará no lucro desde o Primeiro Dia, o que salvará sua sanidade, sua conta bancária e sua pele.

Talvez você tenha criado ou esteja gerenciando um negócio. Talvez você tenha lido a primeira edição do meu livro e queira melhorar ainda mais seu sistema Lucro Primeiro. Independentemente do seu status de empreendedor, você é um fazedor de milagres. Você converte ideias em realidade. Encontra clientes; entrega serviço e eles lhe pagam por isso. Você continua vendendo; continua fazendo entregas; continua administrando o dinheiro. Todos nós somos pessoas inteligentes e motivadas. Muito sagazes. Muito focadas. Mas há um problema realmente perturbador: oito entre dez empresas fracassam, e a razão número um pela qual fracassam é a falta de lucratividade. De acordo com um relatório da Babson College: "A falta de lucratividade é consistentemente a principal razão citada para a descontinuidade de um negócio."[2] Você está surpreso? Provavelmente, não. Eu não estava. Isso é um fato e me faz querer afogar minhas mágoas em Margaritalândia. A maioria das pequenas empresas e empresas de médio porte, e até mesmo algumas grandes, mal sobrevivem. Aquele cara que dirige o novo Tesla, cujos filhos vão para a escola particular em um carro com motorista e que mora em uma casa enorme e administra uma empresa de US$3 milhões, está a um mês ruim de declarar falência. Eu deveria saber; ele é meu vizinho.

A empresária que diz "O mundo dos negócios é ótimo" no evento de networking é a mesma mulher que, por causa de suas lágrimas, mais tarde tenta me fazer uma pergunta indecifrável no estacionamento — ela está chorando porque não conseguiu pagar a si mesma um salário por quase um ano e logo será despejada de sua casa. Essas são apenas algumas das muitas conversas semelhantes que tive com empreendedores que têm medo de dizer a verdade sobre suas finanças.

O ganhador do prêmio Jovem Empreendedor do Ano da SBA que está mudando o mundo, que é elogiado como um membro da próxima geração de gênios, que está destinado a ser capa da revista *Fortune* por causa de sua perspicácia empresarial, nos bastidores faz empréstimo bancário após empréstimo bancário e acumula dívidas no cartão de crédito para cobrir a folha de pagamento. Eu deveria saber; essa pessoa era eu.

---

[2] Relatório 2015–16 — Global Entrepreneurship Monitor.

Como pode ser? O que há de errado conosco? Quero dizer, basicamente fizemos tudo certo ou bem próximo. Nós criamos algo do nada. E, no entanto, por que a maioria das empresas não é lucrativa?

Eu costumava me gabar do tamanho de minha empresa. Cheguei a me congratular por contratar mais funcionários, por me mudar para um escritório sofisticado, por ter feito grandes vendas. A verdade é que usei tudo isso como uma desculpa para encobrir um fato terrível: minha empresa nunca havia conseguido dar lucro. A realidade era que meu negócio (e eu, como consequência) estava afundando, e continuei tentando fazê-lo crescer para manter minha cabeça fora da água. Eu dizia: "Não quero ter lucros, é claro. Só quero o ponto de equilíbrio. Dessa forma, vou economizar impostos." Em outras palavras, prefiro perder US$10 do que pagar ao governo US$3. Continuei a afundar mês a mês. Ano após ano. Em constante estresse.

Na verdade, sobrevivi de pagamento em pagamento desde o dia que comecei meu negócio até o dia em que o vendi. Cara, fiquei aliviado! Meu negócio estava me arrastando para baixo, e eu finalmente me livrei dele. Mas esse alívio veio com um sabor amargo. Quando comecei a empresa, meu objetivo não era a mera sobrevivência. Quero dizer, sobreviver é o objetivo de prisioneiros de guerra e refugiados, certamente não é o que um homem de negócios almejaria para sua vida. Estava convencido de que o problema era eu. Por muito tempo achei que tinha defeitos, que meu cérebro não estava funcionando direito. Levei muito tempo para perguntar: e se eu não for o problema? E se o sistema que me disseram para seguir for falho?

O sistema Lucro Primeiro funciona porque não tenta consertar você. Você trabalha arduamente, tem boas ideias, se dedica 100% ao seu negócio. O Lucro Primeiro é um sistema projetado para funcionar com quem você já é. Não é você quem precisa de conserto, mas sim o sistema.

Imagine se lhe dissessem que você é capaz de voar ao simplesmente bater os braços, e então fosse encorajado a pular do penhasco mais próximo. Isso mesmo. Basta bater os braços e você não apenas sobreviverá à queda de dezenas de metros de altura, mas também voará. O que é isso? Você está mergulhando na morte? Rápido! Bata mais forte. Agitar os braços para voar é uma loucura porque os *humanos não podem voar*. Seguir uma fórmula financeira que não é projetada para a maneira como os seres humanos naturalmente funcionam é como pedir que você bata os braços com mais força até decolar. Desculpe, amigo, isso não vai funcionar, não importa o quanto você tente.

O sistema de lucratividade que usamos desde o início dos tempos é totalmente estúpido. Na verdade, é horrível. Sim, claro, faz sentido matematicamente, mas certamente não faz sentido humanamente. Embora algumas empresas tenham sucesso seguindo o sistema antigo, elas são a exceção, não a regra. Apoiar-se em métodos contábeis tradicionais para aumentar a lucratividade é o equivalente a dizer a você para pular de um penhasco e sacudir os braços sem parar. Talvez dois ou três dos milhões de pessoas que experimentam, por algum milagre, sobrevivam. Mas apontar para os sobreviventes milagrosos e dizer: "Estão vendo? Funciona!", é ridículo. Milhões de pessoas morrem e algumas sobrevivem, mas dizemos, cegamente, que o sistema de bater os braços é o melhor modo de voar. Absurdo.

Se sua empresa não gera lucros, a suposição natural é que você não cresceu rápido o suficiente. Mas tenho uma novidade. O problema não é você. Não é você que precisa mudar. A velha fórmula para lucrar é que está errada e precisa mudar.

Você sabe de que fórmula estou falando: Vendas – Despesas = Lucro. Aquela fórmula velha, míope e cheirando a mofo faz todo o sentido à primeira vista. Venda o máximo que puder, pague as contas e o que sobrar é lucro. Mas o problema é que nunca há sobras. Flap, Flap, Flap. Plaft.

A velha fórmula de lucro cria monstros dentro das empresas. Monstros devoradores de dinheiro. Mas nos mantemos fiéis à fórmula e as coisas pioram.

A solução é absurdamente simples: tire seu lucro primeiro. Sim, é simples assim.

O que você está prestes a aprender é tão simples, tão obviamente eficaz que você pode bater sua cabeça na parede e dizer: "Por que diabos não fiz isso antes?" Mas pode parecer difícil às vezes porque você nunca fez isso antes. É um desafio porque será obrigado a parar de bater os braços. Você será obrigado a parar de fazer o que não estava funcionando. (É muito difícil parar de fazer algo mesmo que não esteja dando certo para você. Lembra daquela última ressaca desagradável, quando você disse: "Nunca mais vou beber"? Quanto tempo isso durou?)

O sistema Lucro Primeiro é desafiador, pois você terá que mudar totalmente a maneira como pensa os negócios. E a mudança é assustadora. A maioria das pessoas não gosta de experimentar coisas novas, muito menos de aderir a novos sistemas. É provável que você pense em experimentar o sistema Lucro Primeiro, mas vai se pegar dizendo a si mesmo que é muito mais fácil continuar fazendo as coisas da maneira antiga, mesmo que o jeito antigo vá de forma lenta e certa afundar você e sua empresa. Então, antes de começarmos, deixe-me falar sobre as pessoas corajosas que deram esse salto antes de você e pegaram o voo inaugural do Lucro Primeiro.

A partir deste exato segundo, há 128 contadores, contabilistas e coaches trabalhando juntos para orientar os empresários na implementação do Lucro Primeiro. (Não se preocupe. Você pode fazer isso por conta própria, mas para algumas pessoas, ter um parceiro de responsabilidade, que conheça os detalhes do setor e possa guiá-las passo a passo, é uma abordagem melhor, como você verá ao longo do livro.) Em média, esses 128 Profissionais Lucro Primeiro (PLPs) conduziram a implementação do Lucro Primeiro em dez empresas por PLP. Isso significa que orientamos 1.280 negócios para o sucesso usando o Lucro Primeiro.

Mas a maioria das pessoas que leu *Lucro Primeiro* até o momento, devo presumir, seguiu o processo por conta própria. Recebo cerca de cinco e-mails por dia, todos os dias, de empreendedores que me dizem que iniciaram o processo Lucro Primeiro ou o usaram para transformar seus negócios. Em um período de 2 anos, são 3.650 e-mails de novas implementações. Mas sei que ainda mais pessoas leem o livro e não me contam seus resultados. Portanto, minha melhor estimativa é que mais de 30 mil empresas estão empregando o sistema Lucro Primeiro. Mesmo que essa estimativa esteja correta, é só a ponta do iceberg. Trinta mil é um bom número, mas quando comparado a 125 milhões de empresas, não está nem perto de ser suficiente. Então vamos em frente, começando por você.

Mas, primeiro, gostaria de apresentá-lo a Keith Fear.

Keith é fã de longa data dos meus livros. Eu sei porque ele me mandou um e-mail quando lancei *The Pumpkin Plan*. Ele diz que se apaixonou pelo livro e que, como resultado, sua empresa de balões de ar quente se transformou em um sucesso. A empresa tinha crescido, mas seus lucros não. Na verdade, ele superou um milhão em receita e ainda precisava de um emprego em tempo integral fora da empresa apenas para sobreviver. Aí ele leu *Lucro Primeiro*. E não fez nada.

Nada mesmo! Por quê? Porque Keith não imaginava que o sistema Lucro Primeiro funcionaria. Ele tentara bater os braços durante toda a sua vida, o que parece particularmente estranho quando você ganha a vida com viagens de balão, e sempre obteve o mesmo feedback: bata os braços mais forte. O conceito de tirar o lucro primeiro, antes de mais nada, era tão estranho que não parecia possível. Mas depois de mais dois anos vivendo mês a mês, sobrevivendo de pânico em pânico, ele cedeu e desistiu do modo familiar e decidiu dar um voto de confiança. Os resultados foram... bem, vou deixar que Keith mesmo explique, como ele escreveu em sua carta:

Mike e equipe,

Pensei em reservar um momento e compartilhar algo com você. Acabei de ler *Lucro Primeiro* pela enésima vez e, na verdade, tive que comprar uma nova cópia. Algumas partes do primeiro exemplar acabaram desgastadas e dei alguns exemplares para ajudar amigos. Sou dono e trabalho em um negócio de passeios de balão de ar quente. Temos operações em St. Louis, Missouri, Albuquerque e Taos, Novo México, e agora também em Cottonwood, Arizona, perto de Sedona.

Quando li seu livro pela primeira vez, achei que você estivesse maluco. De jeito nenhum isso poderia funcionar. Então, nos últimos meses de 2014, não fiz nada. Continuei fazendo as coisas como sempre. Afinal, eu estava obtendo um pequeno lucro, mas meu fluxo de caixa não era o melhor. Era tudo que eu podia fazer para lidar com as questões de dinheiro, honestamente. Finalmente, no começo deste ano, li o livro novamente e, desta vez, decidi tentar.

Para você ter uma ideia do que isso tem feito por nós, em um ponto no início de 2015, nosso lucro líquido ano a ano e o acumulado do ano, de 2014 versus 2015, subiu 1.721%. Não. Não é um erro de digitação. Eu realmente não estou brincando. Encerramos 2015 com um aumento de 335,3% no lucro líquido. Além disso, conseguimos uma margem de lucro líquido de 22%!

Keith

A empresa de Keith foi salva pelo método Lucro Primeiro. Hoje seu negócio está prosperando. Como o meu.

Com o sistema Lucro Primeiro, salvei minha empresa e assegurei que todos os novos negócios que iniciei a partir de então fossem lucrativos desde o primeiro dia. Sim, *no primeiro dia*. O dia em que lancei meu novo empreendimento, Profissionais Lucro Primeiro, fiz duas coisas: assinei os contratos sociais e fui direto para o banco abrir minhas cinco contas fundamentais de Lucro Primeiro. Até o momento, Profissionais Lucro Primeiro é o negócio mais lucrativo que já possuí — de longe. Não é o maior que já tive, pelo menos não ainda, mas está registrando lucros 1.000% maiores do que o melhor ano de qualquer uma das minhas empresas anteriores, que foram vendidas por milhões. Isso não é um erro de digitação — 1.000% mais lucrativo. Essa empresa não tinha nem dois anos e estava crescendo tão rápido que provavelmente seria a maior empresa (com base nas receitas) que já possuí.

Este livro e o sistema Lucro Primeiro, eu prometo, farão o mesmo por você. Se precisa gerar seu primeiro lucro ou simplesmente ampliar os lucros que já tem, este livro é o caminho.

Ajudar você e todos os nossos colegas empreendedores a se tornarem mais lucrativos é o propósito da minha vida. Viajo por todo os Estados Unidos e além para falar sobre o sistema Lucro Primeiro. Amanhã falarei com mais de 1.100 donos de farmácias em um evento em Houston, depois para 25 pessoas (se tiver sorte) em Casper, Wyoming, depois vou para Nova Orleans para conversar com 200 pessoas pela manhã e então inicio uma corrida maluca (via avião, trem e Uber) até Washington, DC, para uma palestra à noite. Depois viajarei para o exterior para mais eventos. Nesse intervalo, farei entrevistas para cerca de quatro podcasts por dia, gravarei meu próprio podcast (isso mesmo — The Profit First Podcast, é claro) e atualizarei este livro à noite. Faço *tudo* isso com alegria. Ensinarei meu sistema para todo mundo. Não vou parar. Minha missão é erradicar a pobreza empresarial.

Na CreativeLive, depois que Debbie se acalmou um pouco, eu disse: "Os últimos dez anos não foram desperdiçados. Entendo que você se sinta assim agora, mas não é verdade. Você precisava vivenciar esses anos para chegar aonde está hoje, aqui comigo, lendo este livro. Você precisava chegar a um ponto e dar um basta." Para finalmente mudar, ela precisava vivenciar seu momento "basta". Todos nós precisamos.

A verdade é que Debbie está longe de ser uma idiota. Os tolos nunca procuram respostas, nunca percebem que há um jeito diferente, mesmo quando está bem diante de seus olhos. Eles não admitem que precisam mudar. Debbie encarou a realidade, percebeu que aquilo que fazia não estava funcionando e decidiu que não aceitaria mais. Debbie é inteligente e corajosa, e também uma heroína. Ela me implorou para colocar sua história neste livro e não ocultar seu nome. Debbie queria que você soubesse que não está só.

Você começou seu negócio, acredito, por dois motivos. Primeiro, fazer algo que ama. E segundo, pela liberdade financeira. Você fez isso para conquistar algum nível de riqueza e colocar lucro no seu bolso.

É por isso que este livro existe. Vamos colocar lucro no seu bolso. Começando hoje. Literalmente hoje. Seu lucro começará hoje e ocorrerá permanentemente.

Tudo o que você precisa fazer é se comprometer a estudar este livro e colocar o que aprendeu *em prática*. Não ignore a etapa "prática". Por favor, não ignore a parte "prática". Você não pode ler esse livro, pensar "nossa, que conceito incrível" e voltar aos negócios como de costume. Você precisa agir. Como fez Debbie, você precisa superar seus sentimentos sobre as escolhas que fez no passado. E como

Keith, precisa colocar isso em prática conforme lê o livro e seguindo as etapas de ação ao final de cada capítulo. Sua vida (lucrativa) depende disso.

Eu quero sua lucratividade mais que tudo. Sei que isso lhe trará estabilidade em seus negócios e em sua vida. E sei que você é a semente para outros empreendedores, seus funcionários e contatos, e talvez até mesmo familiares e amigos, para fazer o mesmo. Junte-se a mim. Vamos erradicar a pobreza empresarial juntos.

Desde que publiquei a primeira edição da versão americana de Lucro Primeiro, nos Estados Unidos, há dois anos, recebi muitos comentários e perguntas que me deram ideias de melhoria. Também aprendi dezenas de atalhos, ajustes e soluções que as pessoas descobriram em sua própria implementação do sistema Lucro Primeiro e tiveram a gentileza de compartilhar comigo. Todas essas melhorias simplificadas, novos conceitos avançados e soluções brilhantes estão nesta edição revisada e ampliada de *Lucro Primeiro*. Quem leu a primeira edição de *Lucro Primeiro*, verá que o sistema principal não mudou. É fundamentalmente idêntico. Mas este *Lucro Primeiro*, revisado e ampliado, está repleto de novos conhecimentos, novas histórias e novas técnicas mais fáceis.

Se é novo no sistema Lucro Primeiro, você tem o melhor do melhor em suas mãos. A implementação do método Lucro Primeiro no seu negócio será mais fácil, mais rápida e melhor do que nunca.

Prepare-se. Nós vamos tornar seu negócio permanentemente rentável, começando com seu próximo depósito.

Capítulo 1

SUA EMPRESA É UM MONSTRO DESCONTROLADO QUE COME DINHEIRO

Não importa há quantos anos você trabalha, provavelmente está ciente da estatística de que cerca de 50% das empresas quebram nos primeiros cinco anos. O que ela não diz é que esses empreendedores falidos são, na verdade, os sortudos! A maioria dos negócios que sobrevive está acumulando dívidas e seus líderes estão constantemente estressados. A maioria dos empreendedores está vivendo um pesadelo financeiro, com direito a Freddy Krueger ou o monstro de Frankenstein em toda sua maldade. Na verdade, estou convencido de que sou o Dr. Frankenstein.

Quem leu o clássico *Frankenstein*, de Mary Shelley, sabe exatamente do que estou falando. O bom doutor deu vida ao monstro. A partir de partes de corpos que não se encaixavam, ele costurou um ser vivo mais monstro do que homem. Claro que a criação dele não era um monstro no início. Não, no começo ele era um milagre. Dr. Frankenstein trouxe à vida algo que, sem sua extraordinária ideia e trabalho exaustivo, não poderia existir.

Foi isso o que fiz. Foi isso o que você fez. Nós trouxemos algo à vida que não existia antes de sonharmos; nós criamos um negócio do nada. Impressionante! Milagroso! Bonito! Ou, pelo menos, foi até percebermos que nossa criação era, na verdade, um monstro.

"Costurar" um negócio sem nada além de uma grande ideia, seus talentos únicos e os poucos recursos que você tem em mãos é certamente um milagre. E parece um até o dia em que você percebe que seu negócio se tornou um monstro gigante, assustador, sugador de almas e que "come dinheiro". Esse é o dia em que você descobre que você também é um membro estimado da família Frankenstein.

E, assim como aconteceu no livro de Shelley, o tormento mental e físico começa em seguida. Você tenta domar o monstro, mas não consegue. O monstro causa destruição em cada movimento: contas bancárias vazias, dívidas de cartão de crédito, empréstimos e uma lista cada vez maior de despesas "obrigatórias". Ele também devora seu tempo. Você acorda antes do amanhecer para trabalhar, e muito depois do sol se pôr você ainda está lá. Trabalha e trabalha, mas o monstro continua a crescer. Seu trabalho implacável não o liberta; ele drena todas as suas forças. Tentar manter o monstro sob controle antes que ele destrua todo o seu mundo é desgastante. Você passa noites sem dormir, preocupa-se com telefonemas de cobrança — às vezes de seus próprios funcionários — e convive com um pânico quase constante sobre como cobrir as contas da semana que vem com alguns tostões e fiapos no bolso. Você não começou um negócio para ser seu próprio patrão? Agora parece que esse monstro é seu chefe.

Se acha que operar sua empresa está mais perto de uma história de terror do que de um conto de fadas, você não está sozinho. Desde que escrevi meu primeiro livro, *The Toilet Paper Entrepreneur*, conheci dezenas de milhares de empreendedores; e posso assegurar que a maioria está lutando para domar a fera que é o próprio negócio. Muitas empresas — mesmo aquelas que parecem equilibradas, até mesmo as grandes que parecem dominar seus setores — estão a um mês ruim do colapso total.

Meu próprio despertar veio na forma do cofrinho da minha filha.

O COFRINHO QUE MUDOU MINHA VIDA

Eu perdi o rumo no dia em que recebi um cheque de US$388 mil. Foi o primeiro de vários cheques que eu receberia pela venda da minha segunda empresa — uma empresa multimilionária de perícia judicial que eu cofundara — para uma empresa da Fortune 500. Eu já tinha formado e vendido duas empresas, e esse cheque era a prova de que meus amigos e familiares estavam certos sobre mim: quando se tratava de empresas em crescimento, eu tinha o toque de Midas.

No dia em que recebi o cheque, comprei três carros: um Dodge Viper (meu carro dos sonhos de faculdade e que mais tarde descobri que muitas pessoas chamavam de carro "do cara que deve ter um pênis minúsculo"), algo que prometi que compraria para mim "um dia" quando tivesse "chegado lá", um Land Rover para minha esposa e um sobressalente — um BMW modificado.

Sempre acreditei na frugalidade, mas agora eu era rico (e com um ego à altura). Entrei para um seleto clube: aquele em que quanto mais dinheiro você doa, mais alto eles inscrevem seu nome no mural dos beneméritos. E aluguei uma casa em uma remota ilha havaiana para que minha esposa, meus filhos e eu passássemos as três semanas seguintes experimentando como seria nosso novo estilo de vida. Você sabe, "como a outra metade vive".

Achei que era hora de aproveitar o dinheiro que havia criado. O que eu não sabia era que estava prestes a aprender a diferença entre ganhar dinheiro (receita) e receber dinheiro (lucro). São duas coisas muito diferentes. Fiz meu primeiro negócio decolar com nada além de ambição, dormindo no meu carro ou em mesas de salas de reunião, a fim de evitar o custo de hotéis ao visitar clientes. Então, imagine o olhar de surpresa da minha esposa, Krista, quando pedi ao vendedor da concessionária "o Land Rover mais caro que você tem". Não o melhor Land Rover. Não o Land Rover mais seguro. O Land Rover mais caro. O vendedor foi até o gerente aos pulos.

Krista olhou para mim e disse: "Você perdeu a cabeça? Podemos realmente pagar por isso?"

Cheio de sarcasmo, eu disse: "Se podemos pagar? Temos mais dinheiro do que Deus." Jamais esquecerei a estupidez que saiu de minha boca naquele dia; palavras tão nojentas, um ego tão desagradável. Krista estava certa. Eu tinha perdido a cabeça — e, pelo menos por enquanto, minha alma.

Esse dia foi o começo do fim. Eu estava no caminho certo para descobrir que, embora soubesse como ganhar milhões, realmente era proficiente em perder milhões. Não foi apenas o estilo de vida que comprei que causou minha derrocada financeira — as armadilhas do sucesso foram um sintoma da minha arrogância — eu acreditava na minha própria fábula. Eu era o rei Midas reinventado. Não era capaz de errar. E porque eu tinha o toque de ouro e sabia como construir negócios bem-sucedidos, decidi que investir em uma dúzia de startups novinhas em folha era a melhor maneira de usar minha fortuna inesperada. Afinal de contas, era apenas uma questão de tempo até que meu gênio empreendedor se revelasse nessas promissoras empresas.

Eu me importava se os fundadores dessas empresas sabiam o que estavam fazendo? Não, eu tinha todas as respostas (leia isso com gigantesca entonação arrogante). Presumi que meu toque de ouro mais do que compensaria a falta de experiência em negócios. Contratei uma equipe para gerenciar a infraestrutura de todas essas startups — contabilidade, marketing, mídias sociais, web design. Estava certo de que tinha a fórmula para o sucesso: uma startup promissora; a infraestrutura; e meu incrível toque mágico superior (mais entonação arrogante).

Então, comecei a preencher cheques — US$5 mil aqui, US$10 mil ali, a cada mês mais e mais cheques. Uma vez, preenchi um cheque de US$50 mil para cobrir as despesas de uma dessas empresas. Estava focado em uma coisa apenas:

crescimento. Jogar dinheiro em empresas iniciantes de forma desleixada não estava em consonância com meus valores sobre dinheiro; eu me fiz sozinho e tenho orgulho disso. Ainda assim, estava cego para meus erros. Tudo que queria era fazer a empresa crescer e vendê-la. Em retrospecto, ficou claro que eu não seria capaz de fazer todas essas empresas crescerem a ponto de se tornarem referências em seus nichos, como havia feito com minhas duas empresas anteriores. Nunca havia receita suficiente para cobrir a montanha cada vez maior de contas.

Por causa do meu enorme ego, não permiti que as pessoas boas que começaram essas empresas se tornassem verdadeiras empreendedoras. Eles eram apenas meus peões. Ignorei os sinais e continuei canalizando dinheiro para meus investimentos, certo de que o rei Midas seria capaz de dar a volta por cima.

No prazo de 12 meses, todas as empresas em que investi, exceto uma, tinham afundado. Quando comecei a preencher cheques para pagar contas de empresas que já haviam quebrado, percebi que eu não era um investidor-anjo; era o anjo da morte.

Foi um desastre monumental. Não. *Eu* fui um desastre monumental. Em alguns anos, perdi quase todas as minhas suadas economias. Mais de meio milhão jogado fora.

Uma quantidade muito maior (embaraçosamente maior) de investimento foi perdida. Pior, eu não tinha receita. Em 14 de fevereiro de 2008 tinha meus últimos US$10 mil.

Nunca vou esquecer aquele Dia dos Namorados. Não porque foi cheio de amor (embora tenha sido), mas porque foi o dia em que percebi que o velho ditado: "Quando você atinge o fundo do poço, o único caminho a seguir é para cima" é uma enorme bobagem. Descobri naquele dia que quando você atinge o fundo do poço, às vezes você ainda é arrastado e obrigado a esfregar o rosto nas pedras até ficar machucado, ferido e ensanguentado.

Naquela manhã, no meu escritório, recebi uma ligação de Keith, meu contador (não confundir com Keith, o cara do balão de ar quente). Ele disse: "Boas notícias, Mike. Eu me antecipei na questão dos seus impostos este ano e consegui terminar sua declaração para 2007. Você deve apenas US$28 mil."

Senti uma dor aguda, como se uma faca fosse cravada no meu peito. Lembro-me de pensar: "É assim que é ter um ataque cardíaco?"

Eu teria que me esforçar para conseguir os US$18 mil que faltavam e, em seguida, descobrir como cobrir minha hipoteca no mês seguinte, além de todas as pequenas despesas recorrentes e inesperadas, o que totalizava uma grande soma.

Ao desligar o telefone, Keith disse que a conta por seus serviços chegaria na segunda-feira.

"Quanto?", perguntei.

"US$2 mil."

Senti o chão fugir de meus pés. Eu tinha apenas US$10 mil e minhas contas totalizavam três vezes esse valor. Após o telefonema, apoiei minha cabeça na mesa e chorei. Estava tão distanciado de meus valores, de quem eu era, que destruí tudo. Agora, não só não conseguiria pagar meus impostos, como não tinha ideia de como sustentaria minha família.

Na casa dos Michalowicz, o Dia dos Namorados é um autêntico feriado — no mesmo nível do Dia de Ação de Graças. Nós jantamos juntos, trocamos cartões e compartilhamos histórias ao redor da mesa sobre aquilo que amamos um no outro. É por isso que o Dia dos Namorados é meu dia favorito do ano. Normalmente, eu voltava para casa com flores, bombons ou ambos. Naquele Dia dos Namorados, cheguei em casa sem nada.

Embora tentasse esconder, minha família sabia que algo estava errado. Na mesa de jantar, Krista perguntou se eu estava bem. Isso foi o suficiente para a represa se romper. A vergonha era muito grande. Fui de sorrisos forçados a soluços em questão de segundos. Meus filhos olhavam para mim, chocados e horrorizados. Quando finalmente parei de chorar o suficiente para falar, disse: "Eu perdi tudo. Cada centavo."

Silêncio total. Despenquei em minha cadeira; a vergonha era grande demais para encarar minha família, não quando todo o dinheiro que ganhei para sustentá-los havia desaparecido. Não só deixara de sustentar minha família; meu ego roubou tudo. Senti uma imensa vergonha pelo que tinha feito.

Minha filha, Adayla, que tinha 9 anos na época, levantou-se da mesa e correu para seu quarto. Não podia culpá-la — eu também queria fugir.

O silêncio continuou por dois dolorosos e desconfortáveis minutos até que Adayla voltou de seu quarto carregando seu cofrinho, que ganhara de presente quando nasceu. O cofrinho estava nitidamente bem cuidado; mesmo com todos esses anos de uso, não havia uma única lasca ou rachadura nele. Ela havia fixado a tampa de borracha com uma combinação de fita crepe, fita adesiva e elásticos. Adayla colocou seu cofrinho na mesa da sala de jantar e o empurrou em minha direção. Então ela disse as palavras que vão me acompanhar até o dia de minha morte:

"Papai, nós vamos conseguir."

Naquele Dia dos Namorados, acordei me sentindo como Debbie Horovitch depois de sua Avaliação Instantânea: um idiota. Mas no final do dia havia aprendido o que realmente vale a pena, graças à minha filha de 9 anos. Naquele dia, também aprendi que nenhum talento, criatividade, paixão ou habilidade mudaria o fato de que o dinheiro ainda é o rei. Descobri que uma menina de 9 anos havia entendido a essência da segurança financeira: poupe seu dinheiro e bloqueie o acesso a ele para que não seja roubado — por você. E aprendi que poderia dizer a mim mesmo que minha aptidão natural para os negócios, minha motivação incansável e minha sólida ética de trabalho poderiam superar qualquer crise de caixa, mas seria uma mentira.

Executar a Avaliação Instantânea pode ser como ter um balde de água gelada caindo em sua cabeça (se você fez o "Desafio do Balde de Gelo" há alguns anos, conhece bem o arrepio que isso causa na espinha). Ou pode ser o momento mais humilhante de sua vida, como quando sua filha oferece suas economias para salvá-lo da confusão em que se meteu. Mas não importa o quanto essa dor seja pungente, é melhor enfrentá-la do que continuar tocando sua empresa e vivendo em negação.

PROBLEMAS FINANCEIROS

Você provavelmente trabalhou muito para o crescimento de sua empresa. E provavelmente é bom ou ótimo nessa parte. Fantástico. Certamente, essa já é metade da equação. Mas um crescimento colossal sem saúde financeira também mata sua empresa. Com este livro, você tem a oportunidade de aprender a lidar com o dinheiro. O dinheiro é a base. Sem dinheiro suficiente, não podemos levar nossa mensagem, nossos produtos ou nossos serviços ao mundo. Sem dinheiro suficiente, somos escravos das empresas que abrimos. Acho isso hilário porque, em grande parte, começamos nossos negócios porque queríamos ser livres.

Sem dinheiro suficiente, não podemos realizar plenamente nossos eus autênticos. O dinheiro amplifica quem somos. Não há sombra de dúvida em minha mente de que há algo grande à sua espera neste planeta. Você veste a capa daquele que acredito ser o maior de todos os super-heróis: o empreendedor. Mas seus poderes de super-heróis só lhe proporcionam poder equivalente ao de sua fonte de energia: o dinheiro. Você precisa de dinheiro, super-herói!

Quando me sentei para avaliar o que fiz de errado, percebi que, embora os meus próprios gastos e arrogância definitivamente tenham desempenhado um papel, também me faltava conhecimento. Fui mestre em como fazer negócios rapidamente, mas nunca me graduei em lucratividade. Tinha aprendido como ganhar dinheiro, com certeza, mas nunca aprendi como manter, controlar ou fazê-lo crescer.

Eu sabia como desenvolver um negócio a partir do nada, trabalhando com quaisquer recursos disponíveis; mas à medida que a receita aumentava, também aumentavam meus gastos. Descobri que era assim que agia, tanto em minha vida pessoal quanto em minha empresa. Eu me orgulhava de fazer a mágica acontecer a partir de alguns tostões, mas assim que recebia algum dinheiro de verdade, tinha a certeza de haver uma boa razão para gastá-lo. Era um estilo de vida de salário em salário, mas sustentável — contanto que as vendas fossem mantidas e não diminuíssem.

Apesar de minhas empresas crescerem explosivamente, eu ainda as operava mês a mês — e não fazia ideia de que isso era um problema. O objetivo era crescer, certo? Aumente as vendas e o lucro vem sozinho, certo?

Errado. Problemas financeiros ocorrem quando uma de duas coisas acontece:

1. As vendas diminuem. Esse problema é óbvio e ocorre quando você vive mês a mês e as vendas caem: quando um grande cliente deixa de operar ou aquele grande negócio em que você estava apostando não dá certo, você não terá dinheiro suficiente para cobrir as despesas.

2. As vendas aceleram. Esse problema aqui não é óbvio, mas é insidioso. Como sua renda sobe, as despesas rapidamente a acompanham. Grandes receitas são ótimas, mas são irregulares. Fluxo de caixa consistente é difícil de sustentar. Um ótimo trimestre pode levá-lo a acreditar que seu negócio está em constante ascensão, e você começa a gastar como esse fosse o novo normal. Mas os períodos de seca chegam rápida e inesperadamente, causando um grande buraco no fluxo de caixa. E cortar as despesas é quase impossível porque nosso estilo de vida nos negócios (e pessoal) acaba fixado a um novo patamar. Trocar o carro recém-financiado por uma lata velha, demitir funcionários porque o número é excessivo, dizer não a nossos parceiros — tudo isso é muito difícil de ser feito por causa dos contratos e promessas que fizemos. Não queremos admitir que erramos no modo de administrar nossa empresa. Então, em vez de reduzir nossos custos de maneira significativa, passamos a nos esforçar para cobrir despesas ridiculamente altas. Tiramos de Pedro para pagar Paulo, esperando outro grande negócio.

Soa familiar? Tenho certeza que sim. Nos últimos oito anos, conheci empreendedores em todos os níveis de crescimento, e essa metodologia de focar a receita e viver de mês a mês é mais comum do que você imagina. Presumimos que empresas multimilionárias estão gerando grandes lucros, mas é raro encontrar um negócio realmente lucrativo. A maioria dos empresários está apenas pagando suas contas pessoais no fim do mês (ou nem isso) e acumulando uma dívida gigantesca.

Sem uma compreensão de lucratividade, todo negócio, não importa o tamanho, não importa o quanto é "bem-sucedido", é um castelo de cartas. Ganhei muito dinheiro com minhas duas primeiras empresas, mas não porque eu fiz um excelente trabalho de administração. Tive a sorte de manter os pratos girando rápido o suficiente e a empresa crescendo o suficiente para que outra pessoa estivesse disposta a comprá-la e corrigir os problemas financeiros.

MAIOR NÃO QUER DIZER MELHOR

Por que diabos o sucesso de uma empresa é constantemente definido aplicando-se o princípio do *quanto maior melhor*? Mais receita significa que você é mais bem-sucedido? Não. Conheço muitas grandes empresas que têm donos que vivem em constante pânico e usam móveis de jardim para decorar o interior de suas casas porque precisam canalizar cada centavo para seus negócios para evitar que afundem. Isso é sucesso? Dificilmente.

O crescimento é o grito de guerra de quase todos os empresários e líderes empresariais. Crescer! Crescer! Crescer! Aumente as vendas. Aumente os clientes. Aumente os investimentos. Mas para quê? Empresas maiores significam problemas maiores, com certeza. Mas não garantem lucros maiores, especialmente quando o lucro é a esperança de um saldo residual.

O crescimento é apenas metade da equação. É uma metade importante, mas ainda é apenas a metade. Você já viu aqueles caras na academia com braços enormes e peitos estufados, fortes como touros, mas com pernas finas como palitos? Eles estão trabalhando apenas metade da equação e o resultado é que se transformaram em aberrações. Obviamente, esses caras são capazes de desferir socos violentos, mas coitados deles se precisarem chutar, ou mesmo correr. Suas pernas fracas rapidamente entrarão em colapso; eles acabarão encolhidos no chão chorando como um bebê. Um bebezinho mutante.

A maioria dos donos de empresas tenta crescer para superar seus problemas, contando com a salvação pela próxima grande venda, cliente ou investidor, mas o resultado é simplesmente um monstro maior. (E quanto maior sua empresa fica, com mais ansiedade você tem que lidar. Um monstro de US$300 mil é muito mais fácil de administrar do que um de US$3 milhões. Eu sei bem, sobrevivi a ambos.) Isso é crescimento constante sem preocupação com a saúde. E no dia em que a grande venda, cliente ou investidor não aparecer, você acabará encolhido no chão chorando como um bebê.

Jason Fried, cofundador da Basecamp, escreveu um artigo para a revista *Inc.*[1] em que fala sobre a falência de sua pizzaria favorita em Chicago. Os proprietários

---

[1] Why Growing Fast Will Make Your Company More Mediocre [Por que Crescer Rápido Tornará Sua Empresa Mais Medíocre, em tradução livre], maio de 2016.

fizeram tudo certo — exceto por crescer rápido demais. Depois de construir lentamente a empresa, de repente expandiram para mais de 40 locais. As vendas não conseguiram superar suas dívidas e a amada cadeia de pizzas de Fried foi forçada a fechar. Qual o tamanho perfeito para sua empresa? Acontecerá naturalmente quando você tirar seu lucro primeiro. Você fará engenharia reversa de todos os elementos do seu negócio e, como Fried diz: "O tamanho certo encontrará você."

Então, por que os empreendedores são programados para buscar cada vez mais e mais? Por causa de uma suposição de que, em certo ponto, toda essa receita gerará lucro. Você acha que só precisa de mais um grande projeto ou mais um novo cliente ou apenas um pouco mais de tempo e, finalmente, o lucro esperado vai chegar. Mas isso nunca acontece. O lucro está sempre no horizonte, mas nunca atingível. É como o burro com uma cenoura pendurada sobre a cabeça. O animal continua se esforçando cada vez mais, mas nunca consegue alcançar a cenoura. É sempre apenas só mais um passo. O problema é que esse burro... é você. (Desculpe pela honestidade brutal. Faço isso porque amo você.)

A questão é a seguinte, meu amigo: o lucro *não* é um acontecimento. Não é algo que acontece no final do ano ou no final do seu plano de cinco anos ou algum dia. O lucro nem é algo que espera até amanhã. O lucro deve acontecer agora e sempre. Deve ser algo inerente ao negócio. Todos os dias, todas as transações, todos os momentos. O lucro não é um evento. O lucro é um hábito.

Você conhece o ditado "Receita é vaidade, lucro é sanidade e dinheiro é o rei"? Esse é um lembrete sucinto de que seu trabalho é maximizar o lucro, independentemente do tamanho atual de sua empresa. Ao se concentrar no lucro, você descobrirá novas maneiras de simplificar e expandir seus negócios. Não funciona no sentido inverso. A mentalidade de toupeira de crescer primeiro com a esperança de obter lucro no processo é tão ineficaz que me deixa louco.

Recentemente fiz um discurso na pequena Georgetown, Colorado, em um evento organizado pela minha querida amiga Michelle Villalobos. Como sempre acontece nas minhas apresentações do sistema Lucro Primeiro, uma das empreendedoras disse: "Isso parece ótimo, mas eu preciso crescer. E para isso preciso colocar todo meu dinheiro de volta no meu negócio."

Talvez você esteja pensando a mesma coisa agora. Se esse é seu caso, é porque está preso no modo de "crescer agora, lucrar um dia".

Eu perguntei a ela: "Por que você quer crescer?"

"Quero crescer para que minha empresa possa gerenciar mais clientes e gerar mais vendas", disse ela.

"Por que você quer isso?"

Ela olhou para mim como se eu fosse um alienígena. "Para que minha empresa seja maior, Mike."

"Por que você quer uma empresa maior?", perguntei.

"Para que eu possa ganhar mais dinheiro", respondeu ela. Dava para perceber pelo tom de voz que ela estava ficando nervosa.

"A-ha!", falei. Agora chegamos ao ponto. "Por que simplesmente não ganhar mais dinheiro agora?"

Ela quer crescer, crescer, crescer para poder lucrar um dia. Por outro lado, se quer crescer para alimentar seu ego e se vangloriar, isso é simplesmente estúpido (err... isso é exatamente o que eu fiz no passado, que vergonha). Se quiser crescer para ganhar dinheiro para si mesmo um dia, está brincando de empurrar seus problemas com a barriga.

Aqui está a realidade, se quiser um crescimento saudável e sustentável — o que por sua vez, e isso não é de todo uma surpresa, gerará um crescimento mais saudável — é preciso reverter o processo do lucro. Pegue o lucro primeiro. Não é possível simplesmente fazer sua empresa crescer para superar seu problema de lucro. Você precisa determinar o lucro primeiro, depois crescer. Deve descobrir o que traz lucro e se livrar do que não traz. Quando se concentra no crescimento, você acaba entrando no jogo de lutar para crescer a todo custo. Sim, a todo custo (incluindo sua qualidade de vida). Quando se concentra no lucro primeiro, você inevitavelmente descobre como obter lucro de forma consistente. Rentabilidade. Estabilidade. Sanidade. Para todo o sempre.

DE MÊS EM MÊS E DE PÂNICO EM PÂNICO

Você já pensou que o universo sabe exatamente quanto dinheiro extra você tem? Um cliente paga uma fatura em atraso de R$4 mil que você já havia dado baixa e na mesma semana seu caminhão de entrega quebra — de vez. Tchau, R$4 mil. Você consegue um novo cliente e um maço de dinheiro cai em seu colo; apenas alguns minutos depois, você se lembra de que este é um mês com pagamentos extras. Ah sim, pelo menos agora você vai ter como cobrir esse gasto. Ou recebe um crédito em sua fatura de cartão de crédito por uma cobrança indevida (u-huuu, dinheiro caído do céu!), e depois descobre outra cobrança no mesmo cartão de um item que havia esquecido.

Não é o universo que sabe o quanto temos em nossas contas bancárias. Somos nós. Nosso padrão é administrar o caixa de nossa empresa fazendo o que eu chamo de "contabilidade de saldo bancário".

Para a maioria dos empresários, e para mim, é assim que funciona:

Você olha para seu saldo bancário e vê um bom montante. Oba! Você se sente bem por cerca de dez minutos e decide pagar todas as contas que estão se acumulando. O saldo vai a zero e muito rapidamente você sente aquele aperto muito familiar no peito.

O que fazemos quando em vez de um saldo bancário decente vemos que não há quase nada lá? Imediatamente entramos em pânico. Entramos no modo "agir": preciso vender rápido! Preciso fazer ligações de cobrança! Preciso fingir que as contas nunca chegaram, ou preencher cheques e "acidentalmente" esquecer de assiná-los. Quando sabemos que nosso saldo bancário está super baixo (estou falando de baixo do tipo "dá para piorar?"), fazemos qualquer coisa para comprar a única coisa que podemos: tempo.

Eu me arrisco a dizer que você só olha para sua demonstração de lucros e perdas de vez em quando. Suspeito que raramente olhe para suas demonstrações de fluxo de caixa ou balanço patrimonial. E, ainda que faça isso, duvido que analise esses documentos diariamente ou entenda exatamente o que eles dizem. Mas aposto que você verifica sua conta bancária todos os dias, não é? Tudo bem. Se você examina sua conta bancária diariamente, quero parabenizá-lo porque isso significa que você é um empreendedor típico — ou melhor — normal; é assim que a maioria dos empresários se comporta.

É nosso desejo natural, como empreendedores, encontrar problemas e consertá-los. É assim que administramos o dinheiro. Quando temos dinheiro suficiente no banco, achamos que não temos problemas financeiros e, por isso, nos concentramos em outros desafios. Quando vemos que não temos dinheiro suficiente no banco, ficamos em alerta vermelho e tomamos medidas imediatas para corrigir nossos problemas financeiros, geralmente tentando aumentar rapidamente a receita, ou vender um item caro, ou alguma combinação dos dois.

Usamos o dinheiro que temos para pagar as contas acumuladas; quando não temos o suficiente para cobrir tudo, tentamos conseguir mais dinheiro com vendas e cobranças. Só que para suportar novas receitas, agora temos uma série de novas despesas relacionadas, então o ciclo começa novamente. Se você não contou com isso desde o início, a única "solução" é assumir mais dívidas — uma segunda hipoteca da casa da família, uma linha de crédito ligada ao imóvel, uma pilha de cartões de crédito. É assim que muitos empresários acabam operando seus negócios de mês em mês e de pânico em pânico.

Então, vou lhe fazer uma pergunta. O quanto você está confiante de que poderia expandir seus negócios se operasse dessa maneira? Você acha que conseguiria sair dessa montanha-russa? Você poderia se livrar das dívidas usando esse sistema? Claro que não.

E, no entanto, a "contabilidade de saldo bancário" é da natureza humana. Nós, humanos, não somos afeitos à mudança. Mudar é difícil. Com suas melhores intenções, mudar suas tendências humanas para gerir sua empresa com base em quanto dinheiro você vê em sua conta bancária levaria anos. Não sei, talvez você possa me dizer — você tem todo esse tempo para se transformar antes que seu monstro destrua tudo? Eu com certeza não tenho.

É por isso que se quisermos nos livrar do método de viver de mês em mês e de pânico em pânico, precisamos encontrar um que funcione em consonância com nossa natureza, e não contra ela.

Sem um sistema eficaz de gerenciamento financeiro que não exija uma enorme mudança de mentalidade, ficamos presos em tentar vender mais para nos livrarmos das dificuldades. Venda mais. Venda mais rápido. Receba dinheiro da maneira que puder. É uma armadilha — uma armadilha perigosa que deixaria até o monstro de Frankenstein tremendo nas bases. É a Armadilha da Sobrevivência.

A ARMADILHA DA SOBREVIVÊNCIA

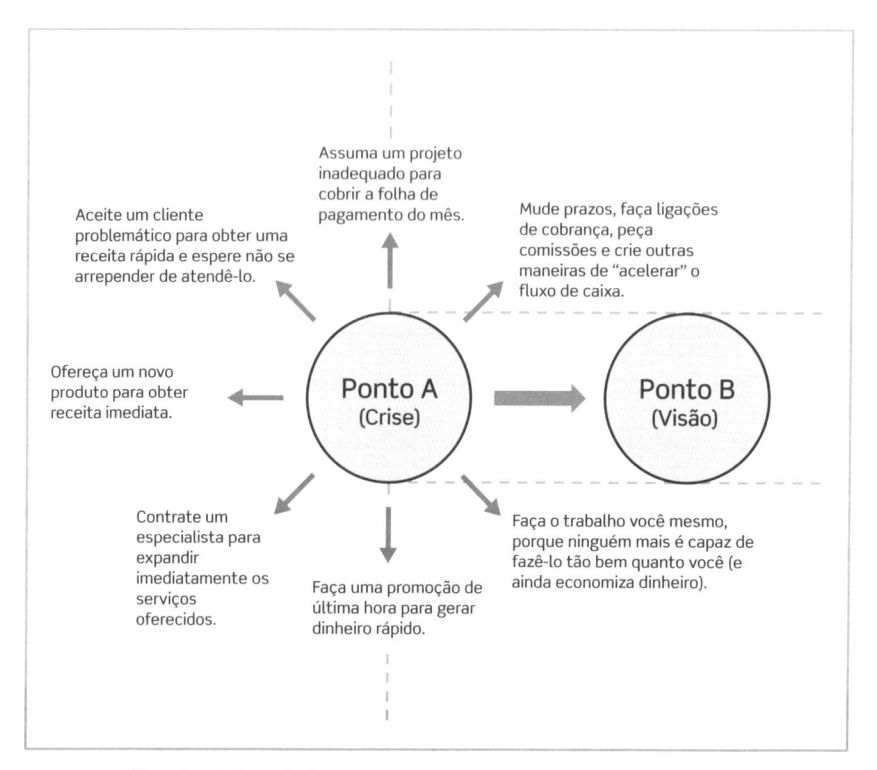

Figura 1. Armadilha da Sobrevivência.

Meu jardineiro, Ernie, é um bom exemplo de alguém preso na Armadilha da Sobrevivência. Como acontece com a maioria dos jardineiros no nordeste dos Estados Unidos, Ernie ganha um bom dinheiro removendo folhas de gramados. Apesar disso, está sempre precisando de mais receita. No outono passado, ele bateu na minha porta e disse ter notado folhas em minhas calhas e que as limparia de bom grado. Ele tinha um cliente fixo (eu) e agora poderia me vender outro serviço. Dinheiro fácil. Quando ele estava no telhado, percebeu que minhas telhas precisavam de reparos. Ele ofereceu seus serviços de reparos. Por que não consertar minha chaminé também?

Parece um cara inteligente, certo? Só que ele é um idiota. (Serei bem claro: Ernie é uma ótima pessoa. Realmente é. Tem grandes objetivos e ambições, mas sua decisão de expandir seus serviços cada vez mais é pura idiotice.) Qualquer venda parece boa porque as vendas ajudam a nos tirar temporariamente da crise.

Dê uma olhada na Figura 1. Ernie está no ponto A (que é de fato chamado de crise) e ele quer chegar ao ponto B (que é a sua visão de futuro). O problema é que, assim como para a maioria de nós, sua visão é muito vaga. Em vez de uma declaração clara de seus produtos ou serviços e os clientes que ele quer servir, Ernie pode ter um objetivo como: "Eu quero muito dinheiro e preciso diminuir meu estresse." A conexão entre o ponto A e o ponto B não é definida além de "Venda mais, cara! Apenas venda a alguém, qualquer coisa!". Olhando para a figura, você pode ver que muitas das decisões que tomamos em torno de "apenas venda", na verdade, nos afastam de nossa verdadeira visão. Quando Ernie me oferece um novo serviço, porque ganhará dinheiro rápido, ele não considerou que não tem a ver com o que ele quer que sua empresa se torne ou a quem ele quer que sua empresa sirva.

É muito fácil deixar de ser um cara que limpa folhas em gramados para ser um sujeito que conserta chaminés por causa da oportunidade de "dinheiro fácil" com clientes fixos. O dinheiro pode ser fácil, mas e os custos para fazer tudo isso? Os rastelos e sopradores para o trabalho no quintal são inúteis quando se trabalha em telhados ou chaminés. Agora esse cara precisa de escadas, equipamentos para telhados, tijolos e outros materiais. E o mais importante, ele precisa das habilidades para concluir as tarefas, o que significa contratar mão de obra qualificada ou voltar para a escola para aprender a rastelar gramados, limpar calhas, consertar telhados e chaminés. Cada nova "venda fácil" afasta Ernie de seu negócio de jardinagem.

A Armadilha da Sobrevivência promete dinheiro rápido, mas quando estamos presos nela, nós, como Ernie, raramente pensamos no enorme custo de oportunidade; e, na maioria das vezes, não conseguimos discernir a receita lucrativa da renda geradora de dívida. Em vez de sermos os melhores do mundo em uma coisa, dominando o processo de entregar com perfeição e supereficiência, acabamos fazendo uma variedade maior de coisas e nos tornando cada vez menos eficientes a cada passo, enquanto nossos negócios ficam mais difíceis e caros de gerenciar.

A Armadilha da Sobrevivência nada tem a ver com nossa visão. Tudo se resume a agir, praticar qualquer ação, para sair da crise. Qualquer uma das ações mostradas na Figura 1 nos tirará de uma crise imediata. Mas tomando atitudes como as mostradas à esquerda da figura, nós saímos da crise, com certeza, mas estamos indo na direção oposta da nossa visão no ponto B. Aceitamos dinheiro de qualquer um (e eu quero dizer de qualquer pessoa mesmo) disposto a nos pagar. Dinheiro de clientes ruins. Dinheiro para projetos ruins. Dinheiro de nossos próprios bolsos (se sobrou alguma coisa além de duas moedas, um chiclete e alguns fiapos). Assim, ficamos presos na montanha-russa que é sobreviver de mês em mês e de pânico em pânico.

Outras ações mostradas no diagrama não nos levam na direção oposta, mas estão enviesadas. Somente quando segue pelas linhas horizontais pontilhadas é que você torna sua visão para seu negócio uma realidade.

A Armadilha da Sobrevivência nos ilude fazendo-nos pensar que estamos pelo menos avançando em direção à nossa visão, como se nosso comportamento reativo fosse realmente "inteligente" ou evidência de nossos bons instintos, e por fim nos levasse à terra prometida: a liberdade financeira. Considere as ações do lado direito da Figura 1. Por exemplo, uma abordagem de "apenas venda", por puro acaso também ocasionalmente nos leva à nossa visão, e podemos facilmente nos enganar e acreditar que estamos no caminho certo. Às vezes, tomamos uma decisão de crise sem considerar nossa visão ou o caminho para chegar lá, e acertamos. O acaso acontece. Nesse ponto, dizemos: "Veja! Estou chegando lá. As coisas estão dando certo. As coisas estão se encaixando." Mas isso é aleatório, resultante de crise, não de foco ou clareza, e é, portanto, falso. É como acreditar que depois de ganhar um prêmio na raspadinha, a loteria é uma boa estratégia de investimento. E é esse tipo de pensamento que rapidamente nos leva de volta ao modo de crise.

A Armadilha da Sobrevivência é um monstro. Ela faz com que você ganhe tempo, mas o monstro fica cada vez maior. E em algum momento ele vai se voltar contra você e destruí-lo sem piedade.

Rentabilidade sustentada depende da eficiência. Você não consegue se tornar eficiente na crise. Na crise, justificamos ganhar dinheiro a qualquer custo, mesmo que isso signifique deixar de pagar impostos ou vender nossas almas. Em crises, a Armadilha da Sobrevivência se torna nosso *modus operandi* — até que nossas estratégias de sobrevivência criam uma nova crise, mais devastadora, que nos assombra ou, o mais frequente, nos leva ao fracasso.

Parte do problema é a contabilidade do saldo bancário — olhar para o dinheiro em sua conta bancária como uma fonte para operar sua empresa sem primeiro tratar de questões fiscais ou de seu próprio salário, independentemente do lucro. Isso leva a um pensamento fixo: focar a receita primeiro, por último e sempre. Esse pensamento é ainda apoiado pelo método tradicional de contabilidade que as empresas de capital aberto têm que usar e a maioria das pequenas empresas prefere usar: PCGA (Princípios Contábeis Geralmente Aceitos).

A CONTABILIDADE TRADICIONAL ESTÁ MATANDO SUA EMPRESA

Desde o início dos tempos — ou logo depois — as empresas acompanharam seus ganhos e despesas usando essencialmente o mesmo método:

Vendas – Despesas = Lucro

Se você administra os números como a maioria dos empreendedores, começa com as vendas (o pensamento fixo) e subtrai os custos diretamente relacionados à entrega de sua oferta (produto ou serviço). Em seguida, você subtrai todos os outros custos incorridos para administrar sua empresa: aluguel, serviços, salários de funcionários, suprimentos de escritório e outras despesas administrativas, comissões de vendas, levar seu cliente para almoçar, sinalização, seguros, etc. Depois, paga os impostos. Então, e somente então, você tem a remuneração do proprietário (retiradas, distribuição de lucros, etc.).

Sejamos honestos, os empreendedores dificilmente chegam perto de uma remuneração real, e boa sorte ao tentar dizer ao governo que decidiu não pagar os impostos este ano para que pudesse ser remunerado. Finalmente, depois de tudo isso, você declara o lucro de sua empresa. E caso sua experiência seja a da maioria dos empresários, você nunca chega ao "finalmente". Quando está esperando pelas sobras, na melhor das hipóteses terá migalhas.

Os métodos tradicionais de contabilidade que usamos hoje foram formalizados no início dos anos 1900. Os detalhes são atualizados regularmente, mas o sistema principal permanece o mesmo: comece com as vendas. Subtraia os custos diretos (os custos incorridos diretamente para criar e entregar seu produto ou serviço). Pague funcionários. Subtraia os custos indiretos. Pague impostos. Pague os proprietários (distribuições do proprietário). Mantenha ou distribua o lucro (a linha de baixo). Quer você terceirize sua contabilidade ou guarde uma caixa de sapatos com recibos embaixo da cama, a ideia básica permanece a mesma.

Em termos lógicos o método PCGA faz todo o sentido. Ele sugere que vendamos o máximo possível, gastemos o mínimo possível e embolsemos a diferença. Mas os humanos não são lógicos. (Não faltam séries de TV provando isso.) Só porque o

PCGA faz sentido lógico, não significa que faz "sentido humano". O PCGA substitui nosso comportamento natural e nos faz acreditar que quanto maior, melhor. Então, nós tentamos vender mais. Tentamos e tentamos alcançar o sucesso por meio das vendas. Fazemos tudo o que podemos para aumentar a "linha de cima" (receita) para que algo, qualquer coisa, caia na "linha de baixo" (lucro). Torna-se um ciclo implacável de perseguir cada objeto brilhante disfarçado de oportunidade.

Durante todo esse processo de crescimento desesperado e desordenado, nossas despesas se perdem em meio ao caos — apenas vamos pagando. Elas são todas necessárias, certo? Quem sabe? Estamos muito ocupados tentando vender e cumprir todas as nossas promessas para nos preocupar com o impacto das despesas!

Tentamos gastar menos sem considerar investimentos versus custos. Não pensamos em otimizar nossos gastos para obter mais com um custo menor. Não conseguimos. Quanto mais variedade de coisas vendemos, mais o custo operacional aumenta. Dizem que é preciso dinheiro para ganhar dinheiro. Mas ninguém nunca nos diz o que isso significa no mundo real: é preciso mais dinheiro para ganhar menos dinheiro.

À medida que nosso monstro cresce, seu apetite fica fora de controle. Agora estamos enfrentando despesas para cobrir mais funcionários, mais coisas, mais tudo. O monstro cresce. E cresce. E cresce. Enquanto isso, ainda estamos lidando com os mesmos problemas, só que maiores: contas bancárias mais vazias, pilhas maiores de contas de cartão de crédito, empréstimos maiores e uma lista cada vez maior de despesas "obrigatórias". Soa familiar, Dr. Frankenstein?

A falha fundamental do PCGA é que ele vai contra a natureza humana. Não importa quanto de renda geramos, sempre encontraremos uma maneira de gastar — tudo. E temos boas razões para todas as nossas escolhas de gastos. Tudo é justificado. Em pouco tempo, qualquer dinheiro que tivéssemos no banco não significa nada enquanto lutamos para cobrir todas as despesas "necessárias". E é quando nos encontramos na Armadilha da Sobrevivência.

Uma falha secundária é esta: o PCGA nos ensina a focar as vendas e despesas primeiro. Mais uma vez, ele funciona contra a nossa natureza humana, o que nos incita a crescer no que nos concentramos. É algo chamado Efeito Primazia (mais sobre isso no próximo capítulo) — nos concentramos no que vem primeiro (vendas e despesas) e realmente nos tornamos cegos para o que vem por último. Sim, o PCGA nos deixa cegos para o lucro.

Há um ditado: "O que é medido, é feito." O PCGA nos faz medir as vendas primeiro (afinal, é a linha de cima) e, portanto, vendemos como loucos, enquanto as despesas são tratadas como um mal necessário para apoiar — você adivinhou — mais vendas. Gastamos tudo o que temos porque acreditamos que devemos. E usamos termos como "reinvestir" para nos sentirmos bem com isso. Lucro? Seu salário? Algo para se pensar depois. As sobras.

Outro problema com o PCGA é sua enorme complexidade. Você precisa contratar um contador para fazer certo, e quando pergunta ao contador os detalhes sobre o PCGA, ele provavelmente ficará confuso. O sistema muda e está pronto para interpretação. E podemos jogar com o PCGA: mova alguns números e atribua valores em lugares diferentes e os números parecem diferentes. Basta perguntar à Enron — ela conseguiu declarar lucros enquanto caminhava para a falência. Credo!

Antes de prosseguirmos, quero ter certeza de que você e eu estamos na mesma página no que diz respeito a lucro. Porque a maneira como os contadores pensam sobre o lucro pode ser muito diferente.

Eis o que quero dizer: alguns anos antes de escrever *The Toilet Paper Entrepreneur*, eu estava sentado no escritório do meu contador, observando-o rabiscar algumas anotações em um bloco de papel. Ele apagou alguma coisa e escreveu outra nota. Então ele olhou para seu computador, clicou e clicou em alguns botões, e a impressora cuspiu um relatório.

"Sim. É como eu pensava, Mike", disse Keith, espiando por cima dos óculos de John Lennon.

"O que foi?", falei.

"Você teve um lucro de US$15 mil este ano. Parabéns, nada mal."

Por um segundo, senti orgulho. Sim, lógico que tive lucro. Eu me congratulei. Então, experimentei um sentimento de pesar. Onde estava o dinheiro? Não havia um centavo nos cofres da empresa, muito menos no meu bolso.

Então, sentindo-me envergonhado por não saber a resposta, perguntei: "Ei, Keith, onde está o lucro?"

Ele apontou para o relatório recém-saído da impressora. Ele circulou no papel com seu sofisticado lápis número 2.

"Sim, Keith, posso ver esse lucro no papel. Mas onde está o dinheiro? Eu quero sacá-lo e comemorar um pouco. Quero esse lucro para mim."

Houve um momento de silêncio constrangedor. Keith fez o melhor que pôde para evitar que eu me sentisse estúpido. Ele olhou para mim. Então, disse: "Esse é um lucro contábil. Você já gastou o dinheiro de alguma forma. Isso não significa que haja realmente dinheiro agora. Na verdade, no seu caso, já foi. Essa é apenas a contabilidade do que já aconteceu."

"Então você está dizendo que eu tive um lucro, mas não há nada no banco para eu receber agora?"

"Exatamente", disse a imitação de John Lennon.

"Droga! Isso é ridículo."

"Talvez no próximo ano", disse Keith.

Próximo ano? Por que ano que vem? Por que não começar amanhã?, pensei.

Os contadores definem o lucro de maneira diferente dos empreendedores. Eles apontam para um número fictício na parte inferior de um relatório contábil. Nossa definição de lucro é simples: dinheiro no banco. Simples assim. Dinheiro para nós.

No final do dia, no começo de um novo dia, e a cada segundo, o dinheiro é o que conta. É a alma do seu negócio. Você tem ou não? Se você não tiver, está em apuros e, se tiver, está seguro.

O PCGA nunca foi pensado para administrar apenas dinheiro. É um sistema para entender todos os elementos de um negócio. Ele tem três relatórios principais: a demonstração de lucros e perdas, a demonstração do fluxo de caixa e o balanço patrimonial. Não há dúvida de que você precisa entender esses relatórios (ou trabalhar com um contador e um técnico em contabilidade que entendam), porque eles lhe darão uma visão holística de sua empresa; são ferramentas poderosas e altamente úteis. Mas a essência do PCGA (Vendas – Despesas = Lucro) é terrivelmente falha. É uma fórmula que constrói monstros. É a fórmula de Frankenstein.

Para administrar com sucesso um negócio lucrativo, precisamos de um sistema simplificado para administrar nosso caixa, um que possamos entender em segundos, sem a ajuda de um contador. Precisamos de um sistema projetado para humanos, e não para Spock.

Precisamos de um sistema que possa nos dizer instantaneamente a verdade sobre a saúde de nossos negócios, um que possamos analisar e saber imediatamente o que precisamos fazer para nos tornar e nos manter saudáveis; um sistema que nos diz o que podemos efetivamente gastar e o que precisa ser reservado; um sistema que não exige mudança de comportamento, mas funciona automaticamente com nossos comportamentos naturais.

Lucro Primeiro é esse sistema.

LUCRO PRIMEIRO FOI FEITO PARA HUMANOS

Quantas vezes Spock olhou nos olhos do Capitão Kirk e disse: "Isso é altamente ilógico"? Bem, assim como você, o Capitão Kirk era humano e os humanos não são lógicos. Somos feras emocionais com cérebros de primatas. Nós gostamos de objetos brilhantes; nos empanturramos quando há pizza grátis; compramos 12 quilos de comida de gato só porque ela está em promoção, mesmo que não tenhamos um gato (OK, talvez seja apenas eu). Mas também sabemos que devemos confiar em nossa intuição, seguir nossos instintos, tomar atalhos e ser inventivos para que possamos seguir em frente e fazer mais coisas.

Se você fosse Spock, o implacavelmente lógico Vulcano em *Jornada nas Estrelas*, além de ter orelhas pontudas e vestir um uniforme justo, você seguiria todas as instruções contábeis necessárias para traçar seus números. Semanalmente, estudaria sua declaração de lucros e perdas, a compararia com seu balanço patrimonial e, é claro, faria uma análise de seu fluxo de caixa. Em seguida, calcularia os coeficientes críticos, como o FCO (fluxo de caixa operacional), e vincularia tudo isso ao seu orçamento e projeções. Então você avaliaria os KPIs (indicadores-chave de desempenho) associados. Faria tudo, e saberia exatamente onde estão os lucros, a qualquer momento. Mas você não faz nada disso, não é mesmo? Nem de longe. Eu não faço. Na verdade, ainda nem consigo ler direito esses documentos. (É por isso que uso alguns Spocks — meus contadores.) Sou humano. E você também. E suspeito fortemente que você também é um capitão Kirk.

E isso é uma coisa boa, porque você é a pessoa perfeita para levar sua nave empresarial até os lucros em velocidade de dobra.

Por ser humano, você provavelmente tem certas tendências. É provável que cheque sua conta bancária regularmente, ou talvez até mais de uma vez por dia, para verificar seu saldo bancário. Você provavelmente toma decisões com base em seu saldo. Se há muitos depósitos, sente-se bem. Seu negócio está bombando! Vamos levar nossos clientes para comemorar! Vamos comprar aquela mesa de pebolim para o escritório! Mas se não há dinheiro, o pânico se instala. Preciso começar a fazer ligações de cobrança! Venda a mesa de pebolim! Venda as máquinas de café! Venda todas as cadeiras! Ficar sentado é ruim para você mesmo! Tudo isso enquanto reza para que alguém lhe compre um balde de margarita. Esses e outros comportamentos humanos normais colocam as empresas, involuntariamente, em um constante estado de incerteza.

Mas tenho boas notícias, pessoal. Criei o Lucro Primeiro para que você não precise mudar a si mesmo. Esse é um ponto crucial. Você sempre teve uma oportunidade de mudar a si mesmo e ler suas demonstrações financeiras, sincronizar suas contas a pagar e contas a receber, certificar-se de que está dentro do orçamento e de que todos os índices financeiros estão corretos. Se fizesse tudo isso, você saberia onde seu lucro está o tempo todo. Mas apenas Spock e os contadores (e, na verdade, não muitos deles) conseguem e fazem isso. A maioria dos empresários opta por verificar seu saldo bancário e seguir seus instintos. Por quê?

Como Charles Duhigg explica em *O Poder do Hábito*, é da natureza humana recorrer a hábitos consolidados em momentos de estresse. E advinha? A definição de empreendedorismo é estresse constante. Assim, procuramos atalhos e respostas rápidas, especialmente em nossas finanças. A grande notícia é que o Lucro Primeiro está em consonância com seu caminho natural. Está diretamente alinhado com o hábito de checar sua conta bancária. É inevitável, projetado para complementar seus comportamentos humanos naturais; portanto, funciona.

Hábitos estabelecidos são difíceis de eliminar, então por que tentar mudá-los? Em vez disso, use um sistema que funcione com os hábitos que você tem.

Lucro Primeiro vem antes de sua contabilidade. Esse sistema dirá quando você tiver um sinal de alerta e precisar mergulhar em material contábil mais complexo (com seu contador), e ele mostrará exatamente onde seu dinheiro está em determinado momento. Você saberá qual sua lucratividade, suas reservas para pagamento de impostos, o que está sendo pago e o valor necessário para realizar suas operações comerciais. Tudo isso e muito mais.

FELIZES PARA SEMPRE

O final da história de Frankenstein (alerta de spoiler) é um dos finais felizes mais emocionantes da literatura. O Dr. Frankenstein e o monstro conversam e reconciliam suas diferenças, tornam-se melhores amigos e entram juntos no negócio de sorvetes criando uma marca muito bem-sucedida e amada, a Frank & Stein's. Eu me emociono sempre.

Brincadeiras à parte. Quem leu o livro, sabe que o monstro destrói tudo na vida do Dr. Frankenstein — sua esposa, sua família, sua esperança para o futuro —, então o criador se propõe a se vingar e a matar sua criação. A caçada ao monstro custa caro ao Dr. Frankenstein e ele morre depois de ser resgatado por um navio tendo o monstro ao seu lado. A história de Frankenstein tem um paralelo assustador com os extremos do empreendedorismo. As empresas-monstro aniquilaram casamentos, destruíram famílias e, para alguns empresários, dizimaram qualquer esperança de uma vida boa. Aquele negócio milagroso que criamos pode acabar causando um sofrimento incalculável; quando isso acontece, o ódio que o Dr. Frankenstein tinha em relação ao seu monstro é, com muita frequência, a principal emoção que os empreendedores têm por seus negócios.

Mas sua história não precisa terminar assim. Você pode ser "feliz para sempre". A boa notícia é que, embora sua empresa possa parecer um monstro que controla sua vida, ela também é poderosa. Quer sua receita anual seja de $50 mil, $500 mil, $5 milhões ou até $50 milhões, sua empresa pode se tornar uma força de trabalho geradora de lucros.

Nunca se esqueça do poder de seu "monstro" — você só precisa entender como direcioná-lo e controlá-lo. Quando aprender esse sistema simples, sua empresa deixará de ser um monstro; passará a ser uma obediente galinha dos ovos de ouro. E bastante poderosa.

O que estou prestes a compartilhar com você vai tornar seu negócio lucrativo de forma imediata e definitiva. Eu não me importo com o tamanho de sua empresa ou com por quanto tempo você está sobrevivendo de mês em mês e de pânico em pânico. Você está prestes a se tornar lucrativo. Para sempre. Chega de migalhas — é hora de abastecer primeiro o seu bolso. O negócio é o seguinte: há apenas uma maneira de corrigir suas finanças: encarando-as. Você não pode ignorá-las. Não pode deixar outra pessoa cuidar delas. Você precisa se encarregar dos números. Mas há boas notícias: o processo é realmente simples. Na verdade, você entenderá e implementará o sistema em apenas mais alguns capítulos.

Capítulo 2

OS PRINCÍPIOS ESSENCIAIS DO LUCRO PRIMEIRO

Se você pensou que minha filha me presentear com seu cofrinho como solução para sairmos de nossa ruína financeira me obrigaria a mudar, você está errado.

Com certeza, aquele Dia dos Namorados foi um momento decisivo. O problema era que eu não sabia por onde ou como começar. Na verdade, chamados para a realidade raramente são como descrito nos filmes. Eu não ouvi "Eye of the Tiger" tocando como trilha sonora da minha vida, me estimulando enquanto eu executava um inspirado programa de treinamento; não me vi bebendo ovos crus, socando minhas dívidas até desaparecerem ou subindo uma escadaria até levantar os punhos em sinal de vitória banhado na glória de uma reviravolta empresarial [menção jocosa ao filme *Rocky III* e sua trilha sonora]. Em vez disso, entrei em um período muito sombrio de depressão e insônia. A vergonha que senti foi esmagadora — vergonha de minha idiotice, de minhas mentiras por omissão, da falta de coragem de contar à minha esposa a verdade sobre o quanto eu tinha estragado tudo.

Compartilho isso com você não para buscar sua piedade, mas porque acho que você pode ter sua própria versão dessa história e quero que saiba que não está sozinho. E se não está na escuridão, saiba que ela pode ser evitada. Acredito piamente nisso. Lucro Primeiro é a solução para o iminente desastre nos negócios.

Eis como lidei com a depressão: cheguei ao fundo (ao fundo das garrafas de cerveja... e muitas delas). Eu realmente não sou amante da bebida, mas comecei a usá-la como fuga. Essa escolha apenas levou a mais vergonha, e eu a escondi o melhor que pude — se é que passar o dia largado no sofá, assistindo infomerciais cercado por latas de Bud Light é esconder. Imagine-me vestindo uma camiseta branca coberta com manchas de Cheetos. Não é uma imagem bonita. E eu nem mesmo *gosto* de Cheetos.

Por que eu assistia a infomerciais, quando temos 2.976 canais para escolher? Porque quando estraguei tudo, a TV a cabo foi a primeira coisa a ser cortada. Isso me deixou apenas com uma antena orelha de coelho (olhem no Google, jovens aprendizes) e cinco canais que, às três da manhã, passavam a vender a mais recente caixa de pulverização de vegetais ou cinto de eletrodos — todos prometendo abdômens "tanquinhos".

Cansado de infomerciais, sintonizei o canal público educativo. Um especialista em fitness explicava para o público do estúdio que as soluções rápidas elogiadas pelos comerciais da madrugada não funcionavam e não eram sustentáveis. Ele disse que o que realmente precisamos são simples ajustes de *estilo de vida* que mudam a maneira como comemos sem percebermos. E sua primeira sugestão de correção? Pratos menores.

Assisti fascinado enquanto o homem explicava que nosso comportamento humano natural é encher nossos pratos com comida e, porque mamãe nos ensinou, limpar o prato comendo tudo. (Eu ainda não entendo a lógica de minha mãe — há crianças morrendo de fome na África e por isso eu preciso me empanturrar?) O comportamento de limpar o prato foi incutido em mim, e provavelmente em você também. A mensagem é arraigada. Mudar esse hábito por um dia não é difícil. Mas mudá-lo permanentemente? É muito difícil. É por isso que muitas pessoas que fazem dieta recuperam o peso; é por isso que as pessoas raramente seguem as resoluções de ano novo após o final de janeiro; e é por isso que é tão difícil ser disciplinado com seus gastos. Enquanto eu continuava a assistir ao programa, o especialista passou a dizer que quando usamos pratos menores, servimos porções menores, consumindo, assim, menos calorias sem mudar nosso comportamento arraigado de servir um prato cheio e comer tudo o que é servido.

Sentei-me direito no sofá, minha mente agora estava alerta com essa nova revelação. A solução não é tentar mudar nossos hábitos arraigados, o que é realmente difícil de conseguir e quase impossível de sustentar, mas sim mudar a estrutura ao nosso redor e *alavancar* esses hábitos.

Foi então que percebi: cada centavo que minha empresa ganhava ia para um prato grande, e eu estava devorando tudo, usando cada migalha para operar meu negócio. Cada tostão que entrava ia para uma conta, minha conta operacional, e eu estava "limpando o prato".

Dói admitir isso, mas nunca fui bom em administrar dinheiro. Enquanto meus negócios estavam indo bem, era fácil pensar que eu sabia administrar bem o dinheiro, mas olhando para trás, percebo que esse nunca foi o caso. Pensei que era austero por princípio, ou porque era um empreendedor experiente. Mas, na verdade, eu só era austero quando era obrigado a ser. Quando iniciei meu primeiro negócio, um integrador de redes de computadores (hoje seria chamada de provedor de serviços gerenciados), eu não tinha dinheiro. Conseguia vender, prestar serviços, administrar meu escritório. Encontrei maneiras de fazer tudo isso com praticamente nenhum dinheiro porque não tinha nenhum.

Conforme o negócio crescia, comecei a gastar. Quanto mais dinheiro entrava, mais eu gastava, e acreditava — tudo bem, eu estava convencido — que todas as despesas eram necessárias. Precisávamos de equipamentos melhores, um escritório melhor (um porão inacabado não é lugar para uma empresa) e mais funcionários para fazer o trabalho para que eu pudesse me concentrar nas vendas. Cada passo adiante no crescimento das vendas exigia um passo em minha infraestrutura, recursos humanos, espaço de escritório de primeira qualidade — todos termos sofisticados para despesas.

Depois de perder tudo, descobri que trabalho com o que quer que seja colocado na minha frente. Faço acontecer, seja com 100 ou com 100 mil. E embora seja mais fácil fazer as coisas acontecerem com 100 mil na mão, também é mais fácil cometer erros. Se você desperdiçar algumas centenas quando tiver 100 mil à sua disposição, não sentirá nada. Mas experimente desperdiçar algumas centenas quando você tem apenas algumas centenas e rapidamente sentirá aquela rápida dor aguda.

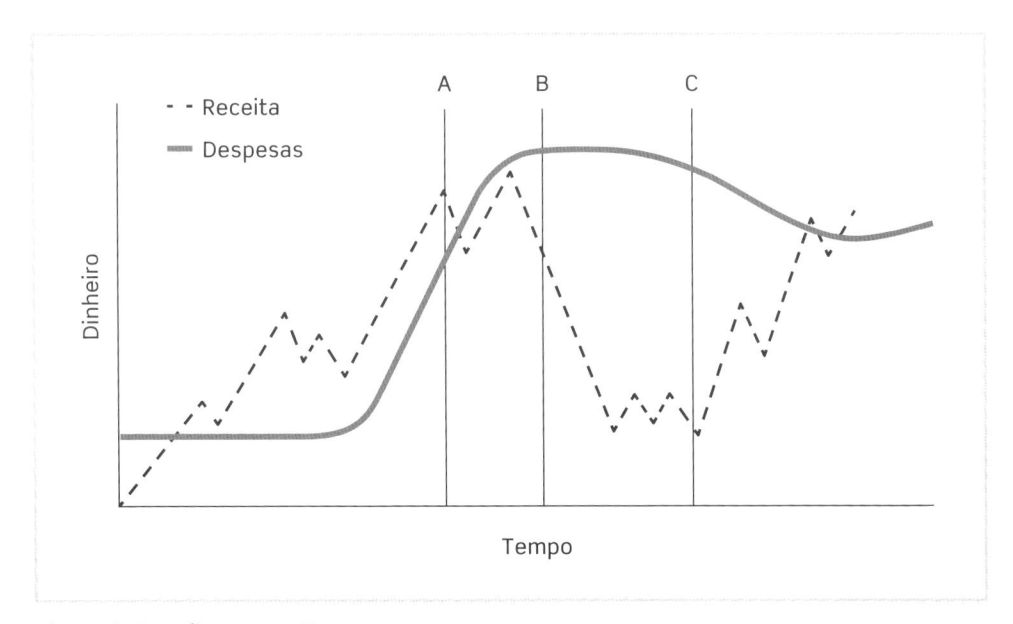

Figura 2. Receita versus Despesa.

Olhando para minhas empresas, percebi que as fiz crescer rapidamente, mas ainda sobrevivi de pagamento em pagamento, e só ganhei dinheiro quando as vendi. À medida que minha receita aumentava (a linha pontilhada no gráfico), minhas despesas aumentavam a uma taxa similar (linha sólida). A única vez que tive lucro foi quando a receita aumentou e eu não tive tempo de gastar no mesmo ritmo (ponto A). No entanto, eu rapidamente aumentava minhas despesas para atender ao meu "novo nível de vendas" (ponto B). Então, as vendas voltavam a cair ou despencavam, enquanto meu novo nível de despesas permanecia mais alto (ponto C), o que significava que comecei a acumular perdas, me deixando desesperado para vender mais e vender mais rápido a qualquer custo (o que poderia aumentar ainda mais minhas despesas).

Quando a rede de TV PBS passou a exibir a programação infantil matutina, acionei o botão "mudo" e comecei a ligar os pontos (enquanto o Conde, o vampiro da *Vila Sésamo*, fazia o mesmo na tela, literalmente, ligando pontos). Se eu reduzisse o "tamanho do prato" da conta operacional da minha empresa, meus gastos seriam diferentes. Então, em vez de tentar conter meu hábito de gastar, criaria a experiência de ter menos dinheiro à mão do que realmente tinha, e então encontraria maneiras de ainda fazer as coisas funcionarem. Como eu sabia que isso funcionaria? Porque já funciona para milhões de pessoas a cada salário — basta lembrar das deduções da aposentadoria privada. Como Richard Thaler e Cass Sunstein explicam em seu fascinante livro *Nudge: O Empurrão para a Escolha Certa*, quando as pessoas começam a participar de planos de aposentadoria privada, ou do tipo 401(k) nos EUA, elas raramente param. A chave é começar, de modo que tanto os recursos se acumulem quanto o estilo de vida seja ajustado para atender ao pagamento efetivamente recebido.

Se os planos de aposentadoria privada fossem como contas de poupança regulares, as pessoas achariam muito tentador e fácil mergulhar em suas poupanças a qualquer hora que quisessem. O que as impede é que as contas de investimento cobram multas e dificultam a retirada de dinheiro sempre que você quiser. Da mesma forma, eu poderia me levar a acreditar e me comportar como se tivesse apenas o meu "prato pequeno" para trabalhar (e não um prato pequeno e mais uma panela inteira sobre a mesa).

Mas o que eu faria com o "outro dinheiro"? Poderia usá-lo para — não se espante demais — *me pagar um salário?* Pagar meus impostos?

Ei, espere. Espere um minutinho. Eu poderia realmente separar parte dele como lucro — *antes* de pagar as contas?

E foi aí que me ocorreu — e se eu pegasse meu lucro *primeiro*?

Para um cara que construiu dois negócios baseados na "linha de cima" (cujo foco é a receita), essa ideia foi uma revelação. Às seis da manhã, com hálito de cerveja, manchas de Cheetos por toda minha camiseta e os cabelos mais bagunçados do que os de Einstein, aquilo parecia conversa de maluco. Quem teria a audácia de pegar o lucro primeiro? Eu!

OS QUATRO PRINCÍPIOS ESSENCIAIS DO LUCRO PRIMEIRO

Vamos falar um pouco sobre a ciência da dieta. Sem resmungos, por favor. Esse tema é fascinante.

Em 2012, um relatório de Koert Van Ittersum e Brian Wansink no *Journal of Consumer Research* concluiu que o tamanho médio dos pratos nos EUA cresceu 23% entre os anos de 1900 e 2012, de 24cm para quase 30cm. Ao fazer os cálculos, o artigo explica que se esse aumento no tamanho do prato encoraja um indivíduo a consumir apenas 50 calorias por dia, essa pessoa ganharia 2,3kg extras a cada ano. Ano após ano, isso significa uma silhueta bem "fofa".

Mas usar pratos pequenos é apenas um fator. Um donut em um prato pequeno ainda é um donut. Uma dieta saudável envolve outros fatores, baseados em quatro princípios essenciais de perda de peso e nutrição.

1. **Use Pratos Pequenos** — Usar pratos menores inicia uma reação em cadeia. Em um prato pequeno, você se serve de porções menores, o que significa que consome menos calorias. Ao ingerir menos calorias do que normalmente faria, começa a perder peso.

2. **Siga uma Sequência** — Se você comer primeiro os vegetais, ricos em nutrientes e vitaminas, eles começarão a satisfazer sua fome. Quando passar para o próximo prato — seu macarrão com queijo ou purê de batatas (que não contam como vegetais!) — vai comer menos. Ao mudar a sequência de suas refeições comendo os legumes primeiro, você automaticamente traz um equilíbrio nutricional à sua dieta.

3. **Remova as Tentações** — Remova qualquer tentação do local em que se alimenta. As pessoas são motivadas pela conveniência. Se você for como eu, quando há um saco de Doritos no armário da cozinha, ele não sai de sua cabeça, mesmo que não esteja com fome. Se não tiver alimentos calóricos em casa, provavelmente não vai correr até a loja para comprar. (Isso significaria trocar de roupa). Então, acabará comendo os alimentos saudáveis que tem em casa.

4. **Imponha um Ritmo** — Se esperar até que esteja com fome para comer, já é tarde demais e você vai acabar comendo compulsivamente. Logo, é provável que coma demais. Você passa de faminto a empanturrado e volta a ter fome. Esses picos e vales em sua fome resultam no consumo de muitas calorias. Em vez disso, coma regularmente (muitos pesquisadores sugerem cinco pequenas refeições por dia) para que nunca fique com fome. Sem os picos e vales, você realmente vai ingerir menos calorias.

Embora não percebam isso, as pessoas do ramo de dietas sabem muito sobre o desenvolvimento de um negócio saudável. Vamos examinar esses princípios um por um:

1. Lei de Parkinson: Por que Seu Negócio É como um Tubo de Creme Dental

Desde que descobri esses quatro princípios de saúde física, investiguei mais e mais por que eles são importantes. Os quatro princípios que o especialista em fitness da PBS compartilhou estão todos enraizados na ciência comportamental. Quando você sabe o que o move, tem uma enorme vantagem sobre si mesmo. A ciência comportamental lhe possibilita subjugar seu maior concorrente, ou seja, você. Vamos começar com pratos pequenos. Em 1955, um filósofo moderno chamado C. Northcote Parkinson surgiu com a contraintuitiva Lei de Parkinson, que declara que a demanda por algo se expande para corresponder à sua oferta. Em economia, isso é chamado de demanda induzida — é por isso que a expansão de estradas para reduzir o congestionamento de tráfego nunca funciona em longo prazo, porque mais motoristas sempre aparecem para preencher o espaço extra.

Em outras palavras, se você for a um bar de tapas espanhol que serve aqueles pratos minúsculos, come menos. Mas se for a uma churrascaria na qual os pratos parecem tampas de bueiros, comeria até que a comida estivesse saindo por seus ouvidos. (É um bufê coma o quanto AGUENTAR... Desafio aceito!)

Da mesma forma, caso seu cliente lhe dê uma semana para corrigir um projeto, provavelmente você aproveitará a semana inteira, mas se ele der apenas um dia, você fará isso em um dia. Observe que quanto mais temos de algo, mais consumimos. Isso vale para qualquer coisa: comida, tempo e até pasta de dente.

Quanto creme dental você usa quando tem um novo tubo? Uma generosa "pelota", certo? Quero dizer, por que não? Afinal, você tem um tubo cheio de pasta de dente. Então, coloca uma bela porção na escova. Mas antes de começar a escovar, você liga a torneira para umedecer a escova um pouco. E... droga, a pasta cai na pia. Mas quem se importa, certo? Ora, você acabou de abrir esse tubo! Você tem toneladas à sua disposição. Então, coloca outra porção generosa de pasta e escova os dentes.

Porém, quando abre o armário e encontra um tubo quase vazio... oh céus, como o jogo muda. Tudo começa por uma sessão de apertar, espremer e torcer o tubo. Você pega sua escova de dentes, soltando um pouquinho do tubo e, com isso, como a cabeça de uma tartaruga quando alguém se aproxima, a pasta volta para dentro do tubo. Você tenta gritar alguns palavrões neste momento, mas não consegue, porque já está no estágio 2 da extração de pasta de dente: mordendo com força o tubo. Com um equilíbrio precário entre morder, apertar e torcer o tubo com uma mão e com a outra tentar passar a escova na pasta, você vence a batalha. Uma gotinha de pasta de dente. O que é o suficiente para a sensação de frescor em sua boca.

Não é engraçado o quanto *nós* mudamos com base no que está disponível? Eis um fato ainda mais fascinante: a Lei de Parkinson desencadeia dois comportamentos quando a oferta é escassa. Quando você tem menos, faz duas coisas. A primeira é óbvia: você se torna frugal. Quando há menos creme dental no tubo, você usa menos para escovar os dentes. Essa é a parte óbvia. Mas algo mais, muito mais, impactante acontece: você se torna extremamente inventivo e encontra todos os tipos de maneiras de extrair a última gota de pasta de dente do tubo.

Se há uma coisa que mudará para sempre seu relacionamento com o dinheiro, é o entendimento da Lei de Parkinson. É preciso disponibilizar intencionalmente menos pasta de dente (dinheiro) para escovar os dentes (operar seu negócio). Quando há menos, você administrará sua empresa de maneira mais frugal (isso é bom) e muito mais inovadora (isso é ótimo!).

Se você retirar o lucro primeiro e removê-lo de vista, terá um tubo de pasta de dente quase vazio para administrar sua empresa. Quando houver menos dinheiro disponível para administrar sua empresa, você encontrará maneiras de obter resultados iguais ou melhores com menos. Ao coletar seu lucro primeiro, você será forçado a pensar e inovar mais.

2. O Efeito da Primazia: Por que a Parte do *Primeiro* em Lucro Primeiro É Importante?

O segundo princípio comportamental que é preciso entender sobre si mesmo é chamado de Efeito Primazia. O princípio é o seguinte: atribuímos um significado adicional a tudo o que encontramos primeiro. Veja uma pequena demonstração que pode ajudar a entender melhor.

Vou mostrar dois conjuntos de palavras. Um descreve um pecador e outro, um santo. O objetivo é, o mais rápido possível, determinar qual é qual. Entendido? Ótimo. Agora, olhe para os dois conjuntos de palavras abaixo e determine qual deles descreve o pecador e qual, o santo.

1. MAL, ÓDIO, RAIVA, ALEGRIA, CUIDADO, AMOR
2. AMOR, CUIDADO, ALEGRIA, RAIVA, ÓDIO, MAL

À primeira vista, você provavelmente identificou o primeiro conjunto de palavras como o pecador e o segundo, como o santo. Se fez isso, é uma notícia maravilhosa, porque significa que você é um ser humano e está experimentando o Efeito Primazia. Em outras palavras, o sistema Lucro Primeiro o fará prosperar. Se tentou descobrir a pegadinha enquanto analisava o exercício, isso também é uma ótima notícia; isso significa que é um empreendedor e está mais do que disposto a romper com os velhos sistemas (como ler sempre da esquerda para a direita), o que também significa que terá sucesso com o sistema Lucro Primeiro.

Agora, observe novamente os conjuntos de palavras. Repare que ambos são idênticos, apenas a sequência é invertida.

Assim, quando você vê MAL e ÓDIO no início de um conjunto de palavras, sua mente atribui maior peso a essas palavras e menos peso às palavras remanescentes. Quando o conjunto começa com AMOR e CUIDADO, o maior peso é atribuído a elas.

Quando seguimos a fórmula convencional de Receita – Despesas = Lucro, estamos propensos a nos concentrar nas duas primeiras palavras, *Receita* e **Despesas**, e deixar para pensar no *Lucro* depois. E então nos comportamos de acordo. Vendemos o máximo que podemos e usamos o dinheiro que arrecadamos para pagar as despesas. Ficamos presos no ciclo de venda para pagar as contas, repetidamente, imaginando por que nunca vemos lucro algum. Quem é o pecador agora?

Quando o lucro vem primeiro, ele é o foco, e nunca é esquecido.

3. Remova as Tentações: Assim que Pegar o Lucro Primeiro, Tire-o de Vista

Minha maior fraqueza são Chocodiles, bolinhos recheados de creme, cobertos de chocolate amargo e embrulhados em amor. Felizmente, pararam de fabricá-los. Mas se um Chocodile aparecesse em minha casa, mesmo com a validade vencida em 1972, eu devoraria aquele delicioso elixir de amor e gorduras monoinsaturadas. Agora sempre me certifico de ter opções saudáveis comigo, e nunca compro porcarias.

O dinheiro funciona da mesma maneira. Ao implementar o Lucro Primeiro, você usará a poderosa força do velho ditado "longe dos olhos, longe do coração" (e do pensamento). Ao gerar um lucro (o que, lembre-se, começa hoje), você retira o dinheiro de seu acesso imediato. Sem conseguir vê-lo, não poderá acessá-lo. E assim como tudo a que não se tem um grau razoável de acesso, encontrará uma maneira de trabalhar com o que tem e não se preocupar com o que não tem. Então, quando o Sr. Buffett (opa, quero dizer sua conta de lucro) liberar o dinheiro para você, ele servirá como um bônus.

4. Imponha um Ritmo

Assim como nos impede de passar fome e comer compulsivamente, impor um ritmo também funciona com dinheiro. Quando nos adequamos a um ritmo (explico no Capítulo 6 o método de 2 vezes por mês, que chamo de regra 10/25), não entramos no modo reativo de gastos loucos quando recebemos grandes depósitos nem de pânico diante de grandes quedas no caixa. Não estou dizendo que o dinheiro aparecerá automaticamente e você sempre terá dinheiro à sua disposição, mas estabelecer um ritmo afastará o pânico diário.

De fato, estabelecer um ritmo também será um ótimo indicador do fluxo de caixa global. Esse sistema é a maneira mais fácil de medir o fluxo de caixa. Em vez de ler a demonstração do fluxo de caixa (honestamente, quando foi a última vez que você fez isso?), poderá medir seu fluxo de caixa apenas verificando suas contas bancárias, algo que, seja como for, você certamente faz.

Ao adotar um ritmo em seu gerenciamento de caixa, você monitora a frequência cardíaca de sua empresa. Acompanha sua posição de caixa todos os dias apenas olhando para sua conta bancária. Faça o login. Passe dois segundos lendo seu saldo. Saia. Você saberá em que pé está rápido assim. Pense em seu fluxo de caixa como ondas em uma praia. Se a onda de caixa for grande, você notará e tomará medidas (esse é um exemplo do porquê é útil analisar os demonstrativos com a orientação de um profissional). Quando as ondas são pequenas, certamente notará também. Na maioria das vezes, espero que as ondas de caixa sejam normais e nenhuma ação seja necessária. Mas não importa a situação, você sempre saberá. Porque continuará a fazer o que normalmente faz: acessar sua conta bancária.

MAS SE EU PEGAR MEU LUCRO, COMO VOU CRESCER?

Essa é uma pergunta recorrente. Até agora, espero ter convencido você de que buscar o crescimento por si só é uma maneira de acabar quebrando e falindo. Mas isso não significa que o crescimento não importa, ou que é algo que não deva querer.

As estratégias de crescimento fazem parte de meu discurso há anos. Já escrevi vários livros sobre a ideia de crescimento rápido e orgânico (como o meu livro **Surge**, sem publicação no Brasil). Mas, como a maioria dos empresários, eu costumava pensar que uma opção excluía a outra. Só era possível crescer ou ser rentável — você certamente não poderia fazer os dois. Eu estava errado.

Descobri que o crescimento mais rápido e saudável vem de empresas que priorizam o lucro. E *não* porque reinvestem o dinheiro em seus negócios. As empresas que reinvestem seus lucros não são verdadeiramente lucrativas; estão apenas guardando temporariamente o dinheiro (simulando lucro) para então gastá-lo, como qualquer outra despesa.

Lucro Primeiro gera um crescimento mais rápido porque faz com que você aplique engenharia reversa em sua rentabilidade. Ao colher o lucro primeiro, sua empresa lhe dirá imediatamente se é capaz de arcar com as despesas que está incorrendo; dirá se está operando de forma simplificada o suficiente; dirá se você tem as margens certas. Se achar que não consegue pagar suas despesas depois de retirar seu lucro primeiro, é necessário abordar todos esses pontos e fazer as correções.

O sistema Lucro Primeiro o ajudará a descobrir quais medidas, dentro de todas que tomou, geraram dinheiro e quais não. Então a direção é óbvia — você faz mais do que é lucrativo e corrige (ou descarta) o que não é. Naturalmente, seu foco será apenas o que traz lucro e você ficará cada vez melhor nisso. E quando melhorar no que seus clientes já querem e gostam, eles gostarão ainda mais de você. Tudo isso se traduz em um crescimento rápido e saudável. Um estouro!

Especialistas, como cirurgiões cardíacos, conhecem o segredo. Continue fazendo algumas coisas (como cirurgia cardíaca) muito, muito bem, e atrairá os melhores clientes, ditará os maiores preços e verá sua prática crescer e ganhar nome mundialmente. Por outro lado, o clínico geral faz tudo (trata de unhas infeccionadas a erupções, tosses e resfriados), mas nunca se especializa e, portanto, atrai os clientes em geral. E quando as coisas ficam mais sérias para o paciente — e a tosse na verdade é apenas um sintoma de uma doença cardíaca — o clínico geral encaminha o paciente para o especialista (que então ganha mais por seus serviços). Os especialistas são donos das maiores casas da cidade, enquanto os clínicos gerais não conseguem sequer pagar seus empréstimos estudantis.

Para um crescimento maior e mais rápido, você precisa ser o melhor em pelo menos uma coisa que faz. E para se tornar o melhor em alguma coisa, é preciso primeiro determinar em que você é o melhor e fazê-lo muito melhor. Para chegar lá, receba seu lucro primeiro e as respostas sobre ser o melhor em alguma coisa se revelam.

A NOVA FÓRMULA CONTÁBIL

Agora você conhece a psicologia por trás de como trabalhar. O próximo passo é criar um sistema em torno de seu modo de agir normal. E começamos com uma nova fórmula simples de Lucro Primeiro:

Receita – **Lucro** = Despesas

O que você está prestes a aprender não é nada novo (nem mesmo para você). É algo que suspeito que já saiba — na íntegra ou pelo menos em parte — mas nunca tenha colocado em prática. É a junção dos conceitos de "pagar a si mesmo em primeiro lugar", "usar um prato pequeno" e do "sistema de gerenciamento de envelopes de dinheiro da vovó" de um modo que atenda às suas tendências naturais e humanas preexistentes. Veja como aplicar os quatro princípios:

1. **Use Pratos Pequenos** — Quando o dinheiro entra em sua conta principal de RECEITA, ele simplesmente serve de bandeja para as outras contas. Você, então, distribui periodicamente todo o dinheiro da conta RECEITA em contas diferentes e em porcentagens predeterminadas. Cada uma dessas contas tem um objetivo diferente: uma é para o lucro, uma para a remuneração do proprietário, outra para os impostos e outra para as despesas operacionais. Conjuntamente, essas são as cinco contas essenciais (receita, lucro, remuneração do proprietário, impostos e despesas operacionais) e por onde você deve começar, mas os usuários avançados usarão contas adicionais, descritas no Capítulo 10.

2. **Siga uma Sequência** — Sempre, *sempre* aloque dinheiro com base nas porcentagens para as contas primeiro. Nunca, nunca, pague as contas primeiro. O dinheiro passa da conta RECEITA para sua conta LUCRO, REM. DO PROPRIETÁRIO, IMPOSTOS e DESPOP (DESPESAS OPERACIONAIS). Então, pague as despesas apenas com o que está disponível na conta DESPOP. Sem exceções. E se não houver dinheiro suficiente para despesas? Isso não significa que você precisa retirar das outras contas. Significa que sua empresa está lhe dizendo que você não consegue arcar com essas despesas e precisa se livrar delas. Eliminar despesas desnecessárias trará mais saúde para seu negócio do que imagina.

3. **Remova a Tentação** — Mova sua conta LUCRO e outras contas "tentadoras" para fora de seu alcance. Torne realmente difícil e doloroso acessar esse dinheiro, evitando assim a tentação de "pegar emprestado" (isto é, roubar) de si mesmo. Use um mecanismo de responsabilização para impedir o acesso, exceto pelo motivo certo.

4. **Imponha um Ritmo** — Faça suas alocações e pagamentos 2 vezes por mês (especificamente, no 10º e no 25º dia). Não pague apenas quando houver dinheiro acumulado na conta. Adote o ritmo de alocação de sua receita e pagamento de contas 2 vezes por mês, para que possa ver como

o dinheiro se acumula e para onde realmente vai. Isso é o gerenciamento controlado e frequente do fluxo de caixa, e não o gerenciamento de caixa "roendo as unhas".

Na época em que comecei a aplicar essa filosofia de pratos pequenos às finanças de minha empresa, estava fazendo um trabalho de consultoria e palestras sobre empreendedorismo. Também apliquei meu novo sistema Lucro Primeiro ao meu único investimento sobrevivente, a Hedgehog Leatherworks. Tinha desistido de bebidas alcoólicas e infomerciais como mecanismos de enfrentamento, e minha depressão havia diminuído. Naquela ocasião eu estava dando os últimos retoques em meu primeiro livro de negócios, *The Toilet Paper Entrepreneur*, no qual inseri uma pequena seção sobre o conceito de Lucro Primeiro. Depois que o livro foi publicado, continuei a refinar o sistema, explorando e colocando-o em prática, e tudo mudou. Comecei a implementá-lo com outros empreendedores. E funcionou — para mim, para eles e para meus leitores.

Impulsionado pela minha paixão pelo empreendedorismo e pela minha determinação em ser lucrativo agora, não em uma data indeterminada no futuro, comecei a aperfeiçoar meu sistema. Nesse processo, descobri outros empreendedores e líderes empresariais que administravam suas empresas mês a mês e precisaram desesperadamente do sistema Lucro Primeiro. Mas também encontrei empreendedores e líderes empresariais que estavam implementando um sistema similar com grande sucesso. Pessoas como Jesse Cole, dono de dois times de beisebol de primeira linha, que ao mesmo tempo que expandia seus negócios, pagava quase US$1 milhão em empréstimos. E Phil Tirone, que enquanto construía seu primeiro negócio multimilionário e altamente lucrativo, continuou a alugar a mesma kitnet até concluir que havia conseguido lucro suficiente para um aprimoramento — para um apartamento de 1 quarto.

Nas próximas páginas, compartilho histórias sobre pessoas que estão em sincronia com seus lucros, e histórias sobre outras pessoas, como você e eu, que trabalhavam até o limite de suas forças, mas ainda assim o máximo que conseguiam era empatar — pessoas que agora lucram todos os meses e aproveitam os frutos de seus trabalhos. Pessoas como José e Jorge, dois empreendedores que começaram a usar o Lucro Primeiro nos primeiros meses de lançamento de sua empresa e experimentaram um crescimento não muito respeitável, mas obtiveram de 7 a 20% de lucro mês após mês.

DIMINUA SUAS EXPECTATIVAS

Em seu livro *Switch*, Chip e Dan Heath explicam o conceito de "baixar os padrões". Nós, empreendedores, somos todos programados para "elevar os padrões". Expandir. Viver com mais ousadia. Assumir mais responsabilidades. Mas descobri que nem sempre essa é a melhor maneira de ganhar impulso. E se pretende ser rentável, é hora de começar praticando um pequeno passo: "diminuir as expectativas". Quero que pratique uma ação pequena, simples e fácil, que o levará ao caminho da lucratividade permanente. Não há desculpas porque é fácil demais.

Agora, quero que você configure sua conta LUCRO. É o primeiro passo no sistema Lucro Primeiro, então faça isso imediatamente. Ligue para seu banco (ou use a internet) e abra uma nova conta corrente. Não fique preso ao detalhe se deve ser uma conta poupança ou uma conta de investimento ou qualquer outra coisa. Os cinco segundos que você gasta pensando nisso custam mais do que a pequena diferença nos juros que ela renderá. Seu objetivo é apenas começar e não ter recaídas.

Depois de abrir essa nova conta em seu banco, atribua um apelido à conta LUCRO e, a partir deste momento, de qualquer depósito que fizer em sua conta corrente normal, transfira 1% do valor para sua conta LUCRO. Em seguida, prossiga com seus negócios, processos e gerenciamento de dinheiro como você fez no passado. Basta depositar na conta LUCRO e não mexer (até chegar à seção deste livro na qual explico o que fazer com ela).

Se receber R$1.000, o que precisa fazer a partir de hoje é transferir R$10 para sua conta LUCRO. Se é capaz de administrar sua empresa com R$1.000, certamente conseguirá com R$990. Se receber R$20.000 em depósitos, transfira R$200 para sua conta LUCRO. Se consegue administrar sua empresa com R$20.000, conseguirá com R$19.800. Você não sentirá falta desse 1%. É uma meta bem realista.

No entanto, algo mágico acontecerá. Você começará a comprovar o sistema por si mesmo. Não ficará rico da noite para o dia, mas ganhará confiança. Desfrutará de uma pequena amostra do poder de reservar seu lucro antecipadamente. Seu trabalho é cumprir apenas esse pequeno passo por um tempo. Observe seu lucro acumular. Sim, é bem pequeno, mas é lucro mesmo assim. O objetivo aqui é conquistar sua *mente*. O objetivo é perceber que esse processo não familiar de reservar o primeiro lucro não é tão assustador, afinal de contas. Então, quando estiver se aprofundando na energia do Lucro Primeiro, estará pronto para um sucesso maior. Porque estará totalmente preparado para colocar o resto do sistema em prática, e seu coração estará nele. Para valer!

TOME UMA ATITUDE: PRIMEIROS PASSOS FÁCEIS

1. Confie no processo. Ele funciona, mas não é familiar. Então você vai resistir. Comprometa-se, por enquanto, a abrir mão de sua resistência e conforto de fazer o que fazia no passado. Primeiro, confie no processo. Depois comprove-o por si mesmo.

2. Abra apenas uma nova conta: LUCRO. Para simplificar, uma conta corrente. Não se preocupe com os juros insignificantes da poupança e de outras contas. Seu objetivo, por enquanto, é começar imediatamente e de forma decisiva.

3. Transfira 1% do seu dinheiro atual para a conta LUCRO. Você lançou as sementes da conta. Não toque nela. Não retire qualquer valor de lá por enquanto.

Capítulo 3

IMPLEMENTANDO O LUCRO PRIMEIRO EM SEU NEGÓCIO

Quando eu era adolescente, minha mãe trabalhava meio período na Lenze Corporation, uma empresa alemã de peças de maquinaria. A cada duas semanas, depois que sacava seu salário, ela dividia o dinheiro. Ainda posso vê-la sentada à mesa da cozinha, colocando as notas de US$5 e US$10 dentro de envelopes com etiquetas como "Comida", "Hipoteca", "Comunidade", "Diversão" e "Férias". Ela tinha um outro envelope com a frase em alemão *"Nur für den Notfall"*, que poderia ser traduzida como "Apenas em caso de emergência". Metade do dinheiro era colocada dentro do envelope "Hipoteca". Em seguida ela colocava 15% no envelope "Férias", 5% no de "Diversão" e 10% em cada um dos envelopes "Comida", "Comunidade" e o identificado como *"Nur für den Notfall"*.

Apesar de suas horas de trabalho variarem, mamãe sempre tinha o suficiente para comida. Mas para ser mais claro, isso não significava que sempre tivesse a mesma quantidade de dinheiro. Ela sempre tinha o *suficiente*. Em algumas semanas ela trabalhava apenas cinco horas porque estava doente ou havia se voluntariado na minha escola. (É muito embaraçoso sua mãe aparecer na sua sala de aula com bonecos alemães para ensinar folclore alemão... quando você está no último ano do ensino médio.) Já em outras semanas ela fazia hora extra. Sua renda variava (soa familiar?), mas mamãe sempre tinha o suficiente porque uma vez que colocava dinheiro em um de seus envelopes, mantinha-o lacrado até que precisasse. Ela nunca pegava emprestado de outros envelopes mesmo que faltasse. Ela costumava ir até o mercado e só depois de estacionar o carro abria o envelope "Comida".

Mamãe sempre fazia compras com o dinheiro que ela tinha naquela semana. Se fosse uma semana "magra", seria sanduíche de manteiga de amendoim e geleia no almoço e arroz e feijão para o jantar. Mais dinheiro significava frios para o almoço e arroz e frango para o jantar. E se ela estivesse nadando na grana, era *liverwurst* o dia todo. Ninguém, a não ser minha mãe, gostava de *liverwurst*, então quando ela estava acumulando muitas horas e certamente receberia mais naquela semana, minha irmã e eu tentávamos fazer com que ela passasse mais tempo em casa para que não pudesse comprar *liverwurst*. Um parêntese, se você nunca comeu *liverwurst*, considere-se abençoado, pois quer dizer "salsicha de fígado". Viu? Agora você não gosta também.

Você pode estar se perguntando: "E o envelope da hipoteca?" Se o pagamento dela fosse menor naquela semana, ela simplesmente não poderia ir à instituição hipotecária e dizer que teria que pagar menos naquele mês. Mamãe sabia que, quando trabalhava suas horas normais, 40% de seu pagamento seria suficiente para cobrir o valor da hipoteca. Mas como todos sabemos muito bem, o normal nem sempre é tão normal assim. Coisas acontecem. Por isso, ela intencionalmente estabeleceu uma alocação de recursos para a hipoteca de 50%. Ao sempre reservar 10% a mais do que precisava, sempre havia uma "sobra" para quando as contribuições "normais" não fossem suficientes. E quando o mundo desabasse (o que nunca aconteceu, provavelmente porque ela estava preparada para isso), mamãe tinha o envelope "Apenas em caso de emergência" como seguro.

O sistema de envelopes não é exclusivo de minha mãe. Ela é um membro da "geração grandiosa" e uma sobrevivente do bombardeio quase constante de sua cidade durante a Segunda Guerra Mundial. Desde que publiquei a primeira edição da versão americana de Lucro Primeiro, nos Estados Unidos, recebi inúmeros e-mails de leitores cujos pais ou avós usavam sistemas semelhantes. De envelopes e potes a uma estilosa caixa de aço com diferentes compartimentos usados por um leitor na Suécia, muitos leitores adaptaram esses sistemas para seu próprio uso. Lucro Primeiro é, em parte, o sistema de envelope aplicado aos negócios e modernizado pela utilização de contas bancárias. O sistema funcionou perfeitamente para a minha mãe e suspeito que tenha feito o mesmo com alguém da sua árvore genealógica.

Como você aplica esse sistema ao seu negócio? A seguir mostro o processo passo a passo... não são necessários envelopes, potes ou caixas de aço.

CONTABILIDADE DE SALDOS BANCÁRIOS

O sistema de gerenciamento de caixa padrão para a maioria dos empreendedores é o que chamo de contabilidade de saldos bancários. Ironicamente, é o que nossos contadores nos dizem para não fazer. "Não analise suas contas bancárias", dizem eles. "Analise seu sistema de contabilidade."

Certo. Mas não é maravilhoso analisar seu sistema de contabilidade? Assim como ter de ver aquelas mil "belas" fotos de férias que seu amigo mostra, com uma "história engraçada" sobre cada uma delas. Não seria fantástico fazer isso o dia todo? Não.

Se você seguir direitinho as instruções do contador, eis o que se espera que faça ao analisar seu sistema contábil para descobrir quanto dinheiro você tem: depois de reconciliar todas as contas para verificar sua exatidão, analise sua demonstração de resultado do exercício e de fluxo de caixa e, em seguida, concilie os números em seu balanço patrimonial. Depois, execute as métricas críticas, como seu coeficiente de caixa operacional, giro de estoque, índice de liquidez corrente e índice de liquidez imediata. Em seguida, analise seus KPIs (indicadores-chave de desempenho) e conhecerá a integridade do seu negócio. Ah, e antes que eu esqueça, faça isso toda semana. Dessa forma você terá uma compreensão clara da situação de sua empresa. Assim diz o contador.

Há apenas um problema: não tenho a menor ideia de como realmente ler e conciliar todos esses documentos e índices. De fato, foi *por isso* que contratei meu contador e contabilista para início de conversa. Minha cabeça está girando só de escrever tudo isso. Na verdade, acho que estou tendo flashbacks. É terrível, meus amigos. Pavoroso. Quando penso em documentos de relatórios financeiros, começo a ter calafrios, e se olho os números por muito tempo, inevitavelmente acabo debaixo da minha mesa, chupando meu dedo (ainda cem vezes melhor do que comer *liverwurst*).

Então o que devo fazer? O que a maioria dos empreendedores faz? Passa a fazer contabilidade de saldo bancário. O que é isso? Fazemos login em nossas contas bancárias, tomamos nota de nossos saldos e, com base no que vemos, tomamos decisões de como proceder. Quando nosso saldo está baixo, fazemos ligações de cobrança e vendemos mais. Se o saldo está alto, investimos em equipamentos e expansão. Funciona. Mais ou menos.

A contabilidade do saldo bancário parece funcionar porque somos condicionados a procurar indicadores rápidos (por exemplo: "Minha conta bancária tem dinheiro suficiente?"). Então confiamos em nossa intuição e agimos. No entanto, esse sistema não funciona perfeitamente, porque parece que nunca temos dinheiro suficiente para nos pagarmos. É por isso que criei o Lucro Primeiro.

O sistema Lucro Primeiro é projetado para que você possa (e deva) continuar fazendo a contabilidade do saldo bancário. O sistema é configurado com suas contas bancárias para que possa fazer login, verificar seu saldo e tomar decisões de acordo. É o que você já faz, então não precisa mudar. A diferença é que no sistema Lucro Primeiro há várias contas em seu banco para que, ao fazer o login, você saiba qual a finalidade do dinheiro. Você abre seu "envelope", verifica quanto tem e toma suas decisões. Será arroz e feijão ou bife à milanesa?

Com Lucro Primeiro, não vamos mudar seu comportamento; vamos apenas cercá-lo de algumas salvaguardas. Não só vamos permitir que você faça o que sempre fez, como também vamos encorajá-lo.

AS CINCO CONTAS FUNDAMENTAIS

Se você chegou até aqui no livro, presumo que tenha aceitado a ideia do sistema Lucro Primeiro. É hora de dar o primeiro passo: configurar seus envelopes ou pratos. Faça isso agora. Não deixe para depois. É hora de colocar a mão na massa.

O que você está prestes a fazer é a base do Lucro Primeiro. É a estrutura em que seus lucros serão construídos. Não adianta nada ter uma grande massa muscular se não estiver ligada a uma estrutura esquelética forte. Essas contas são os ossos.

Aqui estão as cinco contas que você precisa configurar:

1. RECEITA
2. LUCRO
3. REMUNERAÇÃO DO PROPRIETÁRIO
4. IMPOSTOS
5. DESPOP

Certifique-se de que sejam todas contas correntes. A flexibilidade oferecida pelas contas correntes supera em muito quaisquer juros minúsculos obtidos com o uso de contas de poupança. Ligue para seu banco e crie as cinco contas básicas. A maioria dos bancos permite que você atribua um apelido à conta exibida online e aos demonstrativos, além do número da conta. Assim como mamãe rotulava seus envelopes, nomeie suas contas de acordo com o propósito de cada uma.

Você pode usar sua principal conta bancária já existente como uma das cinco contas. Renomeie-a como sua conta DESPOP (DESPESAS OPERACIONAIS) porque provavelmente você já está pagando todas as suas despesas a partir dessa conta. Em seguida, direcione todos os depósitos para sua conta RECEITA. Para os depósitos em cheque, não há mistério, basta depositá-los na nova conta. Para outros tipos de depósito, como pagamentos com cartão de crédito, débito ou transferências, você precisará atualizar suas informações bancárias sempre que necessário. O processo levará cerca de meia hora — se tiver muitos pagamentos automatizados, talvez uma hora. Não desanime e faça isso imediatamente.

DUAS CONTAS "SEM TENTAÇÃO"

Agora que configurou suas cinco contas fundamentais em seu banco principal, sua próxima etapa é configurar duas "contas sem tentação". Vamos levar seus impostos para longe de seus olhos e de seu coração. E vamos fazer o mesmo com a sua conta LUCRO.

Você pode estar pensando: "Por que preciso fazer isso? Eu já tenho uma conta de IMPOSTOS e a conta de LUCRO no meu banco principal. Por que preciso de uma réplica?" A razão das contas secundárias é manter o dinheiro que aloca e reserva para os impostos e o lucro fora de sua vista. Porque se algo não está disponível para consumo, você não o consome.

Se algo não estiver prontamente disponível, é improvável que passemos por uma medida extraordinária para consumi-lo. Seu lucro é para você, e se puder acessá-lo facilmente, pode ficar tentado a tomar "empréstimos" para cobrir as despesas. E o dinheiro dos impostos? Ele pertence ao governo. Vamos garantir que nunca tome emprestado (um eufemismo para "roubar") dessas contas.

Se pegar dinheiro de sua conta LUCRO e colocá-lo de volta no negócio, basicamente está dizendo a si mesmo que não está disposto a encontrar uma maneira de administrar sua empresa com as despesas operacionais alocadas para ela. Se pegar dinheiro da sua conta IMPOSTOS, o dinheiro que reservou para pagar ao governo, está roubando do governo. E desconfio que já saiba que o governo não gosta muito disso.

Encontre um novo banco com o qual nunca trabalhou antes. Neste caso, você não estará movendo muito dinheiro, e raramente fará com que as duas contas fiquem com saldo zero (a menos que esteja devendo impostos). Portanto, com esse banco, você pode se preocupar menos com as taxas de saldo mínimo.

No segundo banco, configure duas contas de poupança (é nelas que você coletará juros porque seu dinheiro ficará em reserva por um tempo). As duas contas são RESERVA DE LUCRO e RESERVA DE IMPOSTOS. Em seguida, vincule essas duas contas às respectivas contas de LUCRO e IMPOSTO em seu banco principal para que você possa transferir dinheiro.

Explicarei em breve quando transferir dinheiro e com que frequência fará isso. Mas, por enquanto, quero tratar de uma dúvida que você pode ter. Se está pensando: "Por que deveria criar contas de LUCRO e IMPOSTO *tanto no* meu banco primário *quanto no* meu banco 'sem tentação'? Eu sou um empreendedor! Gosto de atalhos! Não posso simplesmente transferir dinheiro da conta de RECEITA do meu banco primário para as contas RESERVA DE LUCRO e RESERVA DE IMPOSTOS no meu banco sem tentação?" Embora tecnicamente falando você possa fazer isso, é uma má ideia por duas razões.

1. Transferências de um banco para outro não são instantâneas. Podem levar três dias ou mais (fins de semana e feriados aumentam esse tempo) e, quando você acessa sua conta principal, o dinheiro parece estar lá [no Brasil, as transferências demoram de minutos a três dias, com tendência a serem instantâneas quando for instaurado o Sistema Financeiro Digital].

2. O objetivo do Lucro Primeiro é proporcionar o conhecimento instantâneo e preciso de onde está seu caixa. Quando você move dinheiro de uma conta para outra no mesmo banco, a transferência geralmente acontece instantaneamente. Ao primeiro transferir o dinheiro da sua conta de RECEITA para as contas LUCRO e IMPOSTO (junto com as outras contas), você verá no mesmo momento onde está seu dinheiro, em seus respectivos pratos. Agora que seu dinheiro está claramente no "prato" certo em seu banco principal, inicie a transferência para as contas RESERVA DE LUCRO e RESERVA DE IMPOSTOS no segundo banco. Agora, sempre que fizer login no seu banco principal, saberá exatamente qual a situação real, mesmo que a transferência para o segundo banco ainda não tenha sido concluída.

DUAS PERGUNTAS FEITAS FREQUENTEMENTE

Eu falo sobre o Lucro Primeiro em cerca de trinta grandes conferências por ano, bem como em uma série de conferências menores, seminários e palestras. Inevitavelmente, quando a parte de perguntas e respostas de minha palestra sobre Lucro Primeiro começa, uma ou duas perguntas sempre surgem:

1. "Eu nunca fui lucrativo no passado, então como posso obter meu lucro agora?"

As pessoas têm dificuldade em aceitar a noção de que podem começar a obter lucros imediatamente, porque parece uma espécie de truque contábil mágico. Não é (na verdade, é a contabilidade regular que se utiliza de truques). Ao pegar o lucro primeiro, você está mudando fundamentalmente o modo como administra sua empresa. Quando ouço essa pergunta, sempre explico a Lei de Parkinson: você gasta todos os centavos que tem disponível e estica cada tostão em tempos difíceis para manter seu negócio funcionando. Estou simplesmente pedindo que pegue o lucro primeiro e trabalhe com menos. Você já fez isso e encontrou um jeito. Há um ditado que diz: "Nada muda se nada mudar." Se você não mudar a maneira de retirar seu lucro, nunca terá *lucro*.

2. "Não posso fazer isso em uma planilha ou no meu sistema de contabilidade? Por que preciso ir ao banco para fazer isso?"

Eu respondo a essa pergunta fazendo outra: como isso lhe serviu até agora? Você já não está seguindo seu fluxo de caixa todos os dias em uma planilha? Não está checando seu sistema contábil diariamente, revisando os números? Não? Exatamente. Portanto, configurar o Lucro Primeiro em seu sistema contábil é apenas uma pequena modificação em relação a algo que você supostamente já está "fazendo" e não está dando certo.

Não importa o que essas planilhas ou relatórios mensais digam, seu saldo bancário atual será sempre um determinante mais forte do seu comportamento. A razão pela qual você deve configurar suas contas de Lucro Primeiro em seu banco é porque é a única maneira de inserir o sistema em seu comportamento habitual. Ao configurá-lo em seu banco, você não consegue ignorar as alocações de recursos ao fazer login.

ESCOLHENDO O BANCO

Ao escolher os dois bancos, concentre-se nas opções de conveniência de um e nas de inconveniência do outro. No seu banco principal, o ideal é ter acesso fácil para visualizar suas contas (pratos ou envelopes). Você quer a facilidade de transferir dinheiro da conta RECEITA para suas outras contas. E quer poder pagar contas na DESPOP. No banco secundário você não quer opções de conveniência. Lembre-se: longe dos olhos, longe do coração. O que não é visto, nem pode ser usado, não é lembrado. Você trabalha com o que tem aqui e agora.

Peter Laughter, um amigo de longa data, conhecia o poder de acabar com a tentação. Quando implementou o sistema Lucro Primeiro em sua empresa, ele foi a um novo banco e pediu ajuda ao gerente da agência para criar as contas. O gerente estava mais do que animado a ajudar Peter porque uma boa quantia de dinheiro seria depositada lá. Usando toda sua habilidade de vendedor, o gerente compartilhava todas as maravilhosas opções de conveniência que Peter obteria com suas novas contas bancárias: serviços bancários online, cheques especiais e aquele novo e reluzente cartão de caixa eletrônico.

Peter olhou para o gerente da agência e disse: "Eu não quero nada disso. Estou procurando as opções mais inconvenientes que você tem. Na verdade, só quero conseguir sacar dinheiro deste banco se eu visitar esta agência e lhe pedir um cheque administrativo. E quando esse dia chegar, só para ter certeza de que estou usando o dinheiro pela razão certa, quero que você me dê uns tapas na cara quando eu lhe pedir para emitir o cheque."

Para os fãs de Gene Wilder, isso é como a cena em *O Jovem Frankenstein* quando Dr. Frankenstein se tranca em um quarto com o seu monstro e diz: "Não importa o que você ouça, não importa o quanto eu lhe implore, não importa o quão pavorosos sejam meus gritos, não abra esta porta ou você vai arruinar tudo pelo qual trabalhei."

O gerente do banco estava confuso, mas concordou em tornar as coisas o mais inconveniente possível para Peter.

Os bancos nem sempre se adequam às suas necessidades. Em 2005, quando tinha minha empresa de perícia, eu depositava (e com mais frequência, retirava e pegava emprestado) milhões de dólares todos os anos. Estava fazendo muitos negócios com um determinado banco, mas eles não eram flexíveis e não satisfaziam minhas necessidades. Então, surgiu o Commerce Bank. Eles faziam o que era, até então, inédito: ficavam abertos até tarde da noite, todas as noites da semana, e aos finais de semana. Estavam disponíveis para fazer negócios quando eu estava fazendo negócios, que era depois do horário comercial. Fui à minha agência bancária e disse que queria fechar todas as minhas contas porque queria mudar para o Commerce Bank. A gerente veio me perguntar por quê. Ela gargalhou como uma vilã de cinema e disse: "Você vai voltar." Ela literalmente disse isso.

Nunca voltei, nem meu dinheiro.

Você também pode mudar de banco. O trabalho deles é servir você. Assim como você não se arriscaria a uma intoxicação e aceitaria frango mal passado de seu restaurante local, por que aceitar um relacionamento nocivo com um banco? Nos EUA, o feedback de tantas pessoas que estão implementando o Lucro Primeiro demonstra que alguns (pouquíssimos) grandes bancos se adequarão a você cortando as taxas. Mas muitos bancos regionais e locais e cooperativas de crédito federais [no Brasil não há bancos locais e os regionais são públicos] ficarão empolgados em lhe atender e, em muitos casos (como minha própria experiência demonstrou), eles sequer têm todas aquelas taxas absurdas. Pequenos bancos e cooperativas de crédito já são totalmente adequados ao sistema Lucro Primeiro. Alguns grandes bancos também.

Veja como proceder: se gosta do seu banco, diga a eles que os requisitos para um "saldo mínimo" e "taxas de transferência" e todas aquelas regras não funcionam para você. Peça a eles para ajustar os requisitos de saldo mínimo e outras taxas. Sim, você pode pedir isso. Seu banco pode ou não atender sua solicitação. Se o fizerem, parabéns para você. Caso contrário, mude para um novo banco.

Você já deu três passos em direção a um negócio lucrativo: enviou seu compromisso por e-mail para mim (Capítulo 1), configurou uma conta do sistema Lucro Primeiro e transferiu 1% de seu dinheiro. Você iniciou o processo, agora é hora de dar um pontapé inicial no Lucro Primeiro e experimentar a transformação simples, mas poderosa, por si mesmo. Não vou dizer que isso funciona como mágica, mas é incrível ver seu lucro *e* seu negócio crescerem dia a dia, depósito por depósito. Não pare agora. Tome uma atitude.

TOME UMA ATITUDE: DEIXE SEU NEGÓCIO PRONTO PARA O LUCRO PRIMEIRO

Passo 1: Configure as cinco contas fundamentais: uma conta de RECEITA, uma conta LUCRO, uma conta de REMUNERAÇÃO DO PROPRIETÁRIO, uma conta IMPOSTOS e uma conta DESPOP.
Na maioria dos casos, você já terá uma ou duas contas em seu banco atual. Mantenha a conta corrente principal que já tem como sua conta DESPOP e configure as contas restantes: RECEITA, LUCRO, REMUNERAÇÃO DO PROPRIETÁRIO e IMPOSTOS. Para simplificar, configure-as como contas correntes.
Alguns bancos podem cobrar taxas ou ter requisitos mínimos de saldo. Não deixe que isso o impeça. Fale com o gerente do banco e negocie as taxas e os requisitos. Se o gerente não estiver disposto a negociar, encontre um novo banco.

Passo 2: Configure mais duas contas de poupança externas com um banco diferente do banco que usa para operações diárias. Uma conta será sua conta RESERVA DE LUCRO sem tentação. A segunda será a sua conta RESERVA DE IMPOSTO sem tentação. Configure-as com a capacidade de sacar dinheiro diretamente das respectivas contas correntes em seu banco principal.

Passo 3: Não habilite nenhuma opção de "conveniência" para suas duas contas externas sem tentação. Você não precisa e nem quer ver essas contas on-line. Não quer talões de cheques. E definitivamente não quer um cartão de débito vinculado a essas contas. Você só quer depositar suas reservas de lucro e impostos e esquecer... por ora.

Capítulo 4

AVALIANDO A SAÚDE DO SEU NEGÓCIO

Depois que terminei de escrever *Lucro Primeiro*, recrutei alguns voluntários para me ajudar a revisar meu livro. Minha equipe profissional de revisão é composta por pessoas muito competentes, mas acho inestimável também obter um feedback detalhado de empreendedores que leram meus outros livros. A coach de negócios Lisa Robbin Young foi uma de minhas "revisoras" voluntárias. Ela de fato começou a implementar o Lucro Primeiro enquanto revisava o livro. "Era bom demais, útil demais e fazia sentido, não havia por que esperar", disse ela. (Lisa é uma pessoa dinâmica — ela agiu não só antes de terminar a leitura do meu livro, mas antes mesmo de o livro ser *publicado*.)

Não foi tudo às mil maravilhas. Digamos que estou feliz por não estar na sala quando Lisa terminou sua Avaliação Instantânea. "Em poucos minutos, eu estava com raiva!", disse-me Lisa. "Muita raiva mesmo, pois estava gastando demais naquilo que achava que era importante e necessário para a infraestrutura do meu negócio."

Nos anos desde que publiquei a primeira edição de *Lucro Primeiro*, inúmeros leitores compartilharam comigo suas reações iniciais ao completar o primeiro passo do processo, a Avaliação Instantânea. Não é incomum ouvir de leitores que ficaram chocados e confusos e, como Lisa, muito chateados depois de concluir esse passo. É nesse momento que você descobre a verdade sobre suas finanças. É um processo simples, mas encarar a verdade é difícil.

Se você recorreu a este livro em um momento de estresse financeiro, talvez não queira encarar a Avaliação Instantânea. Porque você sabe, não é? Sabe que ver a verdade nua e crua será terrível. Por mais difícil que seja para empreendedores em dificuldades concluírem essa tarefa, é ainda mais preocupante para os empreendedores que *pensam* que estão se saindo bem, porque simplesmente não estão preparados para as más notícias.

Ou você pode desistir deste livro, dizer a si mesmo que sua empresa está indo muito bem e continuar fazendo o que está fazendo. A negação é uma coisa maravilhosa; ela permite que você ignore a realidade até que a realidade lhe dê um soco na cara. Não espere até levar um soco na cara; não seja pego de surpresa. Quanto mais cedo você aceitar a verdade sobre sua empresa, mais rápido poderá agir.

Na época em que Lisa fez sua Avaliação Instantânea, ela estava em um momento de transição de seu negócio e, embora tivesse um fluxo de caixa de cinco dígitos, seu dinheiro estava uma bagunça. "O único sentimento que eu tinha em relação às minhas finanças era torpor. Eu estava gastando demais, mas não percebia, porque ainda havia mais entradas do que saídas, mas nunca tive a sensação de estar fazendo progresso algum. Então, *Lucro Primeiro* me ajudou a entender o porquê."

Depois de alguma resistência inicial, Lisa aceitou a realidade da Avaliação Instantânea e começou a implementar o sistema Lucro Primeiro, passo a passo. Nos dois anos desde que abriu sua primeira conta LUCRO, o negócio de Lisa sofreu uma mudança significativa. "Meu 'lucro' costumava ser algo que eu recebia na época dos impostos. Você sabe, quando a Receita Federal me restituía quatro ou cinco mil dólares", explicou Lisa. "Agora recebo um bônus trimestral 'significativo', além de minha remuneração normal. Eu também aumentei o lucro retido na fonte para 10%, porque minha despesa é substancialmente menor agora que reduzi meus custos e desenvolvi sistemas que servem ao negócio." Ela também gasta muito menos tempo na empresa. "Antes eu praticamente me matava de trabalhar e agora trabalho apenas algumas horas por semana. Consegui me concentrar nos grandes obstáculos que bloqueavam meu caminho, em vez de apagar incontáveis incêndios."

Depois que tomou o caminho do Lucro Primeiro, Lisa percebeu que não estava trabalhando em seu melhor potencial ou servindo seu melhor público. Como seu dinheiro, seus serviços estavam uma confusão. Lisa trocou o público-alvo de seu negócio e criou a Ark Entertainment Media, uma incubadora de empresas para empreendedores criativos.

A receita de Lisa dobrou todo mês até agora desde que ela fez a mudança. Sei há algum tempo que o sistema Lucro Primeiro gera crescimento porque exige que nos concentremos, simplifiquemos e inovemos, mas toda confirmação é empolgante. Quando ouvi falar do crescimento explosivo de Lisa, comemorei com um soco no ar, bem ao meu estilo esquisitão.

Será que Lisa está recebendo um soco de realidade? Não. Seu negócio está arrebentando, sucesso após sucesso.

"Depois de quase dois anos, uma reestruturação dos negócios e uma mudança de público-alvo, o sistema Lucro Primeiro tornou tudo muito mais fácil. Paguei meus impostos mais cedo neste ano do que nos últimos cinco anos, e tinha o suficiente reservado; sem precisar misturar os 'envelopes'. E tive lucro! Dá para imaginar? Isso foi muito legal."

Executar a Avaliação Instantânea é fácil. Enfrentar a verdade sobre as finanças de seu negócio, por outro lado, está mais próximo de ter de fazer tratamento de canal e colonoscopia. Mas é um passo necessário que o colocará no caminho do lucro, do crescimento e da satisfação profissional. Então, coragem, meu amigo (ou amiga), e mãos à obra.

A AVALIAÇÃO (QUASE) INSTANTÂNEA

Caso seu negócio simplesmente não seja tão lucrativo quanto gostaria que fosse ou está na UTI, você deveria estar disposto a tirar a venda dos olhos. Para que o Lucro Primeiro funcione, é preciso mergulhar fundo com os olhos bem abertos. Agora é hora de chegar à essência do problema. Será útil se você tiver alguns documentos disponíveis para concluir a próxima fase. Mas se não os tiver à mão (eu os listo na etapa 1 abaixo) ou não os conseguir, não tem problema. Podemos chegar perto o suficiente sem eles.

O Lucro Primeiro é um sistema de gerenciamento de caixa. Não fazemos provisões contábeis ou dinheiro de mentira. É muito simples: você recebeu o dinheiro ou não? Gastou o dinheiro ou não? É isso. Nada mais importa se não houver dinheiro. É por isso que nosso foco é exclusivamente o dinheiro. Se você está se perguntando como o Lucro Primeiro trata a depreciação ou contas a receber, ainda está pensando em dinheiro de mentira. Nós só vamos considerar as transações em dinheiro real. Dinheiro entra. Dinheiro sai. Dinheiro real. Ponto final.

Ao concluir a Avaliação Instantânea, lembre-se de que empresas diferentes têm configurações diferentes. Ajudarei você a descobrir os números perfeitos para sua empresa específica no próximo capítulo. Por ora, saiba que neste capítulo forneço números de referência que foram retirados do levantamento de uma mistura de empresas da elite fiscal (muito lucrativas).

Antes de iniciar a Avaliação Instantânea, pegue sua demonstração de resultado do último exercício completo de sua empresa. Pegue as declarações de imposto de renda de cada um dos sócios para o mesmo exercício fiscal. Pegue seu balanço patrimonial do final do mesmo ano. Seu software de contabilidade (se usar um) pode emitir esses relatórios facilmente; tudo, menos suas declarações de impostos. Se não tiver acesso ao balanço patrimonial ou à sua demonstração de resultado do exercício, não tem problema; ainda conseguimos uma boa aproximação.

Você está pronto? Não há desculpas. Você precisa continuar. Prepare-se para o desafio do balde de gelo, estilo Lucro Primeiro.

A Figura 3 é o Formulário de Avaliação Instantânea do Lucro Primeiro. Preencha o formulário agora mesmo! Você pode escrever diretamente no livro ou ir para o final dele (Apêndice 2) para uma versão de página inteira do Formulário de Avaliação Instantânea.

	ATUAL	PAD	LC$	DELTA	AÇÃO
Receita Linha Superior	A1				
Materiais e Subcontr.	A2				
Receita Real	A3	100%	C3		
Lucro	A4	B4	C4	D4	E4
Rem. do Proprietário	A5	B5	C5	D5	E5
Impostos	A6	B6	C6	D6	E6
Desp. Operacionais	A7	B7	C7	D7	E7

Figura 3. Formulário de Avaliação Instantânea do Lucro Primeiro.

A1

1. Na coluna Atual, célula A1, insira sua receita bruta nos últimos doze meses completos. Essa é sua receita total de vendas e deve ser a linha superior (ou perto dela) no seu DRE. Alguns nomes comuns para a linha superior são Renda total, Total de vendas, Receita, Vendas ou Vendas líquidas.

A2

2. Se você é um fabricante, varejista ou mais de 25% de suas vendas são derivadas da revenda ou montagem de estoque, coloque o custo dos materiais (exceto mão de obra) nos últimos doze meses completos na célula Material & Subcontratados, A2. Isso *não* é, eu repito, *não* é o mesmo que Custo de Mercadorias Vendidas. Aqui devem ser inseridos apenas materiais e somente se eles equivalerem a 25% ou mais de suas vendas.

3. Se os subcontratados realizarem a maior parte de seus serviços, coloque o custo dos subcontratados para esses doze meses na célula Material & Subcontratados, A2. (Subcontratantes são pessoas que trabalham para você em base de projeto, mas têm a capacidade de trabalhar autonomamente e podem trabalhar para os outros. Você não os paga via folha de pagamento; paga por projeto como valor fixo, comissão ou por hora e eles lidam com os próprios impostos, benefícios, etc.) Em alguns casos, você terá custos de materiais e de subcontratados (pense na construção de casas). Nesse caso, coloque o valor acumulado desses dois custos na célula A2. Lembre-se de colocar apenas seus materiais e subcontratados aqui, mas não o trabalho de seu próprio pessoal.

4. Se sua empresa presta serviços e a maioria deles é fornecida por seus funcionários (você mesmo incluído), coloque $0 na célula A2.

5. Se os custos de materiais ou subcontratados forem inferiores a 25% da Receita Bruta, coloque $0 na célula A2. (Vamos contabilizar essas despesas em Despesas Operacionais.)

6. Se não tiver certeza do que colocar na seção Material & Subcontratados, coloque $0. Não pense demais nisso. E não use esse campo para fazer ajustes nominais. O objetivo aqui é apenas ajustar a receita da sua empresa para representar o que ela realmente tem de receita, se a maior parte do custo for de materiais, suprimentos ou subcontratados. Novamente, se você estiver um pouco inseguro, coloque $0 em Material & Subcontratados (célula A2). Isso será melhor para você em longo prazo, tornando-o mais crítico em relação aos seus custos.

A3

7. Agora, subtraia o valor de Material & Subcontratados da Receita Bruta para calcular sua Receita Real. Se colocou n/a na seção Material & Subcontratados, basta copiar o número da Receita Bruta na célula A3, Receita Real.

8. O objetivo aqui é chegar ao valor de sua Receita Real. Este é o dinheiro real que sua empresa ganha. Para as outras coisas — subcontratados, materiais, etc. — você pode obter uma margem, mas não é o principal impulsionador da lucratividade porque você tem pouco controle sobre elas. Este pode ser o verdadeiro momento de despertar para empreendedores. A corretora imobiliária que fatura R$5 milhões em receita anual e tem uma dúzia de corretores (subcontratados) recebendo R$4 milhões em comissões é, na verdade, um negócio de R$1 milhão que gerencia agentes imobiliários ganhando R$4 milhões, não um negócio de R$5 milhões. A empresa de recursos humanos que fatura R$3 milhões por ano, que paga R$2,5 milhões para que subcontratados façam o trabalho, é na verdade um negócio de R$500 mil. A empresa de arquitetura que fatura R$2 milhões em honorários anuais e tem uma equipe interna que faz praticamente todo o trabalho tem uma Receita Real de R$2 milhões por ano. O número Receita Real é uma maneira simples e rápida de colocar todas as empresas em pé de igualdade (seus números reais de receita).

A Receita Real é diferente do lucro bruto, pois a Receita Real é sua receita total menos os materiais e subcontratados utilizados para criar e entregar o serviço ou produto. O lucro bruto, por outro lado, é um termo contábil calculado como receita total menos materiais, subcontratados *e* o tempo utilizado por seus funcionários para criar e entregar o serviço ou produto. É uma diferença sutil, mas criticamente importante. O lucro bruto inclui uma parcela do seu tempo e de seus funcionários. Mas o importante é o seguinte: você geralmente paga seus funcionários pelo tempo que gastam, independentemente de você ter um dia de vendas ruim ou bom. Você provavelmente pagará a mesma coisa se consertar a transmissão do carro em quatro ou cinco horas. Então, para simplificar as coisas, categorizamos qualquer funcionário que você tenha em tempo integral ou parcial, como um custo das operações do negócio, não como um custo das mercadorias vendidas. Além disso, o lucro bruto pode ser manipulado pela movimentação de números. Que bem isso pode fazer? Queremos ter uma noção clara de seus números. Portanto, evite usar qualquer coisa que não seja o custo que você incorre em materiais e subcontratados ao calcular a Receita Real para a Avaliação Instantânea.

A4

9. Agora que sabemos sua Receita Real, vamos começar com lucro primeiro. (Vê como isso funciona?) Anote seu lucro real dos últimos doze meses na célula A4, Lucro. Este é o lucro acumulado que você tem no banco ou transferiu para si mesmo (e/ou parceiros) como um bônus de — mas não para suplementar — seu salário. Se acha que está tendo lucro, mas o dinheiro não está no banco e nunca foi distribuído a você como um bônus, isso significa que realmente não teve lucro. (Se acontecer de você ter menos lucro do que imaginava, é provável que o tenha usado para pagar dívidas de anos anteriores. Ou talvez você esteja tentando repetir a trágica história da Enron.)

A5

10. Na célula A5, Remuneração do Proprietário, especifique quanto você pagou a si mesmo (e a quaisquer outros proprietários da empresa) nos últimos 12 meses em distribuições regulares de folha de pagamento, não em distribuições de lucro.

A6

11. Na célula A6, Impostos, indique quanto de imposto sua empresa pagou em seu nome. Isso é crucial: *não* é quanto você pagou em impostos. É quanto dinheiro sua empresa pagou (ou o reembolsou) em impostos. Imposto é tanto o imposto de renda de todos os proprietários quanto quaisquer outros impostos corporativos. A probabilidade de sua empresa pagar impostos por você é muito baixa (também corrigiremos isso). Então, as chances são de você colocar um grande $0 nessa seção também. Caso seu imposto de renda tenha sido deduzido de seu salário da empresa, ou no

final do ano você teve que tirar dinheiro de seu bolso, a empresa definitivamente não pagou seus impostos e um grande $0 vai para a célula A6.

A7

12. Na célula A7, Despesas Operacionais, some o total de despesas que sua empresa pagou nos últimos doze meses — tudo, exceto seu Lucro, Remuneração do Proprietário, Imposto e quaisquer materiais e subcontratantes que já contabilizou. As despesas são listadas em sua demonstração de resultado do exercício. Agora, aqui é onde as pessoas se confundem. Tudo bem se os números não coincidirem perfeitamente. Isso não é contabilidade e você não precisa reconciliar até o último centavo. Este é simplesmente um sistema que nos dá uma ideia de onde estamos e nos diz aonde precisamos ir. O objetivo *não* é ter números perfeitos; é só entender mais ou menos onde estamos agora. E com esse entendimento, podemos começar a trabalhar em um plano de lucro para seu negócio. Isto é simplesmente um ponto de partida. Ao longo do tempo, conforme implementamos o Lucro Primeiro, automaticamente ajustamos e fixamos os números perfeitos para sua empresa. Apenas comece.

Confira seu trabalho somando seu Lucro (A4), Remuneração do Proprietário (A5), Impostos (A6) e Despesas Operacionais (A7) para ver se obtém o mesmo valor do campo Receita Real (A3). Se não conseguir esse número, algo está errado. Verifique novamente seus números para ver se deixou passar alguma coisa. Depois de se certificar de que todos os números são os mais precisos possíveis, ajuste o número de Despesas Operacionais para cima ou para baixo para obter a Receita Real. Isso faz com que muitos profissionais contábeis surtem, mas, novamente, o objetivo é apenas obter uma aproximação; não estamos querendo aprender tudo de contabilidade aqui. Agora adicione sua Receita Real aos custos de Materiais & Subcontratados e você deve obter o valor da Receita Bruta. Certifique-se de que tudo se encaixa. Agora que todo o trabalho foi feito na primeira coluna, podemos conectar as coisas fáceis.

B4-B7

13. Em seguida, insira as porcentagens do Lucro Primeiro na coluna PAD com base na sua Faixa de Receita Real (preencha as células B4 a B7). Use as porcentagens na Figura 4. Chamo essas porcentagens de PADs (Porcentagens de Alocação Desejadas), o percentual de cada depósito que será alocado para os diferentes elementos de nosso negócio. As PADs *não* são o ponto de partida; são os alvos para os quais você está se movendo. Por exemplo, se a Receita Real dos últimos doze meses for de R$722 mil, use a coluna C da Figura 4. Se sua empresa tiver R$225 mil em Receita Real, use a coluna A. Se você administra um departamento (ou sua própria empresa) que recebe R$40 milhões, use a coluna F.

C3-C7

14. Na coluna LC$, copie o número Receita Real de sua coluna atual (célula A3) para a célula LC$/Receita Real (C3). Em seguida, multiplique o valor da Receita Real pela PAD de cada linha e anote o número na célula LC$ correspondente. Por exemplo, para determinar seu LC$/Lucro, multiplique C3 (Receita Real) por B4 (Lucro/PAD) para obter C4 (a meta de Lucro em dinheiro). Faça o mesmo processo para calcular cada célula na coluna LC$[1]. Esses são os valores-alvo em reais para cada categoria. Bem-vindo ao momento da verdade. (Espero que ainda possamos ser amigos.)

D4-D7

15. Na coluna Delta, pegue seu número Atual e subtraia LC$[2]. É muito provável que resulte em um número negativo para Lucro ou Remuneração do Proprietário ou Despesas Operacionais ou todos os três. Seu Delta

---

[1] Para obter LC$/Lucro (célula C4), a fórmula é C3 x B4 = C4. Para obter LC$/Remuneração do Prop. (C5), a fórmula é C3 x B5 = C5. Para obter LC$/Impostos (C6), a fórmula é C3 x B6 = C6. E para obter o LC$/Despesas Operacionais (C7), a fórmula é C3 x B7 = C7.

[2] Para obter o Delta para Lucro (D4), a fórmula é A4 – C4 = D4. Para obter o Delta para Remuneração do Prop. (D5), a fórmula é A5 – C5 = D5. Para obter o Delta para Impostos (D6), a fórmula é A6 – C6 = D6. Para obter o Delta para Despesas Operacionais, a fórmula é A7 – C7 = D7.

é o valor que você precisa compensar. Negativo significa que você está drenando dinheiro dessas seções. Às vezes, apenas uma categoria está com problemas, mas na maioria dos casos, as empresas estão perdendo dinheiro nas contas de Lucro, Remuneração do Proprietário e Impostos e têm um número positivo (ou seja, excesso) em Despesas Operacionais. Em outras palavras, estamos pagando muito pouco para Lucro, Remuneração do Proprietário e Impostos e pagando muito em Despesas Operacionais.

E4-E7

16. A última coluna (células E4 a E7), Ação, não terá números, apenas as palavras *aumentar* ou *diminuir* ao lado de cada categoria. Se o número no campo Delta for negativo, coloque *aumentar* na célula Ação correspondente, pois precisamos aumentar nossa contribuição para essa categoria para corrigir o Delta. Por outro lado, se for um número positivo no campo Delta, coloque *diminuir* na célula Ação, já que a ação corretiva para essa categoria é gastar menos dinheiro.

	A	B	C	D	E	F
Faixa de Receita Real	R$0–R$250mil	R$250mil–$R500M	R$500M–R$1ML	R$1M–R$5M	R$5M–R$10M	R$10M–R$50M
Receita Real	100%	100%	100%	100%	100%	100%
Lucro	5%	10%	15%	10%	15%	17%
Rem. do Proprietário	50%	35%	20%	10%	5%	3%
Impostos	15%	15%	15%	15%	15%	15%
Desp. Operacionais	30%	40%	50%	65%	65%	65%

Figura 4. Porcentagens de Alocação Desejados (PADs).

O que Essas Porcentagens e Números Significam?

Os números na Figura 4 são intervalos típicos que encontrei quando trabalhava com inúmeras empresas ao longo dos anos e na minha própria. E eles representam o que descobri como sendo números muito saudáveis. Mas a questão é a seguinte: as porcentagens não são perfeitas, mas são um excelente ponto de partida. Ao concluir sua Avaliação Instantânea, é provável que você descubra que suas porcentagens reais não estão nem perto dos números da Figura 4, mas está tudo bem, porque esses valores são apenas seus alvos, para onde você deve se mover. Vamos abordar esses objetivos em pequenos passos. Veremos mais sobre isso em breve, mas aqui estão os detalhes por trás desses percentuais.

Ao determinar as Porcentagens de Alocação Desejadas, classifiquei as empresas em seis níveis[3]:

1. Quando uma empresa está ganhando menos de R$250 mil de receita, ela normalmente tem um funcionário: você. Você é o funcionário-chave e geralmente o único (com alguns contratados, funcionários em tempo parcial ou possivelmente um em tempo integral). Muitos freelancers estão nessa fase, e se optarem por permanecer assim (apenas eles e nenhum funcionário), devem ser capazes de aumentar o lucro e pagar porcentagens ainda maiores do que eu listei, porque não têm as despesas de funcionários ou a necessidade de incorrer nas despesas necessárias para arcar com vários funcionários.

2. De R$250 mil a R$500 mil, você provavelmente tem funcionários. Serão necessários sistemas básicos (como uma CRM[4] compartilhada para sua equipe), equipamentos, etc., além de precisar pagar seu pessoal, então as Despesas Operacionais aumentam. A Remuneração do Proprietário diminui (e continuará a diminuir) quando você der o primeiro passo para ser um pouco menos empregado e um pouco mais acionista, quando outras pessoas começarem a fazer o trabalho e você passa a obter o benefício por meio de distribuições dos lucros.

---

[3] As faixas de faturamento anual seguem as do original e são meramente ilustrativas, não prejudicando o raciocínio conceitual. A legislação brasileira determina, para 2018, as seguintes faixas para determinar o porte de uma empresa: MEI = até R$81 mil; Microempresa = até R$360 mil, e Empresa de Pequeno Porte = R$360 mil a R$4,8 milhões.

[4] CRM é uma ferramenta de gestão de relacionamento com o cliente.

3. De R$500 mil a R$1 milhão, a tendência de crescimento e os padrões continuam com mais sistemas e mais pessoas. Concentre-se em aumentar os lucros porque, para muitas empresas, o crescimento de R$1 milhão para R$5 milhões é o mais difícil. Você quer uma pequena reserva.

4. De R$1 milhão a R$5 milhões, os sistemas não são mais incorporados porque são convenientes; agora eles se tornam absolutamente obrigatórios. Você não pode mais manter tudo na cabeça. Geralmente, o maior investimento no negócio precisa acontecer nesse momento, pois todo o conhecimento em sua cabeça precisa ser convertido em sistemas, processos e listas de verificação. Isso significa que alocações maiores devem ser direcionadas às Despesas Operacionais. É neste ponto que você não está mais fazendo a maior parte do trabalho; é agora que, se sua empresa tiver que crescer, uma parte significativa de seu tempo é gasta trabalhando pelo (e não no) negócio, e o tempo restante é gasto na venda de grandes projetos.

5. De R$5 milhões a R$10 milhões, normalmente uma equipe de gerenciamento é acrescentada na empresa para levá-la ao próximo estágio, e uma segunda camada clara de gerenciamento começa a se formar. O fundador começa mais e mais a se concentrar em suas habilidades especiais. O proprietário recebe um salário adequado, e a maior parte de sua renda vem da lucratividade da empresa, não do salário que recebe.

6. De R$10 milhões a R$50 milhões, uma empresa muitas vezes se estabilizará e alcançará um crescimento previsível. A receita do fundador é quase inteiramente composta de distribuições de lucro. Os salários dos proprietários são adequados aos seus papéis, mas normalmente são insignificantes. Empresas desse porte podem alavancar a eficiência de grandes formas a fim de maximizar a lucratividade.

Exemplo de uma Avaliação Instantânea Preenchida

	ATUAL	PAD	LC$	DELTA	AÇÃO
Receita Linha Superior	A1 US$1.233.000				
Materiais e Subcontr.	A2 $0				
Receita Real	A3 US$1.233.000	100%	C3 US$1.233.000		
Lucro	A4 US$5.000	B4 10%	C4 US$123.000	D4 (US$118.000)	E4 Aumentar
Rem. do Proprietário	A5 US$190.000	B5 10%	C5 US$123.000	D5 US$67.000	E5 Diminuir
Impostos	A6 US$95.000	B6 15%	C6 US$184.950	D6 (US$89.950)	E6 Aumentar
Desp. Operacionais	A7 US$943.000	B7 65%	C7 US$801.450	D7 US$141.550	E7 Dimunuir

Figura 5. Avaliação Instantânea Preenchida para um Escritório de Advocacia.

A Figura 5 é um exemplo de um escritório de advocacia para o qual acabei de apresentar esse processo: a Avaliação Instantânea revela algumas coisas (dolorosas). Esse negócio não é lucrativo o suficiente — deveria estar enchendo os cofres de lucro com US$118 mil (célula D4) extras por ano. Em US$5 mil na Conta Lucro (célula A4), basicamente o negócio apenas empata. Um mês ruim e essa empresa afunda.

Os dois proprietários estão recebendo um salário combinado de US$190 mil (célula A5), o que é demais para um negócio desse tamanho. Os proprietários estão provavelmente vivendo um estilo de vida superior ao que a empresa pode pagar, e precisam cortar seus salários em US$67 mil (célula D5).

À medida que a empresa ficar mais saudável, os impostos provavelmente aumentarão (célula C6). (Mais impostos, por mais dolorosos que sejam para pagar, são um sinal de um negócio saudável — quanto mais ganha, mais você paga... até que você ganhe tanto que faça lobby com políticos e não pague nada. Não vou nem comentar!) E essas Despesas Operacionais são exageradas, mais de US$141 mil (célula D7).

Ao analisar essa Avaliação Instantânea, fica claro o que os líderes dessa empresa precisam fazer para tornar sua empresa saudável: cortar os salários dos proprietários (célula E5) e reduzir os custos operacionais (célula E7), possivelmente incluindo aí o corte de funcionários. Isso liberará o fluxo de caixa para o lucro, que precisamos melhorar (célula E4), e nos permitirá reservar mais dinheiro para as responsabilidades fiscais dos proprietários e da empresa (célula E6). Vai exigir coragem e vai ser doloroso.

A Avaliação Instantânea rapidamente traz clareza e pode ser um despertar desagradável. Chega de procrastinar. Chega de esperar por aquele grande cliente, grande cheque ou qualquer outra coisa que o proteja do pânico diário. Nós sabemos exatamente o que precisamos fazer.

Uma empresa financeiramente saudável é o resultado de uma série de pequenas vitórias financeiras diárias, não de um grande momento. Lucratividade não é um acontecimento; é um hábito.

NÃO ENTRE EM PÂNICO!

Você deve se lembrar de que, durante meu período de "reconstrução", escrevi meu primeiro livro, *The Toilet Paper Entrepreneur*, cuja base foi uma série de princípios que usei para iniciar meus negócios. A essência desses princípios era a frugalidade — eu sinceramente acreditava que qualquer empreendedor poderia começar um negócio com pouco ou nenhum dinheiro inicial e fazê-lo crescer, não importando o que tivesse no banco. O livro é repleto de dicas para economizar dinheiro ao lançar e administrar um negócio, e desde sua publicação original recebi relatos de milhares de empreendedores que seguiram o conselho (ou uma variante dele) ao iniciar ou operar seus próprios negócios.

E quando digo frugalidade, não é só da boca para fora. Depois de meu frenesi perdulário, depois de meu momento de iluminação (se iluminação for outro nome para "quase falência"), voltei às minhas raízes. Não porque precisava, mas, desta vez, porque eu queria. Conseguir tudo que eu precisava para meu negócio o mais barato possível passou a ser minha missão e senti orgulho disso. Meu escritório custa apenas US$1 mil por mês — uma mixaria perto dos US$14 mil por mês que pagava antes. Os móveis de minha sala de reuniões são usados em excelente estado e foram comprados com desconto de 75%. Meu quadro branco era caseiro, com material de quadro branco usado para fazer chuveiros, fio dental e cera de carro. (Que tal, MacGyver?)

Então, imagine minha surpresa quando fiz a avaliação de meu negócio e descobri que, apesar de meus superpoderes frugais, meu negócio ainda estava sangrando. Não é exagero dizer que fiquei chocado ao descobrir isso. "Quanto mais barato posso conseguir essas coisas?", pensei, muito além da frustração.

Então eu percebi — dãa. Não era o quanto eu gastava nos itens na linha das despesas. O problema era que eu não precisava gastar *nada* em alguns itens que compunham aquelas despesas. Por exemplo, eu não precisava de um espaço de escritório, pois não atendia clientes. Estava escrevendo um livro e construindo uma carreira de palestrante, o que significava que passava muito tempo sozinho, na estrada, em reuniões por telefone e pelo Skype. Meus subcontratados poderiam facilmente fazer seu trabalho em casa.

A verdade era que eu queria um espaço de escritório porque me dava uma sensação de legitimidade. E depois do meu momento de cofrinho, eu precisava sentir isso. Mas o problema era que não conseguiria continuar se quisesse ter lucro todo mês. Então, subloquei meu escritório e encontrei um bom negócio em uma fábrica de cookies — um escritório e um espaço para reuniões gratuito de um amigo confiável de longa data. Cortei itens de todos os tipos na linha de despesas até conseguir estancar o sangramento e ver minha empresa e meu lucro crescerem. Um bônus extra foram os cookies gratuitos. E quando digo extra, quero dizer cerca de 3kg extras ao redor da minha cintura. Então... não é bem um bônus, afinal.

Desde que tive tal percepção, cortar custos tornou-se um desafio estratégico quase prazeroso. Mas, para desfrutar do processo, primeiro você precisa enfrentar algumas duras verdades. Apliquei a Avaliação Instantânea em inúmeras empresas, e as reações variam de "Verdade? Posso mesmo fazer isso?", passando por "Quem diabos você pensa que é, Mike, para me dizer onde meu negócio deveria estar? Você não sabe nada sobre minha área de atuação" até cair de joelhos com lágrimas escorrendo no rosto das pessoas. É difícil encarar a dura realidade de que sua empresa está pior do que você imaginava. Mas agora você sabe, e conhecimento é poder. E agora podemos consertar isso.

Você não é bobo. Não fez nada de errado e não tem nada de que se envergonhar. Está lendo este livro. Está descobrindo a verdade e outra maneira de chegar aonde quer. Não está mais perguntando "Como posso tornar meu negócio maior?", mas sim: "Como posso tornar meu negócio melhor?"

CASO SEU NEGÓCIO SEJA NOVO EM FOLHA

Como o Lucro Primeiro funciona se você acabou de lançar sua empresa e não tem receita? É preciso esperar até que tenha alguma receita para começar a usar o Lucro Primeiro? Claro que não. Começar com nada, com todo o futuro de seu negócio à frente é, na verdade, o melhor momento para começar a usar o Lucro Primeiro. Por quê? Porque permite que você crie um hábito poderoso desde o começo, quando seu negócio está se formando e, talvez o mais importante, impede que você desenvolva maus hábitos financeiros que podem ser difíceis de abandonar.

Além disso, nos estágios iniciais da construção de um negócio, você precisa gastar tanto tempo quanto possível na venda e na execução; sistemas e processos vêm depois. Por esses motivos, é melhor não se preocupar em obter as porcentagens exatas para sua empresa.

Basta usar as porcentagens na Avaliação Instantânea para as alocações desejadas, mas comece com 1% de alocação para a conta LUCRO (Por que 1%? Você verá no próximo capítulo), 50% para a REMUNERAÇÃO DO PROPRIETÁRIO e 15% para a conta IMPOSTOS. Use ajustes trimestrais para alcançar porcentagens mais altas e aproximar sua empresa das PADs recomendadas neste livro. E quanto às estratégias avançadas de Lucro Primeiro, que compartilho no final do livro, não se preocupe com nada disso até que sua empresa esteja ativa há pelo menos um ano. O objetivo para novos negócios é formar o núcleo básico do bom hábito do Lucro Primeiro e, em seguida, gastar todo o resto do tempo para fazer seu negócio decolar.

TOME UMA ATITUDE: COMPLETE A AVALIAÇÃO INSTANTÂNEA

Etapa 1 (o primeiro e único passo): Este capítulo inteiro é na verdade um grande passo da ação, então se você ainda não executou uma Avaliação Instantânea em seu negócio, faça agora. Este livro será ainda mais útil se você planejar esse exercício para quando tiver mais tempo ou disposição para aceitar a realidade? Claro. Você aproveitará ao máximo a leitura deste livro e verá os resultados rapidamente se não o fizer? Não. Então pare agora e faça isso. Estou esperando... faça a avaliação agora.

POR FAVOR LEIA ISTO

Se você está se sentindo sobrecarregado, mal consigo mesmo e com as escolhas que fez, ou irritado com os números que descobriu em sua Avaliação Instantânea, há algo que eu quero que saiba:

Você é normal. Totalmente, inteiramente, 100% normal.

Se está tendo problemas para encarar o restante deste livro, tudo bem. Pare agora e volte quando se sentir pronto para enfrentá-lo. Mas faça ao menos uma coisa: crie uma conta LUCRO em um banco separado e, sempre que fizer um depósito, transfira 1% para essa conta. Sei que é "mixaria" e você pode pensar que o valor é pequeno demais para causar impacto em seus negócios, mas é por isso que você manterá as porcentagens de alocação de lucros baixa. Assim, poderá administrar seus negócios como sempre fez e não sentirá diferença, mas começará a criar um hábito que mudará seu negócio para sempre. Logo, a sensação de estar sobrecarregado, a raiva e a frustração, desaparecerão à medida que seu novo hábito de lucro for crescendo. E então você poderá enfrentar este livro novamente e desbravar o restante do sistema LUCRO PRIMEIRO.

Capítulo 5

PORCENTAGENS DE ALOCAÇÃO

Tempos atrás, uma colega compartilhou comigo uma história poderosa sobre atingir metas financeiras. Uma aspirante a palestrante motivacional frequentou um curso de treinamento de oratória. Durante uma das sessões, o instrutor explicou como fazer vendas em conversas informais após a palestra. Segundo ele: "Se você seguir esse método, 80% do público comprará seu produto no final de um evento."

Com páginas de anotações e toneladas de entusiasmo, nossa promissora oradora começou sua jornada no circuito de palestras. Inicialmente, ela conseguia fechar apenas com 25% de seu público. Tentando alcançar os 80%, ela adaptou e aprimorou sua estratégia e apresentação, constantemente revisando suas anotações. Com o tempo, sua taxa de fechamento subiu para 50% e, depois 60%. Depois de mais de um ano, ela passou a fechar suas vendas consistentemente com 75% da sala depois da palestra. Conseguiu alcançar excelentes resultados, mas não no patamar que seu instrutor havia prometido.

Certa manhã, ela se juntou a alguns colegas no café da manhã e seu antigo instrutor estava presente. Ela mal podia esperar para falar com ele e obter orientação sobre o que poderia ajudá-la a atingir os últimos elusivos 5%. Qual era o segredo para finalmente chegar a 80%? Quando ela contou sua história para seu instrutor, o queixo dele caiu. "Oitenta por cento? Você entendeu 80%? Eu disse 18%."

Conto essa história para ilustrar algo que acredito ser verdade porque pude experimentar — não importa qual seja o número, se trabalhar para isso e acreditar que é possível, não apenas conseguirá alcançar como superará os números considerados "razoáveis" pelos outros.

O Lucro Primeiro funciona em muitos níveis. Ele começa com a configuração das porcentagens de alocação, os valores que você transferirá para as contas LUCRO, REMUNERAÇÃO DO PROPRIETÁRIO e IMPOSTOS, que analisamos neste capítulo, em cujo final você terá uma avaliação personalizada de sua empresa. Se preferir ir direto ao ponto e começar a implementar o Lucro Primeiro, vá para o Capítulo 6. Você sempre poderá voltar a este capítulo mais tarde e ajustar suas porcentagens. De qualquer forma, desde que esteja realmente trabalhando no sistema Lucro Primeiro, estará ganhando.

DOIS PROBLEMAS COMUNS

A Avaliação Instantânea é baseada em faixas de receita. Cada empresa é um pouco diferente (embora sua empresa e seu setor não sejam tão exclusivos quanto você possa imaginar). Os números que criou na Avaliação Instantânea não serão perfeitos, mas provavelmente são próximos dos que obterá depois de uma avaliação mais detalhada.

Antes de nos aprofundarmos, quero abordar dois problemas comuns enfrentados pelos empreendedores quando decidem começar a seguir o sistema Lucro Primeiro — e representam situações antagônicas.

1. **Não Fique Preso aos Detalhes:** Primeiro, alguns empreendedores cometem o erro de ficarem presos aos detalhes, gastando horas, dias, semanas ou mais, aperfeiçoando seus percentuais antes de fazer qualquer coisa. Pior, alguns empreendedores que ficam presos em minúcias nunca chegam a fazer coisa alguma. É a nossa velha inimiga: a paralisia por análise. Neste capítulo, chegamos ao âmago da questão, mas se acha que está preso em um círculo vicioso de pesquisa e ajuste de percentuais, pare e vá para o próximo capítulo. Perfeccionismo mata todos os sonhos — é melhor simplesmente começar.

2. **Olhe Antes de Pular:** Por outro lado, se você é como eu, pode cometer o erro comum de tomar atitudes muito radicais muito rápido. Sou do tipo que começa antes de ter todas as informações porque a maior parte do aprendizado ocorre mesmo é na prática. Mas coloco o sucesso em risco quando entro em uma situação mal preparado. Nesses casos, meu ego culpa o sistema quando os erros ocorreram simplesmente por não ter me preparado o suficiente.

Já vi empreendedores iniciarem o sistema Lucro Primeiro, reservando imediatamente um lucro percentual de 20%. Eles dizem: "Isso é tão simples. Já entendi. Vinte por cento! Pronto. Próximo problema." Não tão rápido, chefe. Esse é um erro clássico — um que eu mesmo cometi. Chegar a todo vapor no Lucro Primeiro no primeiro dia é como doar dez litros de sangue de uma vez só. Você sabe o que aconteceria se tentasse fazer isso? Você morreria. O corpo humano tem em média entre cinco e seis litros de sangue circulando, então você morreria antes mesmo de atingir sua meta. No entanto, existe uma maneira de alcançar seu objetivo de maneira segura. Se doarmos pequenas quantidades ao longo do tempo, em determinado momento teremos doado dez litros — cumulativamente.

As Porcentagens de Alocação Desejadas, que chamamos de PADs, são simplesmente as metas que deseja alcançar. Para que fique bem claro, PADs *não são* — eu repito, *não são* — seu ponto de partida. As PADs foram obtidas depois de pesquisas e avaliações de aproximadamente mil das empresas de elite fiscal [nos EUA], em todos os setores e de todos os tamanhos, bem como uma análise de algumas das milhares de empresas que implementaram o Lucro Primeiro e, como resultado, *passaram a integrar* a elite fiscal. As PADs são o destino final. Neste momento você pode estar pensando: "Mike, você não conhece minha atividade. Nunca consegui atingir esses números." Neste ponto tenho que mostrar minhas grandes armas, pessoas como Henry Ford, que disse: "Se você pensa que pode ou que não pode, você está certo." Seja otimista ao presumir a capacidade de lucro para seu negócio ou setor. Em outras palavras, pense que você pode.

Sua empresa pode já ter números melhores que as PADs. Se esse é seu caso, parabéns! No entanto, isso não significa que pode ir mais devagar. Você ainda precisa se esforçar. Tente se tornar a elite da elite.

ATUAIS PORCENTAGENS DE ALOCAÇÃO (APA)

As Atuais Porcentagens de Alocação (APAs) são a situação de seu negócio hoje. São os números que serão gradativamente ajustados ao longo do tempo para chegar cada vez mais perto das PADs. Por exemplo, a PAD de Lucro para o tamanho de sua empresa pode ser 20%, mas suas alocações de lucro históricas podem ter sido 0%. (Se esse é seu caso, não se preocupe; essa situação é comum.) Se você não fez alocações de lucro até agora, sua APA de lucro é 0%.

Para sua empresa se juntar à elite fiscal, você deve se mover de forma lenta e consistente em direção às PADs. O primeiro passo é passar de 0% de lucro para 1%. Então, no trimestre seguinte, atualizará sua PAD para 3% e, no trimestre seguinte, 5%.

Algumas pessoas ouvem o que acabei de compartilhar sobre PADs, mas ainda pensam: "Mas me disseram para 'pensar grande ou ir para casa', então vou apostar tudo e pegar cada centavo para o meu lucro (e para mim)." Se acumular a maior parte dos recursos disponíveis para si mesmo, seu negócio ficará a míngua. Lembre-se, o seu negócio, não você, deve passar a viver com o que sobra. Mas suas sobras precisam ser suficientes para que seu negócio continue a prosperar.

A chave para a implementação bem-sucedida do Lucro Primeiro está na combinação de uma série de pequenas etapas em um padrão de repetição. Então, vá com calma.

Enquanto você começa lentamente a colocar em prática o sistema Lucro Primeiro, nós também vamos lhe impor um padrão de repetição simples. Empreendedores normalmente gerenciam seu dinheiro em um ritmo irregular e caótico que causa confusão e pânico. Mas até o final do próximo capítulo, você adotará um ritmo simples que lhe dará clareza e controle sobre suas finanças.

Vamos em frente.

SUA PORCENTAGEM DE ALOCAÇÃO DESEJADA DE LUCRO (LUCRO PAD)

A Avaliação Instantânea é um ponto de partida para todas as Porcentagens de Alocação Desejadas (PADs). Se você é do tipo analítico, pode refinar as PADs para serem ainda mais específicas para seu setor. No entanto, isso não é necessário, pois as PADs são apenas metas. Conforme você avança e ajusta suas APAs, naturalmente encontrará o que melhor funciona para você.

Agora você precisa fazer um pouco de pesquisa para definir números de meta mais específicos. Existem algumas maneiras de fazer isso:

1. Pesquise empresas de capital aberto: analise os relatórios financeiros que essas empresas devem disponibilizar. Faça uma pesquisa rápida na internet usando o termo *visão geral do mercado financeiro* e encontrará dezenas de sites que informam as finanças de empresas de capital aberto. Procure pelo menos cinco empresas de seu setor ou em setor similar. Se não encontrar seu nicho, tente expandir. Por exemplo, se não encontrar empresas de DJ de capital aberto, expanda para empresas de entretenimento e escolha cinco que cheguem perto. (Dica: Você pode experimentar o Yahoo! Finanças e o Google Finance.)

Para nossos propósitos, procure as demonstrações de resultado dos últimos três a cinco anos. Se realmente quiser se aprofundar, confira também os balanços patrimoniais e as demonstrações de fluxo de caixa dessas empresas.

Para cada ano, divida a receita líquida (lucro) pelo número total de vendas/receita.[1] Então, calcule a média. É assim que você encontra a porcentagem de lucro para qualquer empresa de capital aberto. Faça isso para cada uma das cinco empresas de capital aberto que analisar e encontrará a média geral de lucro do setor. Use essa média geral de lucro do setor como sua PAD de Lucro.

2. Analise suas declarações de imposto de renda dos últimos três a cinco anos e determine seu ano mais lucrativo com base em porcentagens, não em valores nominais. Por que queremos a porcentagem? Porque uma empresa de bilhões que reporte apenas um milhão de lucro está em grande dificuldade. Mesmo que tenha apenas um dia ruim, um milhão não seria suficiente para salvá-la. Mas uma empresa de cinco milhões que reporte um milhão em lucro está botando para quebrar. Essa empresa não conhece dias ruins.

3. Ou, da maneira mais fácil, basta escolher o número de porcentagem de lucro com base na receita projetada para este ano, usando a receita dos últimos 12 meses do formulário de Avaliação Instantânea preenchido no Capítulo 4. (Você preencheu, certo?) Lembre-se, o formulário também está disponível gratuitamente online no site da editora (www.altabooks.com.br — procure pelo nome do livro ou ISBN).

Talvez você nunca alcance as PADs. Mas elas o forçarão a pensar constantemente sobre o que e como está fazendo, para que possa *chegar o mais perto possível*. Ou talvez possa superar as PADs. Ou quem sabe você passe a ser a nova PAD padrão do setor. Isso seria o máximo. Quando você superar suas PADs, faço questão que me conte. Quero poder dizer a todos que é possível elevar o patamar.

---

[1] Se mais de 25% dos itens vendidos pela sua empresa for proveniente de materiais e não de mão de obra ou software — como acontece com fabricantes, restaurantes e varejistas —, use o lucro bruto (às vezes chamado de receita bruta) como valor de Receita Real. O lucro bruto é calculado de forma semelhante ao modo sugerido para determinar sua Receita Real, e você precisa avaliar seu negócio com base nisso. Sempre que você calcular os números para seu negócio, ou avaliar outros, baseie-se na Receita Real (lucro bruto).

Como neste momento sua conta LUCRO financiará suas distribuições de lucro e servirá como fundo de emergência, é prudente que sua APA passe rapidamente para mais de 5%. Se economizar 5% do faturamento anual de sua empresa, por exemplo, isso representa cerca de 21 dias de caixa operacional, o que ajudaria a manter seu negócio funcionando se sua receita diminuísse. (Se a receita secar, você deixaria de contribuir com sua conta LUCRO e IMPOSTOS e interromperia as distribuições de lucro para os proprietários.) Três semanas não é muito tempo para resolver o problema, mas o fim do mundo raramente chega de fato. O mais comum é a receita diminuir devagar com o tempo, e você terá pelo menos algum valor fluindo durante os tempos difíceis. Não é o fim do mundo, mas é o fim da picada. (Péssima piada, eu sei, mas eu gostei, então ela fica.)

Se as vendas pararem completamente, sem que um único depósito seja recebido, veja uma boa regra prática de longevidade:

1. Alocação de lucro de 5% = 3 semanas de caixa operacional.
2. Alocação de lucro de 12% = 2 meses de caixa operacional.
3. Alocação de lucro de 24% = 5 meses de caixa operacional.

Por que conforme as porcentagens de alocação de lucros basicamente dobram, a longevidade da empresa quase triplica? A matemática parece não fazer sentido à primeira vista. Mas faz. Quanto maior o percentual de alocação de lucro, maior sua eficiência na administração de seu negócio, o que significa menos despesas operacionais. Então, você não só economiza mais com um percentual de Lucro mais alto como também gasta menos, o que lhe assegura mais tempo.

MARGENS GORDAS SIGNIFICAM COMPETIÇÃO ACIRRADA

O objetivo é tornar o percentual de alocação de lucro o mais alto possível. No entanto, porcentagens de lucro superelevadas não são sustentáveis. Ao menos não por muito tempo, e definitivamente não se sua receita ficar estagnada. A razão para isso é que, se você obtiver lucros consistentemente altos — digamos, 50% alocados para Lucro e apenas 10% da receita para suas Despesas Operacionais — seus concorrentes descobrirão o que você está fazendo. Então, para conseguir aumentar os negócios, vão baixar os preços (eles provavelmente têm margens de lucro para "queimar"). Quando isso acontece, você também terá que baixar os preços para continuar no negócio. Para os tubarões competitivos, margens gordas podem ser como sangue na água: expressam vulnerabilidade. A única maneira de mantê-las é aproveitá-las o máximo que puder quando as tiver e continuar inovando para encontrar novas maneiras de aumentar a lucratividade.

PAD DA REMUNERAÇÃO DO PROPRIETÁRIO

Já se foram os dias em que você pagava a todos, menos a si mesmo, e tinha que se manter à base de cartões de crédito e empréstimos dos sogros. Lembre-se, sua empresa deve trabalhar para você e não o contrário! Chega de viver de sobras!

A remuneração do proprietário é o valor que você e os outros proprietários recebem pelo trabalho que fazem. Desconfio que já esteja familiarizado com o termo *gerente proprietário*, o que significa que é dono da empresa (possui participação) e põe a mão na massa (trabalha como funcionário da empresa). É o dinheiro que reservamos para você e qualquer outro operador proprietário da empresa como pagamento pelo trabalho que faz para a empresa. (Os sócios da empresa que não trabalham recebem apenas uma distribuição de lucros.) Seu salário deve estar em pé de igualdade com a taxa praticada no mercado para o tipo de trabalho que você faz; em outras palavras, o salário que você teria que pagar para que outra pessoa o fizesse.

Há duas opções a serem consideradas ao escolher o valor da PAD de Remuneração do Proprietário.

1. Faça uma análise realista do trabalho que faz. Se sua empresa é pequena com, digamos, cinco funcionários, você até pode se intitular CEO — mas esse é apenas um nome em um cartão. É provável que esteja fazendo muitos outros trabalhos. Provavelmente gasta muito tempo vendendo, concluindo projetos, lidando com clientes e com problemas de recursos humanos (RH). Na realidade, cerca de 2% do seu tempo é gasto fazendo o trabalho de CEO: planejamento estratégico, negociações estratégicas, aquisições, relatórios para investidores, comunicação com a mídia, etc. Determine seu salário com base no que faz em 80% do tempo e no que seria razoável pagar a um funcionário nessa função. Em seguida, avalie o pagamento para todos os sócios que trabalham no negócio.

    Some todos os salários que compõem o montante de remuneração do proprietário. A porcentagem de receita definida como PAD de remuneração do proprietário deve, no mínimo, cobrir o total de retiradas. Lembre-se, você provavelmente receberá aumentos — talvez até um bônus por um trabalho bem feito. Portanto, acrescente 25% ao valor que você determinar para os salários, para que possa ajustar as flutuações de receita. Digamos que você trabalhe com quatro sócios em uma empresa com receita de R$1 milhão, e cada um receba um salário de R$50 mil. Você precisa definir a PAD de remuneração do proprietário em pelo menos 25%.

Ou,

2. Escolha a porcentagem sugerida na Avaliação Instantânea, com base em sua faixa de receita. (Veja a Figura 4.) O dinheiro que é transferido para essa conta é dividido entre todos os sócios-funcionários. Ele não precisa ser dividido igualmente, nem precisa ser dividido com base em seus percentuais de participação. A composição da remuneração do proprietário é um acordo entre as partes.

Por que é preciso ter uma conta separada se você e os outros sócios-funcionários da empresa são apenas funcionários? Porque esses são os funcionários mais importantes. Se tivesse que demitir pessoas, suspeito que demitiria todos os outros antes de se demitir. Pense em seu melhor empregado. Aposto que você toma medidas extras para garantir que ele se sinta bem. Aposto que faria tudo ao seu alcance para manter seus melhores funcionários satisfeitos, inclusive pagando-lhes o que valem, certo? Bem, adivinha só, meu caro! Você é seu melhor e mais importante empregado. Precisamos cuidar bem de você.

Quando se trata de pagamento, diferentes formatos de empresas exigem que você lide com a remuneração do proprietário de maneiras diferentes. Uma empresa de capital fechado é diferente de uma sociedade de responsabilidade limitada ou de um MEI [microempreendedor individual], e são tratadas de maneira diferente de uma sociedade de capital aberto. A alocação da Remuneração do Proprietário ainda funciona da mesma maneira; você só precisa trabalhar com seu contador para garantir que o dinheiro flua de forma adequada e legal.

Não Subestime Seu Funcionário Mais Importante

Eu estava jantando com meu amigo Rodrigo quando ele me contou como sua empresa gera US$350 mil em receita anual, mas ele estava vivendo abaixo do salário mínimo [em termos de EUA].

Como uma tempestade começava a se formar no horizonte, peguei o guardanapo com o menor número de manchas de molho que encontrei e anotei os números de Rodrigo. Multiplicando seus US$350 mil em Receita Real pelos 35% (da Avaliação Instantânea), cheguei a pouco mais de US$122 mil.

"Quantos sócios trabalham no negócio?", perguntei. "Eu e mais um", respondeu ele.

Dividido por dois, o valor da Remuneração do Proprietário era um pouco mais de US$61 mil para cada, mas isso se eles estivessem fazendo o mesmo trabalho, garantindo uma divisão de 50/50. Conforme discutimos na seção anterior, a remuneração do proprietário deve representar o trabalho executado.

Quando pedi a Rodrigo mais detalhes sobre seu próprio salário, ele disse: "Eu retiro cerca de US$30 mil por ano, e meu sócio saiu para conseguir um emprego em tempo integral, então hoje não recebe salário. Temos três funcionários em tempo integral por US$65 mil cada um por ano, e eu os gerencio."

Gostaria de dizer que fiquei chocado, mas esse cenário é muito comum. Como o Rodrigo estava conseguindo sustentar a si mesmo e sua família com um salário abaixo do mínimo? Imaginei que ele estivesse usando cartões de crédito, empréstimos familiares e, possivelmente, um refinanciamento imobiliário para complementar sua renda insignificante.

"Caso todos os três funcionários decidissem sair no mesmo dia, o que você faria?", perguntei.

"Eu faria todo o trabalho sozinho e meu sócio voltaria."

"Então por que você não faz isso?", perguntei.

"Porque então eu ficaria preso no trabalho, e não seria capaz de crescer", explicou Rodrigo. "Eu não quero fazer o trabalho; quero expandir meu negócio."

O raciocínio de Rodrigo estava certo, mas era executado de maneira errada. Michael Gerber, em seu clássico livro de leitura obrigatória *O Mito do Empreendedor*, explica que devemos trabalhar pelo, e não em, nossos negócios. Essa filosofia é perfeita, "por versus em", no entanto, a maioria dos empreendedores tem problemas para colocá-la em prática. Trabalhar pelo negócio não significa contratar um grupo de pessoas para fazer o trabalho e, em seguida, passar o dia inteiro respondendo suas perguntas intermináveis sobre como fazer o trabalho (aquele que você costumava fazer). Trabalhar pelo seu negócio se refere à construção de sistemas. Ponto final.

Contudo, o que Rodrigo e tantos empreendedores deixam escapar é que o crescimento de uma empresa não é passar de "fazer todo o trabalho" para "trabalho nenhum" da noite para o dia. A transição do trabalho no negócio para o trabalho pelo negócio acontece com o tempo — devagar e com ponderação, um pequeno passo seguido de outro pequeno passo. (Você está começando a entender aonde quero chegar?) Esse é o raciocínio por trás das porcentagens de Remuneração do Proprietário na Avaliação Instantânea: porcentagens maiores para os proprietários quando a empresa é pequena e menores à medida que a empresa cresce.

Nos primórdios de uma empresa, quando as receitas anuais são inferiores a, digamos, R$250 mil, você não é apenas o funcionário mais importante; é provavelmente o único. Se a sua receita anual for inferior a R$500 mil e tiver um funcionário ou dois, você ainda é o funcionário-chave. E isso significa que deve estar fazendo 90% do trabalho. Está chutando a bola e defendendo ao mesmo tempo.

Os outros 10% do tempo você gasta registrando tudo o que faz para que possa sistematizar os processos para que seus outros poucos funcionários ou subcontratados façam o trabalho sem sua participação. Basicamente, você é um verdadeiro empreendedor (construindo sistemas) 10% do tempo, e um esforçado funcionário de sua própria empresa 90% do tempo.

É por isso que você recebe um alto salário no começo. Chega de "raspa do tacho". Você não pode viver com um salário mínimo ou menos. Diga de novo, mais uma vez, com sentimento: minha empresa me serve; não sou eu quem serve minha empresa. Pagar a si mesmo quase nada por seu trabalho duro é escravidão. Sempre comece com as APAs — a situação atual — e aumente 1% a cada trimestre.[2]

À medida que sua receita anual ultrapassa R$500 mil, você passará a gastar mais tempo construindo sistemas. Agora você é um desenvolvedor de sistemas 20% do tempo, um gerente 10% do tempo e um funcionário 70% do tempo. (Observe que quanto melhor você for em criar sistemas, menos gerenciamento será necessário porque a receita de como fazer as coisas é consistente.) Conforme a receita anual cresce acima de R$1 milhão, sua porcentagem salarial cairá ainda mais porque você estará trabalhando cada vez menos *no* negócio e mais e mais *para o* negócio.

Entretanto, lembre-se de que é provável que sempre trabalhe em sua empresa. Porque mesmo que seja um mestre no desenvolvimento de sistemas e passe 80% do tempo nessa zona mágica, ainda gastará os restantes 20% lidando com as grandes vendas. Quase todo empreendedor/CEO é responsável pelas grandes vendas. Pode apostar que Jeff Bezos está na sala quando a Amazon fecha um acordo de US$100 milhões. E quando os grandes negócios estão na mesa, você estará bem ali, sentado na cabeceira.

Ironicamente, voltar a trabalhar em seu negócio é a melhor maneira de criar sistemas. E à medida que coloca os sistemas em funcionamento e sua receita aumenta para acomodá-los, você consegue lentamente acrescentar excelentes profissionais para implementar esses excelentes sistemas.

---

[2] Às vezes você pode (e deve) ajustar suas APAs de forma mais agressiva. Em outras, deve ser mais cauteloso. Fazer ajustes trimestrais em suas APAs é um ótimo exemplo de um aspecto em que um especialista externo tem tremendo valor.

Em resumo: não corte seu salário para fazer os números funcionarem. O objetivo de cada negócio é a saúde, e isso é alcançado através da eficiência. Sua síndrome de mártir não está favorecendo ninguém; tornar-se o cordeiro sacrificial não promove eficiência; na verdade, a dificulta.

SUA PAD DE IMPOSTO

Greg Eckler ama a época de pagar seus impostos. Greg, proprietário da Denver Realty Experts, LLC, leu um rascunho de *Lucro Primeiro* e começou a aplicá-lo em seu negócio. Somos amigos próximos de faculdade e éramos membros da mesma fraternidade, Delta Sigma Pi, então ele fez a gentileza de ler o rascunho e me dar seu feedback. E para chantageá-lo a fazer o trabalho, disse a ele que se terminasse de ler e implementasse o Lucro Primeiro, eu nunca revelaria seu apelido de fraternidade, que era Elk Turd. Opa, desculpe, Greg.

Voltando a Greg e seu amor bizarro pela época dos impostos. Quer dizer, quem em sã consciência gosta dessa época? Ora, o bom e velho Elk Turd. E por quê? Porque um dos benefícios de usar o sistema Lucro Primeiro é que Greg não precisa mais se preocupar em ter dinheiro suficiente para pagar seus impostos.

"Eu entrego todos os documentos para meus contadores até o dia 4 de janeiro, porque mal posso esperar para receber notícias deles sobre o quanto devo. No final de 2015, minha conta Impostos tinha US$30 mil e só precisei de US$10 mil para quitar meus impostos. U-huuu! É hora do bônus!"

Greg me disse que aprovou o Lucro Primeiro desde o início e não vê razão para parar. "É uma paz de espírito saber que tudo é resolvido com uma rápida olhada no aplicativo do banco... É só entrar e... Paz."

O sistema Lucro Primeiro não se refere à contabilidade de cada centavo exato. Esse é o trabalho de seu contador. O sistema envolve lidar com sua contabilidade de maneira rápida e fácil, com os valores mais precisos possíveis. Nós calculamos as porcentagens a partir da Receita Real, e isso se aplica a todas as suas contas de "prato pequeno".

O prato Imposto é destinado a pagar as obrigações tributárias diretas da empresa (a maior parte) e os *impostos de renda pessoal dos proprietários*. Vou repetir porque isso muitas vezes é ignorado: sua empresa (supondo que seja sua) vai reter os valores de *seu* imposto de renda pessoal e depois o recolherá. A questão é: você começou seu negócio em parte para alcançar a liberdade financeira. Então, se isso for verdade, sua empresa não deveria pagar seus impostos por você? Claaaaro que sim. Então é exatamente isso que vai acontecer. Quando chegar a hora de pagar seus impostos pessoais, sua empresa fará o pagamento por você. Não fique preso nos microdetalhes aqui. Esse sistema também funciona se você retém imposto na fonte (talvez você não seja remunerado via distribuições de lucro), e a empresa reembolsará você por seus impostos. Todos os impostos (incluindo, ou melhor, especialmente os seus) são pagos pela sua empresa, não por você. Entendeu? Ótimo.

O primeiro passo para chegar à sua PAD de Imposto é determinar a alíquota de seu imposto de renda. Os impostos variam em todo o lugar, dependendo do seu montante de renda pessoal e lucro corporativo. Nos Estados Unidos, muitos empreendedores têm uma alíquota média de imposto de renda de 35% ou mais; para outros, será menor, e em alguns países pode ser de 60% ou mais [no Brasil, a alíquota do IR de pessoas físicas varia de 7,5% a 27,5%; a das pessoas jurídica é de 15%, com adicionais em certos casos]. Um dos objetivos do sistema Lucro Primeiro é que a empresa cuide de todas as formas de obrigações tributárias. É obrigatório que você converse com seu contador para que ele possa aconselhá-lo sobre todas as maneiras pelas quais você e sua empresa serão tributados.

Eis três abordagens diferentes para você determinar sua PAD de Imposto:

1. Analise suas declarações de impostos pessoais e da empresa. Adicione seus impostos e, em seguida, determine a porcentagem de impostos pagos em relação à Receita Real. Faça isso para os dois anos anteriores também. Calculando seus impostos como uma porcentagem da Receita Real nos últimos três anos, você terá uma boa noção de sua obrigação tributária contínua.

2. Seu contador deve informar a obrigação tributária estimada de sua empresa no acumulado do ano fiscal (em inglês, YTD); de posse dessa informação, determine em seguida a porcentagem de Impostos de sua Receita Real acumulada no ano fiscal.

3. Ou simplesmente use 35% para empresas sediadas nos EUA e, se você tiver uma empresa em outro país, basta usar a taxa média de impostos vigentes para um indivíduo em sua faixa de renda como o valor de seu Imposto. Pode não ser perfeito, mas geralmente é bastante eficaz. E, embora o número ideal seja aquele que você não pague impostos adicionais no final do ano nem receba reembolso, é melhor estimar a mais e receber o reembolso e considerar o que fazer com o dinheiro extra do que receber uma ligação do contador porque não tem o valor suficiente e ter que pedir à sua filha se pode pegar emprestado do cofrinho dela. Confie em mim.

Mas, alto lá: se a alíquota do imposto for de 35% (novamente, para cidadãos dos EUA com níveis mais altos de renda), por que eu reservaria apenas 15% para impostos (conforme observado na Avaliação Instantânea que compartilhei anteriormente)? Vamos fazer uma matemática simples.

Um Pouco de Matemática Simples

Agora, vamos determinar a porcentagem que deve permanecer na sua conta DESPESAS OPERACIONAIS depois que você transfere dinheiro para sua conta LUCRO, REMUNERAÇÃO DO PROPRIETÁRIO e IMPOSTOS. O montante que sobra para despesas provavelmente ficará entre 40% e 60%. Esse é o dinheiro que você tem disponível para arcar com todas as suas despesas.

Em seguida, subtraia essa porcentagem de 100%. Portanto, se a conta total em DESPESAS OPERACIONAIS estiver em 55%, você terá 45%. Aqueles 45% são o valor sobre o qual incidirá o imposto. (Na maioria das vezes, as despesas não são tributadas. É por isso que alguns contadores incentivam você a comprar equipamentos ou fazer outras grandes compras antes do final do ano.) Agora, multiplique sua porcentagem não operacional (neste caso, 45%) por sua porcentagem de rendimento tributável (neste caso, 35%). Você acaba com uma porcentagem de aproximadamente 16%, que é sua porcentagem de imposto.

Agora que você tem uma visão mais precisa de suas porcentagens reais, está pronto para começar. No próximo capítulo, guiarei você pelo primeiro ano do Lucro Primeiro e além, descrevendo tudo o que precisa saber desde o primeiro dia. Parabéns! Você sobreviveu. Envie-me uma selfie.

Posso sentir sua ansiedade para colocar tudo isso em prática em sua empresa. Limpe a baba de seu queixo e vamos começar.

TOME UMA ATITUDE: APLIQUE SEU CONHECIMENTO AVANÇADO

Passo 1: Seguindo as etapas detalhadas anteriormente, determine sua porcentagem de Lucro, Remuneração do Proprietário e de Imposto com base em sua área de atuação, entre outros fatores. Defina-os como suas PADs, suas metas. Esse é o X no mapa que nos indica nosso destino, não nosso ponto de partida.

Passo 2: Como você decidiu ir direto ao assunto e determinar suas porcentagens exatas de Lucro, Remuneração do Proprietário e de Imposto, pare agora e ajuste os números em sua tabela de Avaliação Instantânea.

Passo 3: Defina suas APAs. Para o restante deste trimestre, defina suas APAs em 1% "melhor" do que o de seu histórico — o que significa aumentar os valores de Lucro, Remuneração do Proprietário e Imposto, todos em 1% e reduzir suas despesas operacionais em 3%. A cada trimestre, vamos empurrar as APAs para uma porcentagem ainda melhor. Com o tempo, você continuará em um ritmo implacável em direção a uma empresa cada vez mais saudável, além de uma carteira cada vez mais recheada.

Capítulo 6

COLOCANDO O LUCRO PRIMEIRO EM AÇÃO

Jorge Morales e José Pain são, extraoficialmente, os primeiros donos de empresas a implementar o Lucro Primeiro depois de ler meu livro. Não este, mas *The Toilet Paper Entrepreneur*, que continha uma pequena seção delineando a ideia do Lucro Primeiro. Depois que publiquei esse livro, organizei um encontro com meus primeiros leitores em Newark, Nova Jersey (um popular local de férias, assim como a Coreia do Norte). Jorge e José viajaram do sul da Flórida para o evento. Eles pagaram a viagem até Nova Jersey com recursos provenientes da conta LUCRO. Mas essa não foi apenas uma viagem de negócios; eles trouxeram seus cônjuges e fizeram uma turnê pela cidade de Nova York (depois de concluírem seus inúmeros passeios em Newark) após o evento. Jorge e José mergulharam de cabeça no Lucro Primeiro, mesmo usando como material de apoio apenas dois parágrafos de meu livro anterior, e já estavam percebendo os resultados.

Quando Jorge Morales e José Pain criaram a Specialized ECU Repair em 2007, sonhavam em um dia aproveitar o que consideravam ser o grande privilégio de ter um negócio: lucro ou dinheiro extra para gastar em atividades de seu interesse, e tudo isso trabalhando menos.

É aí que muitos empreendedores experientes riem com desdém porque acham que Jorge e José são sonhadores ingênuos. Será que eles não sabem que empreendedorismo é sacrifício pessoal? A única razão para existir tempo livre é para que você possa usá-lo para trabalhar mais. E, a menos que tenham uma sorte excepcional, levará muito tempo até ganharem dinheiro extra suficiente para se dedicarem aos seus pequenos hobbies, certo?

Errado.

Depois de dois anos operando seu próprio negócio, Jorge e José decidiram que a única maneira de aproveitar os benefícios do empreendedorismo seria aumentar seus salários um pouco a cada ano. (Eles já estavam em melhor situação do que a maioria dos empreendedores, pois *tinham* o suficiente para pagar seus próprios salários e não haviam caído na armadilha mortal da dívida.)

Então, leram uma pequena seção sobre Lucro Primeiro em *The Toilet Paper Entrepreneur* e começaram a aplicar o sistema quase que imediatamente. Ao longo dos próximos anos, Jorge e José ajustaram o Lucro Primeiro para atender seus negócios em rápido crescimento, adequando o percentual de sua conta LUCRO e permitindo que o Lucro Primeiro controlasse esse crescimento, de modo que nunca acabassem atolados em dívidas por causa de grandes compras ou de uma folha de pagamento ridiculamente alta.

Em 2013, eles superaram as projeções de receita de seus contadores. A cada ano, sua receita de vendas aumentou e estão a caminho de atingir US$1 milhão em receita anual nos próximos anos. Sua equipe triplicou em tamanho, mas graças ao planejamento cuidadoso e ao sistema Lucro Primeiro, eles não estão lutando pressionados por despesas operacionais altas demais. O mais importante, a empresa os serve, com salários apropriados para suas posições e para o trabalho que fazem na Specialized ECU Repair, e com desembolsos significativos da conta LUCRO que lhes permitiram viver o estilo de vida que imaginaram quando começaram o negócio. O sonho de todos os empreendedores — de que nosso negócio *melhorará*, não destruirá a qualidade de nossas vidas — está sendo vivido por Jorge e José. Eles não servem seus negócios; é o negócio que serve a *eles*.

Enquanto escrevia esta versão revisada e ampliada de *Lucro Primeiro*, conversei com Jorge e José para descobrir como o Lucro Primeiro estava funcionando para eles alguns anos depois. Jorge falou entusiasmado sobre suas viagens de kitesurf e snowsurf — ele é um aventureiro. Então, chegamos ao assunto da empresa.

"Temos seis funcionários agora e pagamos bem acima da média do setor", disse Jorge. "Conseguimos pagar em dinheiro por equipamentos caros que, ao longo do tempo, nos ajudarão a otimizar e gerar mais lucros. E aumentamos nosso percentual de lucro para 9%." (Vale lembrar que esse lucro de 9% é um adicional aos bons salários que recebem a cada duas semanas.)

Jorge explicou que seguir o sistema Lucro Primeiro significa sempre ter dinheiro suficiente à mão para aproveitar ofertas que economizam dinheiro, como descontos por pagar um ano inteiro de serviços com antecedência. E, uma vez instalado e funcionando, o Lucro Primeiro permitiu que eles decidissem rapidamente as compras sem se preocupar se podiam ou não pagar por elas.

Embora não tenha embarcado de pronto na ideia, seu contador agora está convencido de que Jorge e José não são apenas sortudos; estão usando um sistema que gera lucro em todas as transações. Seu contador agora embarcou na ideia e os apoia a cada passo do caminho.

Lucro Primeiro funciona. Ponto final. Os dois métodos, de usar os percentuais que forneci na Avaliação Instantânea ou escolher avaliar todas as nuances de sua empresa e setor (veja o Capítulo 5) e chegar aos seus próprios percentuais de alocação desejados perfeitos, funcionarão. Como pode funcionar com porcentagens diferentes, você pergunta? Assim como as PADs de Lucro, Remuneração do Proprietário e Impostos são simplesmente metas — esses não são parâmetros iniciais, você vai avançar na direção deles. E à medida que avança, transformará seu negócio em uma máquina enxuta e eficiente que gera lucro a cada depósito, não importa o tamanho.

Neste capítulo, ensino exatamente como implementar o Lucro Primeiro, passo a passo, dia a dia, mês a mês, e assim por diante. Seu percentual de lucro pode parecer muito íngreme ou fora de alcance, mas até o final deste ano você estará mais perto dele do que pensou que poderia. Você pode até ultrapassá-lo.

DIA UM

1. Conte para Seu Pessoal

Jorge e José incluíram seus profissionais financeiros na implementação do Lucro Primeiro desde o início. "Assim que conhecemos o Lucro Primeiro, fez sentido para nós", contou-me Jorge, em um de nossos muitos telefonemas para acompanhar o progresso deles. "Eu analisei os números e depois, junto com nosso contabilista e contador, fiz uma projeção para o ano. Então trabalhamos na porcentagem da conta LUCRO que queríamos começar."

Com a adesão de seu contador aos princípios e processos do Lucro Primeiro, Jorge e José conseguiram aplicar sistematicamente o método em seus negócios com grande sucesso. O contador deles os ajuda a atingir suas metas de Lucro Primeiro e manter o curso.

Mas nem todo profissional de contabilidade vai concordar. Pode ser que ao ouvir sobre o sistema eles apenas suspirem com incredulidade. Conto como abordá-los daqui a pouco. Apenas saiba que você pode ser bem-sucedido sozinho ou, o que é melhor ainda, obter o apoio de outro profissional de contabilidade.

Procure profissionais dispostos a ou que já adotem o sistema. Eu não investiria no conselho de alguém que não segue seu próprio conselho.

Consiga a Adesão de Seu Contador/Contabilista

É normal que as pessoas responsáveis por suas finanças se assustem um pouco quando ouvirem sobre o Lucro Primeiro. Por outro lado, seu contador ou contabilista pode compreender e aceitar o sistema. Podem se entusiasmar e estar prontos para apoiá-lo. Infelizmente, pela minha experiência, a maioria não age assim.

Para seu contador ou contabilista, a mera sugestão de retirar seu lucro primeiro pode fazer com que sua cabeça comece a girar, como na cena de *O Exorcista*. Seu profissional de contabilidade cresceu sob as leis e regras do passado. A contabilidade é do jeito que é hoje porque sempre foi assim. Se quiser gerenciar o fluxo de caixa, a velha regra estabelecida é fazer um orçamento compatível e mantê-lo à risca. Basta fazer o que seu contador diz e nunca se desviar e você será rentável.

Se você tem uma profissional de contabilidade progressista, ela entrará de cabeça no lucro primeiro. Ela estará sedenta por maneiras de apoiá-lo melhor e tornar seu trabalho mais fácil.

Mas e se seu contador ou contabilista permanecer firme e disser a você para não implementar o Lucro Primeiro? Faça o seguinte: pergunte se ele tem experiência prática na implementação do Lucro Primeiro (ou um sistema similar de pagar primeiro a si mesmo) e, se for o caso, peça-lhe que explique por que não funciona. Prepare-se para um olhar vazio. Porque se ele tiver implementado adequadamente os planos de pagar primeiro a si mesmo, saberá que funciona, sempre.

Se o contador ou contabilista lhe disser que "ninguém mais faz isso", bata nele (em sentido figurado, claro). Porque o fato de ele não informar aos seus clientes sobre o sistema não significa que o mundo inteiro faça o mesmo. Muito pelo contrário; cada vez mais empresas estão aderindo e aplicando o Lucro Primeiro todos os dias.

Caso ele continue a agir como uma mula empacada, pergunte-lhe: "Quantos de seus clientes são consistentemente lucrativos sob sua direção? Todos eles? Metade? Algum?" Espere que ele murmure. Ou chore. Ou cometa suicídio.

A maioria dos contadores que usa o antigo método de PCGA de gerenciamento de caixa tem a sorte de ter um punhado de clientes lucrativos. Quase todos os clientes restantes provavelmente estão lutando para se manter à tona. Esse deve ser seu chamado de despertar. Peça ao seu contador para que leia *Lucro Primeiro* de capa a capa para apoiá-lo no processo. Se ele não estiver disposto a ouvi-lo (lembre-se, você é o cliente e o trabalho dele é especificamente ajudá-lo a maximizar sua lucratividade), encontre novos profissionais contábeis que endossem o Lucro Primeiro. E, ao deixar seu velho contador, dê-lhe uma cópia de *Lucro Primeiro* como presente de despedida e uma foto minha mostrando a língua do tamanho de um pôster.

2. Configure Suas Contas

Antes de começarmos, é melhor que você já tenha configurado as cinco contas fundamentais em seu banco principal (RECEITA, LUCRO, REMUNERAÇÃO DO PROPRIETÁRIO, IMPOSTOS e DESPOP) e as duas contas em seu novo banco "sem tentação" (RESERVA DE LUCRO e RESERVA DE IMPOSTOS). Se ainda não fez isso... Está esperando o quê?! Quero dizer, como vamos progredir juntos se você não estiver fazendo a sua parte? *NÃO*, eu repito, *não*, tente tomar um "atalho" e usar uma planilha ou seu sistema contábil. E, absolutamente, não tente fazer tudo isso em sua cabeça. Não espere outro segundo. Droga, configure logo essas contas!

Agora você adicionará o apelido de cada conta, informando a PAD ao lado do nome da conta e a APA entre parênteses. Por exemplo, se está apelidando sua conta de LUCRO, a APA é 8% e a PAD é 15%, nomeie a conta da seguinte forma "LUCRO 8% (PAD 15%)". Isso permite identificar rapidamente para onde está indo o dinheiro e qual a porcentagem final de alocação que está tentando alcançar. Poucos segundos depois de logar em sua conta bancária tudo estará claro, você saberá quanto de dinheiro disponível tem e para qual finalidade, quanto está alocando atualmente e qual a meta definida para seu fluxo de caixa.

A configuração final de suas contas em seu banco deve ser parecida com as informações a seguir (é claro, com as APAs e as PADs que designou para sua empresa):

```
RECEITA *8855
LUCRO 8% (PAD 15%) *8843
REM. DO PROPRIETÁRIO 20% (PAD 25%) *8833
IMPOSTO 5% (PAD 15%) *8839
DESPOP 67% (PAD 45%) *8812
```

APAs — Comece Devagar

Estamos fazendo progressos agora, meu caro! Temos as contas configuradas no seu banco e estamos pegando a prática de todos esses apelidos. Determinamos as Porcentagens de Alocação Desejadas (PADs) para cada conta durante a fase de Avaliação Instantânea. Mas as PADs são simplesmente a visão. Elas são o destino. *Não* são seus parâmetros iniciais. Começaremos com um lucro gerenciável, uma Remuneração do Proprietário factível e uma reserva de Impostos razoável que possibilite o tempo suficiente para reduzir as despesas, começar a encontrar oportunidades de lucro em sua empresa e se ajustar ao novo sistema. As porcentagens que estamos prestes a atribuir a cada conta serão chamadas de APAs (Atuais Porcentagens de Alocação).

Para suas PADs, começaremos nos níveis de contribuição do Dia Zero[1] para cada conta e, em seguida, adicionaremos 1%, o que nos leva ao Dia Um[2] da sua implementação do Lucro Primeiro. Isso pode significar que o seu Dia Zero pode indicar zero para algumas das contas. Se seu negócio nunca teve lucro, ou se às vezes teve lucro e em outras, prejuízo, seu lucro foi zero. Portanto, nosso Dia Um para a conta LUCRO será 1% de APA (ou seja, 0% historicamente mais 1%, a partir de hoje), e vamos aumentando à medida que começarmos a entrar em nosso ritmo trimestral.

	DIA ZERO	AJUSTAR	DIA UM
Lucro	0%	+1%	1%
Rem. do Proprietário	17%	+1%	18%
Impostos	5%	+1%	6%
Despesas Operacionais	78%	-3%	75%

Se, historicamente, sua empresa recolheu impostos[3] de 5% de sua receita total, vamos configurar sua APA de reserva de impostos em 6% simplesmente adicionando 1% à sua alocação de imposto de 5% do Dia Zero. Caso seu pagamento represente 17% da receita da empresa, adicionamos 1% aos seus 17% e teremos 18% da APA para Remuneração do Proprietário. E assim por diante. Mesmo que nossas metas sejam muito maiores, começamos com o que temos, acrescentando 1% para Lucro, Remuneração do Proprietário e Impostos. Em seguida, reduzimos as Despesas Operacionais pelo acumulado dos ajustes percentuais que fizemos nas outras três contas.

---

[1] Os níveis de contribuição do Dia Zero são os percentuais históricos que você estava alocando para cada categoria antes de implementar o Lucro Primeiro.
[2] O Dia Um é o primeiro ajuste de sua nova APA para cada conta. O Dia Zero é anterior ao Lucro Primeiro e o Dia Um é seu primeiro dia de porcentagens de alocação desejados.
[3] Lembre-se, isso é o quanto sua empresa pagou diretamente em impostos, tanto para os negócios quanto para as obrigações de imposto de renda pessoal dos proprietários e/ou reembolsou os proprietários pelos impostos que pagaram (ou que foram retidos automaticamente em seu contracheque).

Por que começar com porcentagens pequenas, quando provavelmente poderíamos fazer mais? O principal objetivo aqui é estabelecer uma nova rotina automática para você. Quero que os valores sejam tão pequenos que você nem os sinta. O objetivo é configurar essas alocações automáticas imediatamente e, em seguida, ajustar as porcentagens a cada trimestre até estarmos alinhados com nossas porcentagens de distribuição de destino. Dê pequenos passos fáceis e você ganhará um poderoso impulso.

Essencialmente práticos, Jorge e José começaram com uma modesta porcentagem de Lucro Primeiro de 2%. Como a decisão deles foi tomada há mais de cinco anos, antes que eu desenvolvesse esse sistema, o número deles não se baseou na regra de 1% que acabei de compartilhar com você. Eles escolheram uma alocação de 2% porque inicialmente Jorge estava relutante em começar a implementar o Lucro Primeiro — mesmo sabendo que fazia todo o sentido.

"Eu acho que indo devagar, pude ver como o Lucro Primeiro poderia funcionar", explica Jorge. "O que realmente aconteceu foi que percebi que com uma margem de 2% não havia desculpa para não tentar. Porque se sua empresa não puder arcar como retirada 2% de sua receita, provavelmente não é um negócio que valha a pena."

Comece devagar. Realmente devagar. Coloque os percentuais em um nível em que *não haja desculpas para não tentar*.

As porcentagens iniciais de PAD determinadas são suas porcentagens de alocação trimestrais. Vamos usá-las pelo resto do trimestre, não importa se o trimestre seguinte começa na próxima semana ou em 91 dias.

A maioria das empresas nunca teve lucro antes e apenas paga o proprietário o mais próximo possível de um salário regular. Nesse caso, o Lucro do Dia Zero será 0%. Não fique chateado com isso; a maioria das empresas não tem lucro histórico. Você está entre amigos aqui. Em outros casos, os proprietários tiram dinheiro do negócio sempre que há algum disponível e não têm certeza se esses valores são considerados Rem. do Proprietário ou Lucro. A resposta é simples: tudo isso é Rem. do Proprietário e nada é lucro. Nesse caso, sua porcentagem de Lucro do Dia Zero é 0%. Depois, há circunstâncias em que sua declaração de renda diz que há um lucro, mas você só tirou dinheiro para sustentar seu estilo de vida pessoal da melhor maneira possível. Para nossos propósitos, essa é novamente uma situação sem lucro. Defina o Lucro do Dia Zero como 0%.

O Dia Zero de sua Rem. do Proprietário é o pagamento recebido da empresa neste ano, seja em contracheques ou distribuições, e que ainda não foi classificado como lucro (conforme explico no parágrafo anterior). E, para ser bastante claro, você provavelmente não teve lucro, então a Rem. do Proprietário será todo o pagamento que recebeu. Divida a Rem. do Proprietário pela Receita Real de sua empresa e você terá sua porcentagem histórica de Rem. do Proprietário.

Se não tiver certeza do que deve ser considerado Lucro e o que é Rem. do Proprietário, faça o seguinte: coloque 0% em Lucro e qualquer dinheiro que você (e quaisquer outros donos da empresa) tenha recebido na categoria Rem. do Proprietário e calcule esses percentuais em relação à Receita Real. A propósito, se você analisar as declarações de imposto de renda de cada proprietário em sua empresa, poderá encontrar a Rem. do Proprietário. Basta somá-las.

Seu Dia Zero do Imposto é o valor do Imposto que seu negócio (não você pessoalmente) pagou em impostos. Sua empresa pagou impostos diretamente ao governo? Sim? Então some essa quantia. A empresa pagou diretamente ao governo os impostos em seu nome? Ou seja, você teve que pagar imposto de renda pessoal e a empresa fez o pagamento? Sim? Então, some esse valor também. Você recebeu distribuições ou contracheques de sua empresa e depois pagou os impostos de seu próprio bolso? Nesse caso, você pagou seus próprios impostos, e não a empresa, então não adicione o valor ao cálculo. Na maioria dos casos, as empresas nunca pagam impostos em nome de seus proprietários (embora devessem), então o cálculo aqui é fácil. Você coloca o Dia Zero de Impostos em 0%, ou possivelmente um percentual muito baixo para contabilizar os impostos empresariais pagos.

A norma para a maioria das empresas e, portanto, acho que para a sua também, é que a empresa não pague lucro nem impostos para o proprietário. Portanto, nesse caso, definimos o lucro como 0% e o imposto como 0%, e a Rem. do Proprietário como o total de pagamentos para Rem. do Proprietário, dividido pela Receita Real. E se isso confundir sua cabeça, não se preocupe. O sistema Lucro Primeiro é autocorretivo. Basta definir o histórico de Lucros e Impostos para 0% e descobrir a porcentagem para a Rem. do Proprietário.

A porcentagem histórica de Despesas Operacionais é todo o valor remanescente. Ela deve se refletir em sua declaração de renda. Inclua todas as suas despesas, desde o custo das mercadorias vendidas às DGA[4] e todos os demais custos. (A única exceção é se você fez ou não um ajuste para a Receita Real, como expliquei anteriormente no livro.) Então suas despesas são todas as despesas, exceto o que você ajustou para obter a Receita Real. Se ainda estiver confuso, não tem problema — vamos simplificar tudo; basta colocar todas as suas despesas aqui. Em seguida, divida a Receita Real pelo valor da despesa (sua Receita Real e a receita total serão o mesmo número) e, em seguida, use essa porcentagem.

---

[4] DGA refere-se a despesas gerais e administrativas.

Esses números não precisam ser perfeitos. Se você é do tipo minucioso, vai querer descobrir o valor exato até os centavos. Mas isso não é necessário, possível e nem útil. O objetivo aqui é chegar a um ponto de partida aproximado. O sistema Lucro Primeiro foi criado para início imediato — esse é o principal objetivo — e, com o tempo, será ajustado até atingir as porcentagens perfeitas.

Depois de passar por essas etapas, suas porcentagens do Dia Zero podem ser semelhantes às mostradas a seguir:

```
RECEITA *8855
LUCRO (0%) *8843
REM. DO PROPRIETÁRIO (4%) *8833
IMPOSTO (0%) *8839
DESPOP (96%) *8812
```

Dessas porcentagens, podemos ver que a empresa não teve lucro histórico, pagou ao proprietário (ou Rem. do Proprietário) 4% da renda (Receita Real) e 96% da receita foi destinada a pagar as contas. Na verdade, isso é mais que um exemplo; essas são as PADs exatas de um dos meus negócios anteriores de anos e anos atrás. Só por diversão, decidi analisar minha antiga empresa, Olmec Systems, no final dos anos 1990, antes de desenvolver o Lucro Primeiro. Naquele momento, a empresa estava operando mês a mês, com uma conta bancária. Em 1999, a empresa faturou pouco mais de US$1 milhão em receita, meu sócio de negócios e eu levamos para casa US$40 mil, e a empresa gastou US$960 mil em despesas. Nada muito animador. A situação não era nada boa, e eu não fazia ideia. É como se alguém tivesse amarrado minhas mãos nas costas, me vendado, colocado uma mordaça na minha boca (não estou sugerindo que já experimentei algo assim) e então me colocado em uma daquelas máquinas que criam uma tempestade de dinheiro. Eu estava preso em um globo de neve de tamanho humano, sem a capacidade de agarrar uma mísera nota com minhas mãos.

Esses percentuais eram a minha realidade e eu não ficaria surpreso se eles fossem a sua.

Agora que conhecemos os percentuais do Dia Zero, vamos gradativamente colocar o Lucro Primeiro em prática. Para fazer isso, basta adicionar 1% ao seu Dia Zero do Lucro, 1% à sua Rem. do Proprietário e 1% ao seu Imposto e reduzir suas Despesas Operacionais em 3%.

No meu exemplo, para minha antiga empresa, o Dia Zero do Lucro foi de 0%, portanto, adicionando 1%, a nova PAD de lucro é 1%. A alocação de Imposto de meu Dia Zero também foi de 0%, então acrescento 1%, e minha PAD de Imposto tornou-se 1%. Minha Rem. do Proprietário foi de 4%, então agora eu a configuro para 5%. As minhas Despesas Operacionais foram de 96%, e depois de reduzidas em 3%, então agora estão em 93%. As contas ficarão assim:

```
RECEITA *8855
LUCRO 1% (PAD 10%) *8843
REM. DO PROPRIETÁRIO 5% (PAD 10%) *8833
IMPOSTO 1% (PAD 15%) *8839
DESPESAS OPERACIONAIS 93% (PAD 65%) *8812
```

Espero que você consiga ver as implicações imediatas em meu então negócio de US$1 milhão. A minha remuneração e do meu sócio de negócios imediatamente passariam de US$40 mil anuais para US$50 mil, teríamos US$10 mil de lucro no final de um ano e também teríamos US$10 mil reservados em impostos para ajudar a cobrir nossos impostos de renda pessoais. E agora somos obrigados pela minha empresa a administrar o negócio com US$930 mil por ano, em vez de US$960 mil. Tenho certeza de que poderíamos (e podemos) encontrar um caminho, porque agora está bem claro o que deve ser feito.

3. Faça Suas Primeiras Distribuições

Você conhece aquela frase: "Hoje é o primeiro dia do resto de sua vida." É uma de minhas preferidas. Para mim, ela representa a profunda percepção de que podemos mudar nossas vidas (e nossas empresas) em um único instante. A hora é agora. Neste *exato momento* você terá lucro em seu negócio, que será lucrativo todos os dias daqui para frente. Por favor, não leia isso e passe para o próximo capítulo. Quero que você aja imediatamente.

Agora, neste momento, analise seu saldo bancário em sua conta principal original, a qual renomeamos de DESPOP. Em seguida, subtraia todos os cheques e pagamentos pendentes dessa conta. Transfira o restante do dinheiro para sua conta RECEITA.

Agora, vamos fazer nossa primeira alocação. Divida o dinheiro na conta RECEITA em todas as outras contas (LUCRO, REM. DO PROPRIETÁRIO, IMPOSTO e DESPOP) com base nas APAs definidos. Essa é a sua primeira "alocação" e será a única coisa que deve fazer com a conta RECEITA, além de receber depósitos futuros provenientes das vendas.

Vamos fazer a alocação agora mesmo. Digamos que você tivesse R$5 mil em sua antiga conta bancária principal. Você renomeou a conta DESPOP e determinou que tem R$3 mil em cheques e pagamentos que ainda estão aguardando liquidação. Isso significa que você tem R$2 mil atualmente disponíveis. Transfira os R$2 mil para a conta RECEITA. Em seguida, transfira todo o dinheiro da conta RECEITA para as respectivas contas com base em porcentagens.

Gere seus percentuais sobre esses R$2 mil e transfira esse dinheiro para as contas. Com base nos números de meu exemplo, os R$2 mil seriam alocados da seguinte forma:

> RECEITA *8855 → Essa conta, que tinha R$2 mil, passa a ter R$0, já que todo o dinheiro é alocado para as contas LUCRO, REM. DO PROPRIETÁRIO, IMPOSTOS e DESPOP, com base nas APAs que definimos.
> LUCRO 1% (PAD 10%) *8843 → R$20
> REM. DO PROPRIETÁRIO 5% (PAD 10%) *8833 → R$100
> IMPOSTO 1% (PAD 15%) *8839 → R$20
> DESPOP 93% (PAD 65%) *8812 → R$1.860

Ao ver os números alocados, você notará que, embora as porcentagens não sejam uma maravilha, é óbvio que uma grande parte do seu dinheiro está indo para as despesas. É bom saber que agora você tem um sistema e tem clareza, mas a imagem imediata não é nada boa. E isso é o que queremos porque, com o tempo, você estará motivado a melhorar cada vez mais as porcentagens de alocação. Você será motivado a reduzir despesas e, talvez ainda mais importante, encontrará maneiras de aumentar sua lucratividade (por meio de inovações, pensando em etapas novas, melhores e mais eficientes). Este sistema tornará inegavelmente claro quanto dinheiro você tem e para que finalidade está sendo usado. E, com essa clareza, você pode tomar decisões muito melhores para melhorar a saúde de seu negócio.

Agora que viu um exemplo, você tem algum depósito para fazer hoje? Em caso afirmativo, calcule os depósitos, coloque-os no banco e distribua *imediatamente* o dinheiro para todas as outras contas. Faça isso para todos os depósitos daqui para frente. (Se tem muitos depósitos, não se preocupe, você não precisa fazer isso todos os dias ou várias vezes por dia. Em breve, atingiremos um ritmo de duas vezes por mês, o que tornará esse processo mais fácil de administrar.)

4. Nosso Primeiro Dia, Nossa Primeira Celebração

Parabéns! Não estou dizendo isso da boca para fora. Você acabou de dar um grande passo. Esta é provavelmente a primeira vez em toda sua vida de negócios que você deliberadamente contabilizou seu lucro primeiro. Antes de mais nada, você se certificou de lidar primeiro com o lucro, sua renda pessoal e suas responsabilidades fiscais. Isso não é pouca coisa. E é um grande passo para um negócio realmente saudável. Parabéns para você. Desfrute de uma boa margarita hoje à noite, a menos que você não goste de margaritas. Nesse caso, basta me dizer que beberei uma em sua honra.

SEMANA 1: CORTAR DESPESAS

Agora que estamos transferindo dinheiro para nossas contas de LUCRO, REM. DO PROPRIETÁRIO, IMPOSTOS e DESPOP, precisamos obter o dinheiro de algum lugar. Existem apenas duas maneiras de fazer isso: aumentar as vendas e cortar despesas. Aumentar as vendas é muito viável (você já leu *The Pumpkin Plan* e *Surge*, certo?), e é a chave para um crescimento lucrativo colossal. Mas leva tempo e isso não vai acontecer da noite para o dia. O corte de despesas geralmente é um processo muito rápido e muito fácil. De todas as empresas que conheci, é muito fácil para a maioria delas cortar de 10% a 20% das despesas da noite para o dia, como custos frívolos como taxas de associação não utilizadas, espaço de escritório que não impressiona ninguém, aquele carro caro que é "justificado" porque é uma despesa e talvez até uma equipe extra que não está ajudando muito sua causa. Cortar despesas desnecessárias pode causar algum sofrimento psicológico, mas é muito mais fácil do que tentar criar novas vendas do nada.

Jorge e José administram seus negócios com base em sua capacidade financeira atual, e não no que esperam poder pagar algum dia. Isso significa que às vezes precisam esperar para contratar alguém ou fazer uma compra de alto valor. "Quando grandes despesas apareciam", explicou Jorge, "sentávamos e perguntávamos: 'Será que realmente precisamos disso?' Se determinássemos que isso prejudicaria nossos lucros no final do ano, não comprávamos".

Aqui, acabamos de justificar pelo menos 3% (1% em cada uma das contas LUCRO, REM. DO PROPRIETÁRIO e IMPOSTOS) de nossa receita, de modo que precisamos cobrir isso cortando 3% de nossas despesas. Para fazer isso, preciso que você imprima duas coisas:

1. Suas despesas nos últimos 12 meses.
2. Quaisquer despesas recorrentes: aluguel, assinaturas, acesso à internet, treinamento, aulas, revistas, etc.

Agora, some todas as despesas e depois multiplique esse número por 10%. Você deve cortar os custos em 10%. Agora! Chega de "e se" e "mas"!

Então, por que cortar pelo menos 10%, quando "precisamos de apenas 3%"? Porque cortar custos não significa que as contas vão embora de repente. Pode levar um mês ou dois para liquidar os saldos devidos das despesas que eliminamos. O mais importante: precisamos começar a criar reservas de caixa porque, no início do próximo trimestre, vamos aumentar outros 3% para as contas de LUCRO, REM. DO PROPRIETÁRIO e IMPOSTOS, e depois outros 3% no trimestre seguinte. Então, muito em breve teremos que contabilizar esse dinheiro.

Você pode encontrar facilmente seus primeiros 10% de cortes fazendo o seguinte:

1. Cancele tudo o que não precisa para ajudar sua empresa a operar com eficiência e manter seus clientes satisfeitos.
2. Negocie todas as despesas restantes, exceto a folha de pagamento.

Compartilho mais detalhes sobre o corte de despesas nos próximos capítulos. Você está prestes a se tornar um empresário econômico (não mesquinho). Você aprenderá a usar apenas o que precisa e não desperdiçar. Pagará razoavelmente pelo que usa, mas usará menos. E vai a*dorar*.

DUAS VEZES POR MÊS: DÉCIMO E VIGÉSIMO QUINTO DIAS

Há muitos anos, expliquei o sistema Lucro Primeiro a minha amiga Debra Courtright. Debra administra a DAC Management, uma empresa de contabilidade. (Você tem uma chance para adivinhar a inicial de seu nome do meio.) Desde o dia em que implementou o sistema Lucro Primeiro em seu próprio negócio, Debra usou-o para salvar uma empresa após a outra. Na verdade, ela vai além de apenas salvar empresas; ela repetidamente as transforma em galinhas dos ovos de ouro.

Quando a ensinei a usar o Lucro Primeiro com seus clientes, dirigi até seu escritório em Fairfield, Nova Jersey, para passar o dia revisando todas as estratégias avançadas. Em apenas uma hora em nosso dia de treinamento, ela não apenas havia dominado os conceitos como estava ao telefone com uma de suas clientes, ajudando-a a criar uma conta LUCRO.

Sempre carrego meu escritório móvel comigo (mochila com laptop, outros dispositivos eletrônicos e outros itens de primeira necessidade, como biscoitos de hortelã da Milano). Então, enquanto Debra repassava o básico com seu cliente, conclui algumas tarefas na minha lista de tarefas. Eu sabia que tinha algumas contas vencendo, então entrei em minha conta bancária online para consultar a conta DESPOP e garantir que todos os pagamentos estavam em dia. Sim — a conta de LUCRO estava atualizada. A conta IMPOSTOS parecia boa. A REM. DO PROPRIETÁRIO — tudo certo. Outras contas avançadas que discutimos mais adiante no livro — checadas. Agora era hora de pagar as contas na conta DESPOP.

"Por que você está pagando suas contas hoje?" Debra perguntou, me assustando. Eu não tinha ideia de que ela estava atrás de mim, olhando por cima do meu ombro para a tela, e praticamente cuspindo um pouco de café. Se conhecesse Debra, você jamais imaginaria que ela é uma super ninja totalmente treinada. Mas ela só pode ser, pois tem a capacidade de aparecer ao seu lado sem que você perceba, especialmente quando você está prestes a fazer algo estúpido com suas finanças.

Confuso, respondi, "Hum... porque tenho tempo, e elas estão vencendo."

Debra disse: "Bem, isso é burrice." (Ninjas não medem palavras.)

Foi quando Debra me ensinou o ritmo de fluxo de caixa do décimo e do vigésimo dia, ou seja, pague as despesas duas vezes por mês, no décimo e no vigésimo quinto dia. E, nesse dia, o processo se tornou parte integrante do Lucro Primeiro. Obrigado, Debra! (Se é que esse é seu nome verdadeiro.)

Implementei o processo no meu negócio imediatamente. Recebia as contas e depositava a receita, mas era só isso. Não fazia mais contabilidade quando tinha tempo ou quando alguém ligava para verificar se eu havia recebido uma fatura. Adotei um ritmo. Fazia minha contabilidade no décimo e no vigésimo quinto dia (ou o dia útil anterior se o décimo ou vigésimo quinto dia caíssem em um fim de semana ou feriado).

Primeiro, registrava todos os novos depósitos que haviam sido feitos nas últimas semanas e fazia as alocações de Lucro Primeiro, movimentando os valores para cada conta. Então, registrava todas as contas e as colocava no sistema.

Aí a mágica começou a acontecer. Tornei-me cada vez menos reativo com as contas. Eu não olhava imediatamente para a conta bancária quando recebia uma grande conta e me perguntava por que havia gastado tanto e quando seria capaz de pagar essa conta. Em vez disso, comecei a me sentir mais no controle. Ao olhar minhas contas e meus depósitos duas vezes por mês, sempre nos mesmos dias, pude ver um padrão. Percebi que 80% das minhas contas venciam no começo do mês, e poucas no final do mês. Vi como meus depósitos estavam igualmente dispersos ao longo do mês.

Percebi que tinha muitas "pequenas" contas recorrentes que totalizavam uma imensa soma e eram despesas desnecessárias. Comecei a ver tendências e a entender meu fluxo de caixa. Não empilhava as contas, pagando o que podia e depois colocando as que não pagava em uma pilha. Comecei a gerenciar contas e cancelar coisas desnecessárias. Passei a pagar as contas no prazo. Todas elas.

Liz Dobrinska, a guru gráfica que criou meu site, me disse: "Eu não sei o que aconteceu, Mike, mas agora você sempre paga no prazo. Queria que todos os meus clientes fossem como você."

Antes de começar a seguir o conselho de Debra, eu pagava Liz sem muita regularidade. Às vezes, pagava a conta no dia em que chegava. Em outras ocasiões, esperava por 60 ou 90 dias. Não era por estar tentando tirar vantagem dela; eu operava simplesmente no modo reativo. Meu método de contabilidade não era uma maneira eficaz de entender meu fluxo de caixa ou de manter meus fornecedores essenciais felizes. O ritmo do décimo e vigésimo quinto dia mudou tudo isso.

Veja como começar:

Passo Um: Deposite toda a receita em sua conta de RECEITA.

Passo Dois: A cada décimo e vigésimo quinto dia do mês, transfira o total de depósitos das duas semanas anteriores para cada uma de suas contas com base nas suas APAs e adicione-o a qualquer quantia (se houver) que já esteja lá. Por exemplo, digamos que você tenha R$10 mil em depósitos totais nas últimas duas semanas. Com base nos seguintes percentuais de exemplo, veja como você alocaria os R$10 mil:

RECEITA *8855 → Esta conta, que tinha R$10 mil, passará a conter R$0 quando todo o dinheiro for alocado.
LUCRO 1% (PAD 10%) *8843 → R$20 + R$100 alocados = R$120
REM. DO PROPRIETÁRIO 5% (PAD 10%) *8833 → R$100 + R$500 = R$600
IMPOSTO 1% (PAD 15%) *8839 → R$20 + R$100 = R$120
DESPOP 93% (PAD 65%) *8812 → R$1.860 + R$9.300 = R$11.160

Passo Três: Transfira os saldos das contas totais para as contas de IMPOSTO E LUCRO para as respectivas contas no seu segundo banco (sem tentação).

RENDA *8855 → $0
LUCRO 1% (PAD 10%) *8843 → R$120 transferidos para a conta RESERVA DE LUCRO
REM. DO PROPRIETÁRIO 5% (PAD 10%) *8833 → R$600
IMPOSTO 1% (PAD 15%) *8839 → R$120 transferidos para a conta RESERVA DE IMPOSTO
DESPOP 93% (PAD 65%) *8812 → R$11.160

Passo Quatro: Você tem R$600 na conta REM. DO PROPRIETÁRIO para se pagar. Pegue apenas o que você alocou como seu salário quinzenal e deixe o resto acumular. Para este exemplo, diremos que seu salário quinzenal é de R$500. Isso deixaria R$100 na conta.

Antes de continuarmos, sei que está olhando para essas porcentagens e alocações de dólares e pensando: "Que diabos?! Ninguém pode viver com esses números. Todo o dinheiro está saindo pela janela." *Exatamente*! Este sistema trará clareza sobre quanto dinheiro flui e sai pelo ralo de sua empresa. Assim como um balde cheio de buracos. Ajustaremos esses percentuais em breve e incansavelmente ao longo do tempo. Mas, por enquanto, mesmo que difícil, divirta-se com a clareza (embora *dolorosa*).

Passo Cinco: Com os R$11.160 restantes na conta DESPOP, pague suas contas. Para este exemplo, diremos que você tem R$10 mil em despesas neste período de pagamento (o que deve fazê-lo sentir uma pontada no estômago. Vamos reduzi-las). Deixe os R$1.160 restantes na conta.

Após a conclusão deste processo, as contas ficariam assim:

    RENDA *8855 → R$0
    LUCRO 1% (PAD 10%)*8843 → R$0
    REM. DO PROPRIETÁRIO 5% (PAD 10%) *8833 → R$100
    IMPOSTO 1% (PAD 15%) *8839 → R$0
    DESPOP 93% (PAD 65%) *8812 → R$1.160

E no seu banco livre de tentação, que recebeu os primeiros depósitos, suas contas ficarão assim:

    RESERVA DE LUCRO *99453 → R$120
    RESERVA DE IMPOSTO *9967 → R$120

As contas RESERVA DE LUCRO e RESERVA DE IMPOSTO devem conter o dinheiro que será acumulado no seu segundo banco. À medida que novos depósitos entrarem, você deve direcioná-los para sua conta RECEITA, e em cada futuro décimo e vigésimo quinto dias, repetir esses mesmos cinco passos.

Uma observação importante: existe a possibilidade de você não ter dinheiro suficiente em suas contas para pagar contas ou pagar a si mesmo o que precisa ganhar. Esse deve ser um grande alerta. Quando você não tem dinheiro suficiente para pagar suas contas significa que seu negócio está gritando a plenos pulmões, avisando que você não é capaz de pagar as contas que está incorrendo. Ou, se não houver dinheiro suficiente para pagar seu salário adequadamente, é seu negócio dizendo que você não pode administrar sua empresa da maneira como a administra; caso contrário, estará continuamente fazendo concessões. A implementação do Lucro Primeiro não causou a crise — apenas ajudou você a perceber que ela existe. Você está gastando mais dinheiro do que sua empresa pode suportar. Mas não entre em pânico. Usando as APAs, você se ajustará ao ritmo do décimo e vigésimo quinto dias da maneira mais confortável possível. Mesmo que não consiga pagar tudo nessas datas, precisa entrar nesse ritmo, pois isso permitirá que perceba o acúmulo e o fluxo de dinheiro. Como um coração bombeia o sangue ritmicamente, formando um batimento cardíaco, a força vital de sua empresa, o dinheiro deve fluir em um ritmo semelhante, não como uma bomba aleatória, em pânico, bombeando aqui e ali sempre que você tiver fundos.

TRIMESTRE UM

Distribuição Trimestral

O novo trimestre chegou. Obaaaaa! Você está prestes a fazer sua primeira verificação de distribuição trimestral de lucros. Isso mesmo, meu caro. O seu negócio está servindo a *você* agora. A verificação de distribuição de lucros deve ser feita a cada trimestre. A cada 90 dias, o lucro será compartilhado. É então que seu monstro Frankenstein começa a se tornar uma fera poderosa e adorável e lhe serve uma boa refeição em uma travessa de prata com um belo *pinot noir* californiano. Não lhe dá vontade de beliscar aquelas bochechas fofas de monstro? A distribuição de lucros é um prêmio para os acionistas (você e qualquer pessoa que investiu no negócio com dinheiro ou suor) por ter a coragem e a tolerância ao risco para iniciá-lo. Não confunda a distribuição de lucros com a Rem. do Proprietário, que é paga pelo seu trabalho na empresa. O Lucro é uma recompensa por possuir o negócio. Assim como você obtém uma distribuição de lucros quando possui ações em uma empresa de capital aberto, para a qual você nunca trabalhou, você obtém uma parte do lucro de sua própria empresa. O Lucro é um retorno para os proprietários de ações, e a Rem. do Proprietário é o pagamento para as pessoas que são gerentes proprietários no negócio.

Os trimestres[5] de calendário de todos os anos são os seguintes:

1º Trimestre — 1º de janeiro a 31 de março
2º Trimestre — 1º de abril a 30 de junho
3º Trimestre — 1º de julho a 30 de setembro
4º Trimestre — 1º de outubro a 31 de dezembro

No primeiro dia de cada novo trimestre (ou no primeiro dia útil seguinte), você terá uma distribuição de lucros. Lembre-se, a conta LUCRO serve a alguns propósitos:

1. Recompensa monetária para os proprietários do negócio.
2. Uma métrica para avaliar o crescimento.
3. Reserva de caixa para emergências.

Calcule o valor total de lucro na conta (não adicione porcentagens trimestrais de distribuição dos depósitos recebidos neste dia) e receba 50% do dinheiro como lucro. Os outros 50% permanecem na conta, como reserva.

Independentemente do dia em que começar a implementar o Lucro Primeiro, faça uma distribuição para o trimestre atual no primeiro dia do novo trimestre. Por exemplo, digamos que você decida implementar o Lucro Primeiro em 12 de agosto. Aloque suas várias contas a partir daquele dia. Então, em 1º de outubro, ou no primeiro dia do novo trimestre que faz sua contabilidade, distribua o lucro na conta LUCRO. Quer você inicie esse processo em 3 de julho ou 30 de setembro, o próximo trimestre ainda começa em primeiro de outubro; então distribua os lucros para o trimestre anterior naquele dia. Não importa quando começar a empregar o Lucro Primeiro; o que importa é adotar um ritmo trimestral.

Bem-vindo ao primeiro time. Agora você fará uma distribuição a cada trimestre, assim como faria em uma grande empresa de capital aberto. Essas empresas anunciam suas receitas trimestrais e depois distribuem uma parte dos lucros aos acionistas. E é exatamente isso que você vai fazer (veja como está "crescido"). Trimestralmente é um ótimo ritmo, por sinal. É um tempo longo o suficiente entre distribuições que você começa a esperar por elas, antecipando-as. Mas não é tão frequente que você as sinta como uma parte normal da sua renda pessoal.

---

[5] Algumas empresas preferem estabelecer trimestres fiscais que não coincidem com o ano-calendário. Neste caso, sincronize suas distribuições de lucro e outras atividades Lucro Primeiro para se ajustar ao seu ano fiscal. Em ambos os casos, consulte um profissional para decidir qual cronograma é mais adequado para sua organização.

A cada trimestre, você receberá 50% do que está na conta e deixará os outros 50%. Por exemplo, digamos que tenha economizado R$5 mil em sua conta LUCRO durante o primeiro trimestre de implementação do Lucro Primeiro. No primeiro dia do novo trimestre, você receberá R$2.500 como distribuição para os proprietários e deixará os outros 50% intactos.

No caso de sua empresa possuir múltiplos proprietários, o lucro distribuído é dividido com base na porcentagem de propriedade de cada acionista. De acordo com o cenário acima, se você possui 60% da empresa, outro sócio possui 35% e um investidor-anjo possui 5%, a distribuição seria de R$1.500 (para você, o proprietário de 60%), R$875 (para o sócio de 35%) e R$125 (para o investidor).

O segredo é: a distribuição de lucros *nunca* pode voltar para a empresa. Você não pode usar termos extravagantes como *retenção de lucros, reinvestimento* ou *crescimento*. Nenhum termo que usar disfarçará o fato de que está roubando de Pedro para pagar a Paulo. Sua empresa precisa gastar o dinheiro que gera em suas despesas operacionais. A retenção do lucro significa que você não está operando com eficiência suficiente para compensar as despesas operacionais. E se você devolver o lucro, não sentirá a recompensa muito importante da sua empresa ao servi-lo. Você estará libertando o monstro novamente. Por isso, sempre aproveite seu lucro a cada trimestre e use-o para seus próprios fins. É hora de celebrar!

Tempo de Celebrar!

Quando você recebe sua distribuição de lucros, o dinheiro deve ser usado apenas para uma finalidade: seu benefício pessoal. O lucro é sua recompensa por ter coragem de investir em seu próprio negócio. Use-o para o que *lhe* der alegria pessoal. Talvez você saia para um jantar agradável com sua família. Talvez se sinta feliz em construir uma fortaleza de dinheiro em seu fundo de aposentadoria. Talvez consiga aquele novo sofá incrível no qual está de olho. Talvez saia para aquelas férias tão sonhadas.

Nos 5 anos desde que Jorge e José começaram a implementar o Lucro Primeiro em seus negócios, eles tiraram várias férias dos sonhos — Bermudas, Europa, América Central, Austrália, Newark, Nova Jersey (O quê? Ah tá, é o chamado estado *jardim*) — e também proporcionaram essas férias para seus entes queridos. Esses caras sabem como celebrar!

"Antes de começarmos a usar o Lucro Primeiro em nossos negócios, estávamos um pouco perdidos e nos perguntamos quando a empresa decolaria e melhoraria nosso estilo de vida", Jorge me contou. "Eu não acho que alguém queira trabalhar apenas para pagar as contas. Você precisa de mais incentivo. Agora, no final do trimestre, estamos ansiosos para planejar o que vamos fazer com o dinheiro extra."

Seja o que for, você *deve* usar seus lucros em causa própria! Por quê? Porque é assim que você transforma o Frankenstein, aquele monstro que come dinheiro, em uma galinha de ovos de ouro que continuará lhe servindo e apoiando. A cada trimestre, a cada lucro que celebra, você se apaixonará cada vez mais pelo seu negócio.

Pague ao Leão

A cada trimestre, você também pagará suas estimativas fiscais trimestrais.[6] Seu contador provavelmente lhe dará estimativas de quanto deve em impostos a cada trimestre, que é quando deve pagá-los [o autor refere-se à legislação norte-americana; no Brasil a periodicidade é anual]. Você realmente reduzirá parte da dor no bolso ao pagar os impostos porque terá a cada trimestre embolsado lucros, além do seu salário.

Um Pequeno Passo

A cada trimestre você precisa avaliar suas porcentagens atuais e aproximá-las de suas PADs. Aumente qualquer porcentagem que quiser na direção de suas PADs, mas saiba que o objetivo é nunca dar um passo para trás. Prefiro que você dê um pequeno passo para perto de seu percentual de lucro pretendido do que um grande salto em direção a ele apenas para voltar atrás um mês depois.

Se você está ajustando e perfeiçoando seus percentuais de maneira conservadora, sugiro que contabilize 3% a cada trimestre. Significando que poderia mover sua conta LUCRO de 5% para 8%. Ou pode alterar sua conta IMPOSTOS de 11% para 12%, sua conta de LUCRO de 5% para 6% e sua conta de REM. DO PROPRIETÁRIO de 23% para 24%.

Se puder ajustar mais, vá em frente, não se acanhe. Lembre-se de que você não pode "desfazer suas porcentagens" porque isso prejudicará o novo hábito estabelecido. E não se esqueça, no começo do próximo trimestre fará tudo isso de novo. Pense no que você está fazendo por um segundo. Agora está distribuindo lucros trimestralmente, o que o obriga a encontrar maneiras de operar com mais

---

[6] Alguns proprietários de empresas, com base na estrutura de sua empresa, terão seus impostos retirados diretamente de seu cheque de pagamento. Neste caso, em uma base trimestral, a empresa "reembolsa" o proprietário da empresa pelos impostos que retirou automaticamente transferindo os montantes na conta de IMPOSTO SEGURO para os proprietários.

eficiência. Isso não é legal? Sua pequena empresa agora está fazendo a mesma coisa que os grandes mestres da indústria. Enquanto a Rádio Bloomberg fala sobre lucros trimestrais "mais altos do que o esperado" e distribuição aos acionistas por tal e tal empresa de capital aberto, você pode sorrir e sentir pena dos acionistas dessas companhias e das porções desprezíveis que eles recebem porque *você* possui *muitas* ações de sua própria empresa. Cara, como isso é bom.

ANO UM

Porque você está avaliando e se aproximando de suas Porcentagens de Alocação Desejadas (PADs), comemorando seu lucros e reavaliando suas despesas em um ritmo trimestral, não há nada de especial que precise fazer anualmente. A única coisa que precisa adicionar à sua gestão financeira no final do ano é a finalização de seus impostos.

Determine quanto você deve e quão longe estava em suas estimativas. Se deve mais do que tem em sua conta IMPOSTOS, algumas coisas provavelmente deram errado. Você provavelmente não economizou uma porcentagem grande o suficiente em sua conta de IMPOSTOS e/ou não checou trimestralmente com seu contador para ver como estava se saindo ao longo do ano com sua reserva de impostos. Se dever impostos no final do ano e não tiver dinheiro em sua conta IMPOSTOS, essa é a única vez que você pode acessar sua conta LUCRO por outro motivo que não seja a distribuição de lucros. Na verdade, é uma obrigação. Você não vai para a cadeia se não tiver lucros para distribuir aos proprietários, mas, nos EUA, irá para a cadeia se não pagar seus impostos. (A não ser que você decida fugir e brincar de "prenda-me-se-for-capaz" com a Receita Federal norte-americana, o que não recomendo. Nem a Martha Stewart conseguiu escapar.) Neste caso, pegue o dinheiro que você tem de sua conta IMPOSTOS e sua conta LUCRO para pagar os impostos. Em seguida, ajuste os percentuais em sua conta IMPOSTOS para garantir que terá o suficiente para o próximo ano.

Quando você ajustar sua porcentagem de IMPOSTOS, reduza sua porcentagem de lucro no mesmo valor. Sim, isso representa um golpe para seus lucros, mas no próximo trimestre você vai trabalhar para recuperá-los. A chave agora é ter certeza de que está totalmente preparado para os impostos.

Se tem muito dinheiro em sua conta de impostos, parabéns — você pode transferir esse dinheiro para sua conta LUCRO e obter uma distribuição de lucro. Você também pode reduzir sua PAD de IMPOSTOS e aumentar sua porcentagem de alocação de lucro no mesmo valor. Basta verificar primeiro com seu especialista financeiro.

Fundo de Emergência

À medida que seus lucros se acumulam em sua conta LUCRO, e você só recebe 50% como distribuição de lucros, o restante servirá de fundo de emergência. Você meio que se tornou seu próprio banco. Isso é uma coisa boa, mas muito dinheiro à mão pode ser um passivo (infelizmente, as pessoas gostam de processar "bolsos profundos"), e o dinheiro deve ser investido, não se permitir ficar sentado sobre ele mês após mês e ano após ano. Essa é uma análise simples do que fazer com seu fundo de emergência.

Lembra-se de quando, há pouco, mencionei a reserva de caixa ideal de três meses para seu negócio, do lugar onde deve manter dinheiro suficiente para tocar seu negócio por três meses se todas as vendas pararem bruscamente e nenhum outro centavo entrar? Bem, a conta LUCRO é onde essa reserva se acumula, apenas por essa circunstância. Se perceber que o dinheiro em estoque é superior a uma reserva de três meses, você sabe que esta é uma boa oportunidade para colocar o dinheiro de volta no negócio, para fazer alguns investimentos de capital apropriados que trarão muito mais crescimento e muito mais lucro, ou para financiar a conta do COFRE (isso é uma espécie de provocação para o que aprenderá daqui a pouco).

LUCRO PRIMEIRO É UM ESTILO DE VIDA

Jorge e José estão vivendo o sonho americano. Basta perguntar a eles — que dirão que estão definitivamente vivendo a vida que planejaram quando abriram as portas da Specialized ECU Repair. Se seguir os passos descritos neste livro, você também vai olhar para seu ano de Lucro Primeiro com admiração e apreço.

Quando eu estava encerrando meu telefonema com Jorge no outro dia, perguntei: "Você acha que vai abandonar o sistema?"

Houve uma pausa. (Tenho certeza de que era uma cheia de significado.) E então Jorge disse, em voz alta: "Do que você está falando? Não, por quê? Lucro Primeiro é um estilo de vida. Por toda a vida."

Um estilo de vida. Eu o amo.

"Depois de ter sua ideia para um negócio, o Lucro Primeiro deve ser a próxima coisa a fazer. Você tem uma ideia, se apaixona por ela, mas, no fim das contas, tem que sobreviver. É preciso ao menos satisfazer suas expectativas de que tipo de vida você quer viver."

Belas palavras, Jorge. Eu o amo mais do que você provavelmente acharia confortável. Enquanto você atinge a marca de receita de US$1 milhão, estou voando com minha esposa, Krista, para praticar kitesurf com você e desfrutar de algumas margaritas na maravilhosa cozinha de José, reformada com sua distribuição de lucros.

TOME UMA ATITUDE: PREPARE-SE PARA UM GRANDE ANO!

Passo 1: Inicie uma "lista de comemoração": crie ideias sobre como gastar a distribuição ao proprietário trimestralmente. Inclua pequenos prazeres e grandes indulgências. Coloque a lista em um local bem visível, para inspiração e motivação, e como lembrete quando o trimestre chegar e você se convencer de que há usos mais práticos para o dinheiro. Se um desses prêmios for uma viagem para se encontrar comigo em um evento e me contar sua história de sucesso com o Lucro Primeiro, isso seria muito legal. Mas se está me chamando para praticar kitesurf juntos, isso seria *muito mais l*egal.

Passo 2: Marque o décimo e o vigésimo quinto dias do seu calendário para sempre. Você precisará de cerca de cinco minutos para fazer o processo principal de verificação dos saldos de suas cinco contas fundamentais para ver em que situação está, fazer a alocação de recursos e transferir o LUCRO e os IMPOSTOS para as contas livres da tentação. Se tiver um contador, ele pode fazer as outras coisas, como pagar e conciliar contas, e aplaudi-lo por ser uma máquina de fazer lucros.

Capítulo 7

LIQUIDE SUA DÍVIDA

NÃO HÁ FÓRMULA MILAGROSA PARA SAIR DA DÍVIDA

Pobreza bem vestida ainda é pobreza. Só porque sua empresa está ganhando muito dinheiro não significa que tudo está indo bem para você. Muitos empreendedores acreditam que são as receitas que definem o sucesso e, assim, assumem uma postura de acordo. Basta a aquisição de um novo cliente para que o empreendedor expanda seu escritório. Surge uma grande venda e com ela um jantar chique. É como colocar o monstro de Frankenstein em um smoking e dançar e cantar "Puttin' on the Ritz" (aplausos para Mel Brooks). O monstro pode parecer ter tudo sob controle, mas não é verdade. Uma pequena falha — como quando o grande cliente decide não pagar suas faturas — e o monstro vai à loucura e tudo desmorona.

Lembro-me de que enquanto rascunhava a primeira versão de *Lucro Primeiro*, meu celular tocou. Era meu amigo Pete. Eu estava esperando essa ligação — tínhamos planos de jantar em Nova York naquele fim de semana, e como Pete é um residente da Big Apple, conhece os lugares mais badalados. Achei que ele estava ligando para confirmar os planos. A ligação não foi o que eu esperava.

"Sinto muito, Mike, eu não posso jantar este fim de semana", disse Pete, com a voz tensa.

"Poxa, mas que droga. Eu estava realmente ansioso por esse jantar. Mas não há problema, irmão. Vamos remarcar", respondi, já olhando em minha agenda. "O que está acontecendo? Vai estar fora da cidade?"

"É... mais ou menos. Bem, não", respondeu Pete. Então, ele suspirou e disse: "Eu, ahn... Estou sem dinheiro, Mike. Estou quebrado."

Pete explicou que seu banco havia cortado sua linha de crédito. Se não está familiarizado com essa experiência, funciona assim: você recebe uma linha de crédito rotativa do banco. É uma conta bancária que funciona como um cartão de crédito, na qual você pode sacar o máximo que quiser, até o limite de crédito, e pagá-lo ao longo do tempo. Contanto que você pague os juros e o valor mínimo todo mês, tudo vai bem.

Exceto por uma pequena regra desagradável nas letras miúdas que diz que o banco pode exigir o empréstimo integral a qualquer momento. Mesmo que pague todo mês o percentual mínimo mensal no prazo, mesmo que não esteja com um saldo devedor alto, o banco pode cancelar sua linha de crédito sem aviso prévio. E quando o banco notificar que está cancelando seu crédito, você tem apenas 30 dias para pagar cada centavo.

Pete recebeu o telefonema. Qual o valor de seu crédito? Um milhão de dólares. Qual o valor utilizado? *Um milhão de dólares.* Qual o montante em reservas de dinheiro de sua empresa que ele poderia utilizar? Zero. Desnecessário dizer que o jantar em Manhattan estava cancelado. Lutando para proferir as palavras, Pete perguntou: "Mike, você pode me ajudar? Eu seguirei sua liderança. Farei qualquer coisa. Se você me disser para correr pelado por aí, eu corro."

É claro que concordei em ajudá-lo a encontrar uma maneira de sair dessa dívida enorme. Correr nu pelas ruas de Nova York poderia chamar alguma atenção e me dar motivos para zombar dele pelos próximos anos, mas certamente não quitaria sua dívida (especialmente com as eventuais multas por atentado ao pudor). Então passamos duas horas ao telefone naquela noite, analisando o Lucro Primeiro em detalhes.

No começo, Pete estava confuso — por que eu estava falando de lucro quando ele estava no fundo do poço? Você pode estar se sentindo assim também. Eu entendo. É muito difícil pensar em lucro, quanto mais planejá-lo, quando sua situação é tão ruim quanto a de Pete. Você pode não ter um milhão em dívidas, mas aposto que, seja qual for o valor, o peso às vezes é o mesmo que de um milhão. Esse é o momento final de sobrevivência. Se você concentrar toda sua energia em pagar as dívidas, isso é tudo o que conseguirá. Você ainda será pego na armadilha do pensamento de que o que vale são as receitas, o que provavelmente resultará em mais dívidas.

Podemos rastrear quase todas as grandes mudanças em um momento crucial em que a dor de permanecer na mesma condição é maior do que o esforço de fazer a consciência dessa situação desaparecer. Chame isso de momento de virada ou de despertar, a escolha é a mesma. Você quer remediar a crise ou arrancar o problema pela raiz?

Quando a vida "cancela o crédito", nós agimos. O problema é que, na maioria das vezes, a ação é apenas uma reação, um foco estreito e direcionado na redução da dor imediata. Nós movemos céus e terras para nos salvarmos de um aperto, mas pensamos pouco em como criar mudanças permanentes. Por que tantas pessoas que perdem peso ganham tudo de volta (e mais alguns)? Porque assim que atingem seu objetivo, voltam aos antigos hábitos. Claro, as pessoas não querem beber litros de água e comer toranja todas as manhãs pelo resto de suas vidas, ou passar tanto tempo na academia que já está pensando em se mudar para lá. A dor de ser gordo desapareceu — qual é o sentido de se manter tão disciplinado?

Uma vez que a dor se foi, a ação que decidimos tomar nesse momento crucial desaparece. A toranja é substituída por jujubas de uva. A água se transforma em refrigerante. E a academia é esquecida. É de admirar que ao voltar o peso venha carregado de desejo de vingança? Afinal, sua mente agora sabe que você pode perder peso se quiser. Quem se importa se você ganha alguns quilos? Você sempre pode fazer uma dieta maluca de novo, certo? Talvez se inscrever em um daqueles programas de TV de obesos que contam como conseguiram emagrecer? E, é claro, sempre há "a cirurgia".

O que meu amigo Pete pretendia fazer era a mesma coisa com crise diferente. Ele teve o equivalente a um ataque cardíaco financeiro. Assim que seu grande momento chegou, ele se tornou um homem com uma missão — liquide imediatamente essa dívida! Suas ações (ou reações) foram o equivalente a uma dieta radical. Ele não estava pensando em como tornar seu negócio *permanentemente* saudável.

Se Pete conseguir sobreviver a essa crise usando o método dieta radical, quais são as probabilidades de que ele se encontre em uma situação semelhante — ou pior — daqui a alguns meses ou anos? As chances são altas — tão altas que eu diria que é uma aposta certa. Mesmo quando você e sua empresa estão endividados até os cabelos, é possível estabelecer o hábito de tirar seu lucro primeiro. Você ainda (e sempre) deve se pagar primeiro. Quando adquirir o hábito da saúde fiscal com base nesse sistema, corrigirá o problema de uma vez por todas. Crises financeiras serão uma coisa do passado, porque se alguém cancelar seu crédito, você terá o dinheiro para pagar a dívida.

Veja o que eu disse para Pete: "Se você tem dívidas, seja mil, um milhão ou outro valor, precisa acabar com ela de uma vez por todas ao mesmo tempo que lenta e sistematicamente gera lucro."

O sistema Lucro Primeiro que estou lhe ensinando manterá seu foco em um negócio supersaudável, operando na situação ideal para produzir produtos e fornecer serviços para clientes ideais. Esse foco manterá automaticamente seus custos baixos, permitindo que você pague suas dívidas mais rapidamente e em algum momento possa aumentar sua porcentagem de lucro. O ajuste é: ao distribuir os lucros, 99% do dinheiro vai para pagar dívidas. O 1% restante vai para recompensar a si mesmo. Dessa forma, a dívida é atacada de forma agressiva, mas você ainda fortalece seu hábito de Lucro Primeiro.

Em suma, se esperar para implementar o Lucro Primeiro depois de pagar sua dívida, é menos provável que consiga desenvolver as eficiências do negócio que a erradicarão permanentemente e criarão um fluxo de lucro perpétuo. Comece o hábito agora e, no devido tempo, aqueles 99% serão destinados à construção de suas reservas de caixa e distribuição de lucros aos proprietários.

DESFRUTE MAIS DE POUPAR DO QUE DE GASTAR

Eu estava zapeando na TV em um domingo de manhã quando vi Suze Orman explicando estratégia financeira pessoal para um grupo de cerca de 50 pessoas. No meio de sua palestra, ela parou, olhou ao redor da sala e disse: "A solução para a dívida é muito simples: se quer sair da dívida, precisa ter mais prazer em poupar seu dinheiro do que em gastá-lo."

Essas palavras acenderam uma lâmpada na minha cabeça. Larguei meu café e olhei pela janela. Suze continuou a falar, mas eu estava tão preso ao meu momento de deslumbramento que não ouvi nada. Apenas continuei repetindo o que ela disse sobre economizar versus gastar repetidas vezes em minha cabeça. *É isso*, pensei. A riqueza é um jogo de emoções. O sucesso nos negócios é um jogo de emoções. O Lucro Primeiro é um jogo de emoções. Tudo se resume à história que contamos sobre o que estamos fazendo. "O que estou fazendo me deixa feliz ou não?"

Quando algo o faz feliz no momento, você continua fazendo. Se os gastos o deixarem feliz, você gastará mais. E esse gasto pode estar relacionado a qualquer coisa, desde uma calça nova até uma nova contratação de mais uma montanha de dívidas. Se economizar o faz feliz, você vai buscar todas as oportunidades de economizar mais. Cupons, vendas, promoções — é o paraíso. Economizar 100% porque você eliminou totalmente a despesa? Nirvana!

Ouvindo Suze naquele dia, toda a motivação de "dor e prazer" de que Anthony Robbins falou durante anos finalmente fez sentido para mim. O momento da dor é o tapa na cara, quando você finalmente diz: basta. A dor lhe dá um grande empurrão. Para mim, o momento de dor foi minha filha empurrando seu cofrinho para mim, tentando salvar nossa família da ruína financeira absoluta. Para Pete, foi uma ligação do banco. Mas a dor só faz com que você tome medidas suficientes para sair da dor imediata. Então ela para de funcionar. Suze estava me ensinando a outra metade: o prazer. (Não faça isso. Não deixe sua mente se desviar. E... lá foi ela.)

A premissa é simples — evitamos a dor e somos atraídos pelo prazer, colocando uma ênfase significativa no momento e pouquíssima ênfase em longo prazo. A dor imediata faz a bola rolar, mas o prazer a mantém em movimento. Você provavelmente pegou este livro por causa da dor, e provavelmente verá resultados rapidamente porque seus esforços reduzirão a dor. Mas a única maneira de fazer com que isso funcione para sempre é receber um prazer imediato toda vez que coloca em prática seus novos hábitos. Assim como na academia, a dor de ver sua cinturinha de botijão no espelho só vai motivá-lo a se exercitar muito antes de decidir que não vale o esforço. A única maneira de transformá-la em um hábito constante é começar a curtir os treinos.

Sinta mais prazer em *não* gastar dinheiro do que em gastá-lo. Sinta mais prazer ao ver seus lucros aumentarem (não apenas sua receita). Sinta mais alegria quando sua porcentagem de lucro aumentar.

Ao optar por não gastar dinheiro, pare um momento para celebrar. Congratule-se. Faça uma dancinha feliz. Celebre toda vez que economizar, seja dez ou dez mil. Coloque sua música favorita e aumente o som, fique realmente feliz. Envergonhe seus filhos no shopping. Ora, passe vergonha. Com o tempo, você treinará sua mente para associar a felicidade e a celebração com a escolha de poupar dinheiro, em vez de gastá-lo.

PREPARANDO-SE PARA SEU PIOR MÊS

Nós empreendedores somos um grupo otimista. Temos que ser. É preciso muita coragem e mais do que apenas lentes cor-de-rosa para fazer o que fazemos. Esse otimismo atende nossos interesses até que deixa de nos beneficiar. A armadilha em que caímos é acreditar que nosso recente melhor mês é o nosso novo normal. Então, começamos a operar o negócio de acordo com esse "normal". Quando no mês seguinte, ou no depois dele, não cumprimos a meta, as coisas desmoronam e somos pegos de surpresa.

Para evitar comportamentos míopes, mas permanecer otimista, sempre observe sua renda média acumulada em doze meses (e números relacionados). Ao comparar os números, compare seu mês atual com o mesmo mês do ano anterior. Comparações e médias móveis lhe darão uma imagem muito mais clara de sua atual situação. Até seu melhor mês se tornar seu mês médio, ele não é a regra; é a exceção. Ao basear as decisões em seu melhor mês de receita, você ficará sem dinheiro — rapidamente. A dívida vai começar a se acumular. E você voltará à sua velha espera: "Venda mais — cresça, cresça, cresça!" Agir pensando que seu melhor mês é a regra infalivelmente vai mantê-lo preso na Armadilha da Sobrevivência.

Na verdade, os contadores têm uma piada interna sobre isso. Conversei com Andrew Hill e Gary Nunn, fundadores da Solutions Tax & Bookkeeping em Frisco, Texas, sobre os hábitos de consumo dos empreendedores, e eles me contaram uma piada interna de contadores. Sempre que um cliente discute com eles sobre algum dinheiro inesperado, inevitavelmente dirá: "Nem sei como gastaria todo esse dinheiro."

Todas as vezes, Andrew e Gary usam a mesma resposta: "Ah, você encontrará um jeito. E provavelmente vai descobrir ainda no próximo mês."

Talvez a piada interna não seja assim tão engraçada para você, mas é para Andrew e Gary. Eles ouvem os mesmos comentários de empresários o tempo todo e, em todos os casos, até o mês seguinte, o dinheiro acaba.

É por isso que as porcentagens são uma ferramenta tão valiosa. Como empresário, sua renda varia. Alguns meses são ótimos; alguns meses são ruins, e a maioria é média. Mas é um comportamento típico do empreendedor olhar para o melhor mês e dizer a si mesmo: "Este é meu novo normal" — e, em seguida, começar a gastar e fazer retiradas de acordo com isso.

As porcentagens são baseadas em resultados reais — o dinheiro no banco. Sem jogos, sem hipóteses, sem "Vamos compensar no mês que vem". As projeções são uma opinião. Dinheiro é um fato.

As porcentagens colocam uma quantia variável de dinheiro em suas diferentes contas, como a REM. DO PROPRIETÁRIO, todo 10º e 25º dia; e então você saca seu salário dessa conta com base no valor que alocou. Se tem mais dinheiro na conta do que o salário a receber, a diferença em dinheiro permanece e se acumula. Dessa forma, quando (note que eu não disse *se*) há um mês lento, o dinheiro se acumulou na conta REM. DO PROPRIETÁRIO e seu salário permanece consistente. Se o dinheiro na conta REM. DO PROPRIETÁRIO não for suficiente para pagar seu salário, você não poderá retirá-lo. Você precisa tomar uma decisão difícil sobre a redução de outros custos, e é melhor se esforçar para também aumentar a lucratividade com grandes clientes.

Dessa forma, como você prevê o salário do proprietário que sua empresa provavelmente consegue arcar? Olhe para seus três meses mais lentos e calcule a média deles. Essa é a menor receita que você provavelmente terá. Em seguida, determine a porcentagem dessa receita que será alocada para Rem. do Proprietário (35%, por exemplo, vezes a receita média mensal dos três piores meses). A cada trimestre, faremos um aumento salarial com base em quanto dinheiro está na conta salário e se o valor está se acumulando mais rápido do que estamos retirando. Aloque um valor que você possa razoavelmente retirar com base na sua média móvel de doze meses. Contanto que a conta acumule mais dinheiro ou permaneça estável, você estará recebendo um salário saudável (que sua empresa pode arcar de forma saudável).

O CONGELAMENTO DA DÍVIDA

Ensinei a você como garantir que sua empresa seja lucrativa imediatamente, desde o seu próximo depósito. Agora, vou lhe ensinar como parar imediatamente de acumular dívidas e liquidar todas as que possui atualmente. Eu chamo o método que você está prestes a aprender de congelamento da dívida. Ele recolocará sua empresa nos eixos por meio de uma liquidação rápida das dívidas acumuladas e um congelamento de novas dívidas, tudo isso ao mesmo tempo em que continua a praticar seu hábito do Lucro Primeiro.

Agora, não entre em pânico. Não estou pedindo para você vender tudo e se mudar para uma van na beira do rio. Nem estou pedindo para parar completamente de gastar. Isso pode prejudicar irremediavelmente seu negócio. Estou simplesmente pedindo que se comprometa com um congelamento de gastos que o liberte da dívida debilitante.

O objetivo aqui é cortar custos, não comprometer os negócios. Você pode demitir todo seu pessoal, encerrar seu site, recusar-se a pagar um centavo a qualquer um, se mudar para um furgão no rio com seu novo colega de quarto e aspirante a palestrante motivacional Matt Foley [um fictício palestrante motivacional às avessas, do programa de TV Saturday Night Live]... mas sua empresa vai falir. Você quer cortar a gordura de sua empresa, as partes que não estão gerando ou apoiando receita para sua empresa. Mas não quer cortar o músculo, a parte que deve ser feita para entregar seu produto ou serviço.

Para aqueles de nós que ficam felizes quando economizamos, o congelamento da dívida é uma festa rave. Eis os passos para começar sua festa. Você precisará apenas de uma caneta:

Imprimir e Assinalar Documentos

1. Imprima sua declaração de resultado atual para os últimos doze meses, bem como o relatório de contas a pagar, faturas de cartão de crédito, declarações de empréstimos e quaisquer outras relacionadas a dívidas e seus últimos doze meses de pagamentos feitos a partir de qualquer uma das contas bancárias de sua empresa. Se você não tiver uma demonstração de resultado pronta, basta reunir os outros documentos.

2. Vá linha por linha de cada despesa (passada e presente), mesmo se você não estiver incorrendo mais na despesa, e com a caneta marque com um L qualquer despesa que gere diretamente (L)ucro; S para qualquer des-

pesa que, embora necessária, possa ser (S)ubstituída por uma alternativa menos dispendiosa; ou D para qualquer despesa (D)esnecessária para entregar seu produto ou serviço.

3. Revise todas as despesas, incluindo salários, comissões e bônus para funcionários, aluguel do escritório, equipamentos, assistência médica, matéria-prima, sua assinatura do Office Spotify. *Tudo.* Se o dinheiro sai da empresa, precisamos classificá-lo como P, S ou D. Sei que essas coisas podem ser muito subjetivas, então seja rigoroso na análise. Além disso, considere ajuda externa para auxiliá-lo nesse processo.

4. Agora, circule qualquer despesa recorrente (mesmo que de valores diferentes), o que significa que acontecerá novamente pelo menos uma vez no ano seguinte ou com mais frequência, como mensal ou semanal. Para fins de esclarecimento, é por isso que categorizamos todas as despesas, incluindo as que você não incorre há algum tempo; elas são indicadores do que pode acontecer.

Agora, Vamos Fazer uns Cálculos

1. Some todas as despesas do ano. Isso inclui tudo o que você assinalou e/ou circulou. Exclua quaisquer pagamentos de impostos e distribuições de lucros ou de salários do proprietário. Agora, divida esse número por doze para determinar sua "base" mensal — o valor total que você decidiu que precisa cobrir em cada mês.

2. Determine a diferença entre sua despesa operacional mensal atual e o número que ela *deve ser* de acordo com sua Avaliação Instantânea. Por exemplo, se atualmente você tem R$52 mil em despesas mensais médias e sua Avaliação Instantânea determina que suas despesas mensais sejam R$30 mil, você precisa reduzir suas despesas operacionais em R$22 mil. Não justifique erros passados, chega de dizer: "Mas eu preciso de tudo." Você não precisa. Seu concorrente saudável e em ascensão descobriu isso. É preciso vestir sua roupa de gente grande e aceitar que gastou demais, e hoje é o dia em que vamos corrigir isso.

3. Elabore um plano para cortar as despesas até que esteja operando 10% abaixo do número-alvo de suas PADs para Despesas Operacionais na Avaliação Instantânea. O jeito mais fácil de tirar um band-aid é arrancando de uma vez. Comece cortando primeiro as despesas D. Em seguida, encontre maneiras de reduzir as despesas fazendo substituições ou encontrando alternativas. E avalie as despesas L para ver se você pode estruturar a despesa de forma mais favorável.

Mas por que trabalhar em um plano para cortar 10% além de nossas PADs de Despesas Operacionais? Porque quando você corta despesas, pode acabar percebendo que isso teve um efeito negativo em seus negócios e que não é possível substituir essas despesas por uma alternativa oportuna. Você pode precisar retomar algumas despesas. Chamo isso de despesa "bumerangue". Acontece — nós só precisamos nos preparar para isso.

Crie uma Equipe Mais Enxuta

Os custos de mão de obra são tipicamente um componente dispendioso da operação de qualquer negócio. Seus custos de mão de obra, quando totalizados, podem obter uma classificação de despesas L. Claro que você precisa de algumas dessas pessoas, mas provavelmente não de todas. Portanto, avalie seus custos de pessoal individualmente e divida-os em L, S e D.

Se a empresa está acumulando dívidas, é muito comum que o problema seja o custo muito alto da mão de obra. O problema com o corte de custos de pessoal é que nossas mentes rapidamente tentam defender e justificar por que as pessoas devem ficar: eu sou dono da empresa, não posso fazer o trabalho; preciso direcionar minha equipe para fazer o trabalho. Além disso, eles precisam de um emprego (o que é verdade); são parte integrante da empresa (provavelmente também é verdade); a empresa vai afundar sem eles (muito improvável); e se eu me livrar deles, não terei pessoas para fazer o trabalho (quase nunca é verdade).

Os empresários com excesso de pessoal ou tentaram se livrar do trabalho o mais rápido possível (eles gostam de pensar que são administradores agora ou, melhor ainda, precisam gastar quantias extraordinárias de tempo na "visão" corporativa), ou acreditam que os sistemas não são essenciais para um negócio (o que não é verdade). Você precisa deixar as pessoas irem embora. E tem que perceber que mudar de trabalhar no negócio para trabalhar para o negócio não é como ligar um interruptor. É gradual. Muitas vezes, o funcionário mais subutilizado em uma empresa com excesso de funcionários é você, o proprietário. É hora de você voltar a fazer o trabalho e, no futuro, faremos a transição lentamente de um para outro. Agora, voltemos à sua empresa com excesso de pessoal. Avalie cada pessoa e determine se o papel dela é essencial para que as operações continuem (não a pessoa, mas o papel). Se uma pessoa usa vários "chapéus" (por exemplo, seu recepcionista também é o vendedor interno?), analise se cada função é obrigatória para que as operações continuem.

Em seguida, avalie seus funcionários. Se eles não forem da categoria L, precisarão ser transferidos dentro da empresa para ajudar a torná-la mais lucrativa ou podem precisar ser removidos da empresa. Agora é hora de planejar as demissões. Antes de entrar nisso, quero que saiba que sei o quanto isso é devastador. Sei o quanto você vai querer resistir a fazer isso, porque *foi o que fiz*. Houve um dia em que tive de demitir 10 dos 25 funcionários de minha empresa. Foi o dia mais difícil da minha vida profissional. Tive de demitir quase metade da minha equipe, não porque tivessem feito algo errado, mas porque eu havia errado — administrei mal os números; contratei de forma rápida, frequente e desnecessária.

Eu também quero que você saiba que não importa o quão devastador isso seja, abrir mão de algumas pessoas é necessário. Tentar manter alguns funcionários que a sua empresa não pode arcar só a colocará para baixo, garantindo assim que *todos* os funcionários percam seus empregos. E quando você prioriza a demissão de funcionários com desempenho insatisfatório e pessoas que ocupam funções que não são essenciais para sua empresa, você não está apenas economizando o custo de manter essas pessoas; também está construindo uma infraestrutura mais eficiente.

Tenha em mente que, ao abrir mão dessas pessoas, você as está libertando para encontrar empregos mais adequados. Sim, é uma droga que você precise demitir pessoas que contratou de boa-fé, mas seria pior se as mantivesse em um emprego sem futuro. Sei disso por experiência própria. Hoje de manhã, procurei no LinkedIn os perfis das dez pessoas que tive de demitir naquele dia terrível. Todos eles têm empregos melhores hoje.

Ao fazer demissões, escolha uma segunda pessoa (talvez seu sócio de negócios, seu diretor de RH ou, se você não tiver ninguém internamente, traga seu advogado — esse é um dos poucos custos que vai querer manter) para observar as demissões e ajudá-lo a explicar a situação em sua reunião com cada funcionário. Com a aprovação de seu advogado, (1) explique o motivo da demissão para o empregado e (2) forneça o suporte que puder, como distribuir seu currículo ou mesmo [no caso dos EUA] oferecer alguma indenização.

Uma vez que todas as pessoas forem demitidas, convoque uma reunião com todos os funcionários remanescentes. Conte o que e por que fez isso. Explique como foi difícil fazê-lo e que você assume a responsabilidade pelo problema financeiro em que a empresa entrou, e por corrigi-lo. Assegure à sua equipe que todos os demais estão lá para ficar e que você tomou medidas para estabilizar imediatamente a empresa.

Jamais peça para as pessoas aceitarem um corte salarial. Fiz isso e sofri consequências terríveis. Pedir a todo seu pessoal para continuar trabalhando tanto ou mais do que nunca por menos dinheiro é pior para o bem-estar emocional de sua empresa do que deixar apenas mais uma pessoa partir. Quando fiz isso, o desânimo se instalou em toda a equipe. Quase metade de meus funcionários restantes começou a procurar um novo emprego em uma empresa mais estável. De repente, aumentaram os dias de licença por doença e um dos meus principais funcionários remanescentes decidiu aceitar um emprego em outro lugar.

Hora de Mais Cortes

Agora que a pior parte já passou, ligue para seu banco e suspenda quaisquer débitos automáticos de todas as suas contas, exceto qualquer despesa que tenha sido classificada como L. Depois, notifique seus fornecedores de que suspendeu os débitos automáticos e que a partir de agora pagará em cheque. Não estou sugerindo de forma alguma que deixe de pagar alguma obrigação. Apenas quero que esteja muito consciente de cada pagamento que faz.

Ligue para todas as suas operadoras de cartões de crédito e peça a emissão de um novo cartão com número diferente. Informe que nenhum pagamento sendo processado em seu antigo cartão seja transferido para o novo. (Muitas empresas de cartão de crédito fazem isso por você por conveniência, mas essa não é uma conveniência desejada.) Você precisa fazer isso porque seus cartões estão sendo fraudados — por você. Essa etapa suspenderá todas as cobranças automáticas. Em seguida, assim como fez na etapa anterior, notifique todos os fornecedores de que está cancelando as cobranças automáticas. Essa é uma maneira simples e eficaz de descobrir qualquer despesa que você tenha deixado quando as classificou como L, S e D.

Essas taxas recorrentes podem ser insidiosas. Caí na armadilha de uma mensalidade de associação de academia. Embora a visse em meu cartão de crédito e ela fosse de "apenas US$29" por mês, eu deixei para lá. Eu não estava mais indo à academia, mas dizia à mim mesmo: "Vou manter a mensalidade porque vou para a academia em algum momento deste mês."

Então, um dia, meu cartão de crédito foi substituído por causa de uma atividade suspeita. (Talvez minha empresa de cartão de crédito suspeitasse sobre como eu poderia ser um membro da academia por tanto tempo *e* um cliente tão regular do McDonald's.) No dia em que o cartão foi cancelado, o pagamento da mensalidade da academia parou.

Mas a história não termina aqui. Foi aí que percebi que não estava me exercitando o suficiente, então liguei para alguns amigos e comecei a treinar com eles. Um deles é sócio da mesma academia e pode levar um convidado gratuitamente uma vez por semana. Adivinha quem vai com ele? Hoje pratico exercício em média 50 vezes por ano na mesma academia, sem custo algum. E ele está se exercitando mais, também, porque tem um parceiro de treino motivado.

A questão é a seguinte: cortar custos é algo que é muito fácil de adiar para outro dia. É a síndrome *mañana* — faço isso amanhã. E para mim (e para você também, eu desconfio) os dias de adiar as coisas se acumulam até um ano ou mais com muita rapidez. Você será incapaz de continuar a adiar os cortes de custos simplesmente por reemitir seus cartões de crédito.

Veja o que você *pode* esperar por mais um dia: a compra que você planejava fazer hoje. Lembre-se da história sobre como perdi minha primeira fortuna tornando-me o Anjo da Morte? Você pode se lembrar de que, no final, todas as empresas em que investi, exceto uma, foram à falência. A única sobrevivente foi a Hedgehog Leatherworks. O proprietário, Paul Scheiter, é um cara incrível. Eu o considero meu melhor amigo.

Alguns anos atrás, em uma de minhas viagens para visitá-lo em St. Louis, Missouri, passamos por uma Home Depot a caminho de sua loja de artigos de couro. Quando passamos pela loja, Paul disse: "Ah, preciso de algumas coisas elétricas para o escritório." Então ele sorriu e continuou dirigindo.

"Por que não compramos?", perguntei. "Eu vou comprar", respondeu ele. "Só mais um dia."

No dia seguinte, passamos pelo mesmo Home Depot. Paul olhou para a placa, sorriu de orelha a orelha, depois desviou o olhar e seguiu em frente. Eu disse: "Não precisamos dos suprimentos elétricos?"

"Sim, com certeza. Só mais um dia."

Esse padrão continuou durante a semana inteira. No final da minha visita, quando Paul me levou ao aeroporto, perguntei por que ele ainda não havia comprado os suprimentos elétricos de que precisava. Foi quando ele compartilhou sua técnica do "só mais um dia".

Quando Paul precisa comprar algo, ele se desafia a ficar só mais um dia sem o item. Toda vez que ignora uma oportunidade de comprar o que precisa, ele fica empolgado. Ele se sente bem em ter conseguido aguentar mais um dia.

Às vezes, durante esse jogo, Paul descobre que não precisa mais do produto ou serviço que pretendia comprar. Esse jogo abre outras possibilidades e realmente testa o quanto você precisa de algo. Às vezes, você não consegue contornar o problema — precisa gastar dinheiro em algo porque realmente precisa. Mas, ao aguardar "só mais um dia", você não está apenas mantendo dinheiro operacional em sua conta por mais um dia; está dando a si mesmo mais um dia para encontrar alternativas.

1. Corte todas as despesas classificadas como D. Se duvida que pode realmente cortá-la, corte-a. Uma despesa é sempre fácil de adicionar de volta. Para as despesas S, é hora de negociar. Quando algo pode ser (S)ubstituído, o deixa em uma posição de força de negociação. E tudo pode ser negociado — seu aluguel, suas taxas de cartão de crédito e débito, faturas de seus fornecedores, sua licença de software, sua conta de internet, seu peso, sua altura, sua idade, tudo. Seu trabalho agora é entrar em contato com todos os fornecedores e reduzir seus custos da maneira mais significativa possível, sem prejudicar o relacionamento. Mas, antes de ligar, faça alguma pesquisa primeiro. Encontre fornecedores alternativos e mais baratos e esteja preparado para trocar pelas alternativas.

2. Comece negociando as despesas pequenas e necessárias. Você quer desenvolver suas habilidades de negociação[1]. Siga gradativamente até as despesas maiores. A negociação é todo um tópico à parte, mas, por enquanto, saiba que ser uma pessoa durona nem sempre é a abordagem mais eficaz. Estar informado, ser firme e disposto a ceder de modo que ambos os lados ganhem é o melhor método. O objetivo é obter os mesmos resultados a um custo menor. Isso não significa que precisa ficar com o item que tem um custo menor; você também pode encontrar alternativas — talvez uma coisa diferente, mais barata. Por exemplo, alguns hotéis cobram pela internet no quarto e outros não. Se você não conseguir que um hotel cancele ou reduza a tarifa de internet no quarto, use a senha do lobby e trabalhe lá.

3. Risque, usando um traço espiralado, cada despesa que for capaz de se livrar permanentemente. Em cada despesa que reduzir, risque-a com uma linha reta. Agora, some a economia total para ver se chegou ao seu número. Lembre-se de que a meta é 10% menos do que a PAD de Despesas

---

[1] Para desenvolver suas habilidades de negociação, comece negociando pequenas despesas (S)ubstituíveis primeiro. Mova-se gradativamente para as despesas maiores. A negociação é um tópico em si e sugiro que leia *Como Chegar ao Sim* de Roger Fisher, William Ury e Bruce Patton. Quer dizer, até que eu escreva meu próprio livro sobre o tema, aí sugiro que leia o meu.

Operacionais. Se você ainda não chegou lá, tudo bem. Nós retomaremos esse ponto. Por enquanto, trabalho feito. E se chegou à sua meta de redução de despesas sem surtar, digo que o trabalho foi *bem* feito. Respire por alguns momentos. Sinta o estresse das despesas avassaladoras deixando você. Este foi um dia difícil, mas ao concluí-lo, você se preparou para grandes lucros.

Agora você está pronto para expandir seus negócios de maneira eficiente.

Cortar custos é embaraçoso. Você tem uma reputação. Sempre paga pelo jantar ou dirige um belo carro. Você é o chefe "legal" que oferece festas e bônus de férias agradáveis. Mas, posso lhe garantir, o alívio que você sente quando conclui o congelamento da dívida é muito mais poderoso do que o embaraço que você tanto teme.

Não importa o tamanho de sua dívida, saiba que há uma saída. Mais do que isso, saiba que você não é a primeira pessoa a estar nessa situação. Muitas pessoas se recuperaram de situações financeiras terríveis e o segredo para fazer isso está em suas mãos.

A nova definição de sucesso não envolve ter a maior receita, o maior número de funcionários ou o maior espaço de escritório, mas sim o maior lucro, gerado pelo menor número de funcionários e com o espaço de escritórios menos caro. O jogo da vitória deve ser baseado em eficiência, frugalidade e inovação, não em tamanho, estilo e aparência. Estamos em uma missão para mudar a perspectiva dos negócios de sucesso, de "fazer muito" para "economizar muito". Estamos em uma missão para erradicar a pobreza empreendedora, e para conseguir isso, o Congelamento da Dívida é sempre adequado.

SE VOCÊ DEVE UM MILHÃO AO BANCO

Há um ditado no setor bancário: "Se você deve mil dólares ao banco, é problema seu. Se deve um milhão de dólares, é problema deles." Lembra-se do Pete? Depois de nossa ligação, ele criou uma conta LUCRO, cortou despesas como louco e ligou para o banco. Quase tudo é negociável, e quando você deve US$1 milhão a um banco e não tem como pagar, eles ouvirão suas ideias. Pete elaborou um plano de pagamento muito factível e, dentro de três meses, já havia liquidado 5% da dívida e obtido lucro. E ele se juntou a um grupo de responsabilização. O meu. Nós controlamos um ao outro há muitos anos, e embora eu tenha prometido confidencialidade sobre o progresso de Pete, deixe-me apenas dizer isto: tem sido gigantesco.

Pete estava, compreensivelmente, arrasado quando me ligou naquela noite muitos anos atrás. Hoje ele é o epítome da confiança. E fez isso implementando o poder de pequenas ações, uma série de pequenos passos consistentes que trazem grandes resultados.

Pete está longe de ser o único que conseguiu pagar uma dívida de US$1 milhão usando os princípios do Lucro Primeiro. Quando eu estava terminando a revisão deste livro, recebi uma carta de Jesse Cole, proprietário do Savannah Bananas, uma equipe de beisebol da Liga Secundária Minor. Jesse incluiu seu cartão de beisebol; na foto ele vestia um terno amarelo-banana. Fiquei empolgado. Jesse é claramente o meu tipo de gente.

A carta de Jesse explica que ele havia lido *Lucro Primeiro* havia um ano e, seguindo o sistema, levou sua franquia para um novo nível. Como eu só tinha mais quatro dias para entregar meu livro para a editora, liguei para Jesse para uma entrevista. Eu tinha que incluir sua história em meu livro. Lucro Primeiro salvou um time de beisebol? Isso é mais do que uma bela proeza. Tenho muito orgulho agora só de pensar nisso.

Como proprietário de duas equipes, o Savannah Banana e o Gastonia Grizzlies, Jesse as revitalizou, mudando o foco para o entretenimento. Enquanto a maioria dos proprietários de equipe consideravelmente mais velhos trabalha na construção de melhores times de beisebol, Jesse mudou as metas para que a equipe não apenas jogasse beisebol; ela também entretinha os fãs. Ele trouxe um coreógrafo para ensinar danças para os jogadores executarem no campo entre os intervalos do jogo. Organizou concursos de beleza para avós e trouxe comidas interessantes, incluindo todas as variações que você possa imaginar para bananas: fritas, assadas, cozidas, amassadas, fatiadas e cortadas em cubos. Em alguns meses, a franquia deixou de ocupar talvez duzentas cadeiras para vender quatro mil lugares.

A essa altura, Jesse e sua esposa optaram por sair de uma dívida de mais de US$1 milhão, que haviam acumulado em apenas dois anos.

"Nós pensamos em nossa qualidade de vida, o estresse que estávamos sofrendo, o fato de termos apenas algumas horas de sono por noite, e decidimos usar o sistema Lucro Primeiro para nos livrarmos de nossas dívidas", explicou Jesse. "Funcionou. Nós pagamos uma boa parte, e dentro de dois anos teremos pagado US$1,3 milhão para os antigos proprietários dos Grizzlies e dos Bananas. Nós seremos 100% livres de dívidas."

Agora, quero parar e explicar um forte argumento para escolher a lucratividade mesmo quando você tem dívidas. Na verdade, quando você tem dívidas, precisa ser mais lucrativo do que nunca. Algumas pessoas dizem que não podem ser lucrativas até que estejam sem dívidas, mas isso não é verdade. A única maneira de sair da dívida é ser lucrativo. A dívida se acumula porque você tem mais despesas do que dinheiro para pagar por elas, então faz empréstimos. Recebe um empréstimo, uma linha de crédito, uma pilha de cartões de crédito de plástico reluzente. E, no entanto, a única maneira de ter mais dinheiro do que está gastando atualmente é ser rentável.

Para ser claro, Jesse e sua esposa dirigem duas lucrativas franquias de beisebol. A distinção aqui é que eles estão usando sua distribuição de lucros para erradicar sua dívida. Eles não estão gastando além de suas possibilidades. Na verdade, eles estão colhendo talvez o maior benefício do Lucro Primeiro — a inovação por necessidade. Por exemplo, a maioria dos clubes de futebol adquire automaticamente um sistema de bilheteria que gira em torno de US$30 mil para a temporada, além de comissões para a empresa por cada ingresso vendido. Embora tivessem dinheiro para seguir o *status quo*, por serem empreendedores Lucro Primeiro sabiam que precisavam encontrar uma alternativa ao caro sistema de bilhetagem. "Acabamos comprando cem mil bilhetes impressos em forma de banana por US$6 mil", disse Jesse. "Eram fáceis, são tradicionais e custavam uma fração do outro sistema." Os ingressos servem para outro propósito — são souvenirs. O máximo em inovação é extrair mais benefícios de recursos menos caros.

Para cada despesa, Jesse se pergunta se ela se encaixa com a identidade de marca — entretenimento com beisebol — e se ele realmente precisa dela. Se realmente precisar, ele encontra uma maneira de negociar, ou consegue um belo desconto.

O sucesso de Jesse é excelente — através de sua inovação e engenhosidade, ele resgatou duas franquias de beisebol em dificuldades. Se, como Jesse, a redução da dívida for seu principal objetivo agora, então, pelo menos, pegue uma pequena parte dos lucros para si mesmo. A maioria da distribuição de lucros servirá para liquidar a dívida, mas uma pequena parcela (1%) será sua recompensa. Talvez na forma de uma deliciosa banana split.

MENOS ESFORÇO, MAIS RESULTADOS

Você também deve utilizar o poder de pequenas ações. Qual é o maior resultado com o mínimo de esforço? Quando se trata de consertar as coisas, precisamos construir um ímpeto emocional. Semelhante a ir à academia. Se você voltar para a academia pela primeira vez em dez anos e se exercitar como um louco, pode se sentir bem naquele primeiro dia; mas dentro de um dia ou dois, estará tão exausto e tão dolorido que provavelmente nunca mais voltará lá. O ímpeto raramente ocorre após um esforço louco. Ele se desenvolve devagar, mas de forma incessante. Ações pequenas, repetitivas, contínuas e encadeadas constroem um ímpeto significativo (digamos, dez vezes mais rápido).

Em seu extraordinário livro, *The Total Money Makeover* [sem tradução em português], Dave Ramsey explica a bola de neve da dívida. É contrário à lógica, mas joga exatamente com a psique de todos nós seres humanos. Ramsey nos diz que a lógica diria para pagar nossas dívidas com as taxas de juros mais altas primeiro, mas isso não gera um ímpeto emocional. É liquidar qualquer dívida que lhe dá uma sensação de ímpeto e recarrega suas energias para enfrentar a próxima. Ramsey explica que você deve classificar todas as suas dívidas da menor para a maior, independentemente das taxas de juros. Somente quando duas dívidas forem equivalentes, a que tiver a maior taxa de juros será paga primeiro.

Ramsey nos diz para pagar apenas o mínimo em todas as dívidas, exceto a que está no topo da lista — a menor. Em seguida, coloque todo seu poder financeiro para aniquilar a primeira dívida o mais rápido possível. Uma vez que a primeira dívida seja eliminada, em seguida, enfrente a próxima na lista, adicionando ao pagamento mínimo o dinheiro que estava usando para pagar a primeira dívida. Uma vez que a segunda dívida for paga, vá para a próxima, adicionando todo o dinheiro que estava sendo usado para pagar a segunda dívida para o mínimo da terceira. Veja como a bola de neve cresce. E veja como o seu entusiasmo e empolgação com a liquidação da dívida aumenta. Você terá cada vez mais prazer de não gastar do que antes tinha em gastar. Suze e Dave estariam muito orgulhosos de você.

Mas o truque para o método de Ramsey, e o de Suze, e o meu (e qualquer um com um pingo de sanidade) é o seguinte: você não pode acrescentar novas dívidas à medida que salda o débito. Isso é apenas trocar dinheiro, pagar uma dívida enquanto cria outra. Você precisa fazer o Congelamento da Dívida primeiro. E depois a destrua, de uma vez por todas.

TOME UMA ATITUDE: ACABE COM A DÍVIDA!

Passo 1: Comece o Congelamento da Dívida. Interrompa todos os pagamentos recorrentes e cancele tudo de que não precisa. Faça o que for preciso para reduzir sua "base mensal" em 10% menos do que sua Avaliação Instantânea sugere que deveria ser.

Passo 2: Use 99% de sua alocação de lucro para aniquilar sua dívida. Com o 1% restante, você ainda precisa comemorar. Sei que não parece muito, mas você ainda pode se recompensar. Mesmo que esteja endividado com a dívida que está liquidando, ainda precisa comemorar durante o processo, e uma distribuição de lucros em dinheiro para você, por menor que seja, o ajuda a fazer isso.

Passo 3: Comece a bola de neve da dívida. Pague sua menor dívida pendente primeiro. Ao eliminar cada cobrança de pagamentos recorrentes, use os pagamentos liberados para lidar com a segunda menor dívida.

Capítulo 8

ENCONTRE DINHEIRO DENTRO DA EMPRESA

Sua empresa tem mais dinheiro do que você imagina. Você simplesmente não sabe onde encontrá-lo. *Ainda.*

Depois de proferir uma palestra sobre o sistema Lucro Primeiro, fui convidado para um jantar com os membros do conselho da Vistage, uma organização para empresários, presidentes e executivos; eles se autodenominam a Organização Líder de Diretoria Executiva do Mundo. Era uma situação inusitada porque, em vez de ficar diante de algumas centenas de pessoas, falando por 60 minutos e depois sair do palco, agora eu estaria sentado em torno de uma mesa redonda por algumas horas para responder a uma série de perguntas sobre Lucro Primeiro.

Um executivo, o único consultor da mesa, afirmou por que acreditava que o sistema Lucro Primeiro não funcionaria. Para proteger o nome dele, vou chamá-lo de Sr. Errado. Ele usou de todos os absurdos argumentos clássicos. "Se você não tem lucro, não pode de repente começar a retirá-lo", retrucou Sr. Errado, olhando em volta da mesa em busca de aprovação. "O lucro tem que ser o resultado final", argumentou ele. "As startups não podem economizar nos gastos se quiserem crescer." Blá. Blá. Blá. Errado. Errado. Errado. Esse último mito realmente me irrita, porque é esse tipo de pensamento que impede que os empresários não apenas não se beneficiem de seu trabalho árduo e engenhosidade, mas também prejudica o crescimento.

Então, outro cavalheiro — vou chamá-lo de Sr. Inovador — teve um momento de iluminação e, sem pensar, disparou: "Divida o caminhão. Divida o caminhão. Divida o caminhão." Todo mundo olhou para ele como se ele estivesse maluco, e então ele explicou.

"Eu criei uma empresa de US$50 milhões aplicando minha versão de Lucro Primeiro." O Inovador explicou que sua empresa fornecia óleo para dois tipos principais de lojas: empresas que armazenavam centenas de litros de cada vez, como a Jiffy Lube, e lojas de varejo que vendiam recipientes de um litro, como o Walmart. Eles entregavam o óleo usando dois tipos de caminhões: um tanque para entregar nas lojas tipo Jiffy Lubes e um caminhão de carga para entregar no Walmart. Quase todos os aspectos de seus negócios foram duplicados. Dois caminhões, dois motoristas, duas equipes de atendimento ao cliente — dois de tudo.

"Os custos eram altos demais. Nós mal sobrevivíamos", disse ele.

O Sr. Inovador sabia que precisava cortar custos para atingir suas metas de lucratividade. Então, ele se desafiou a reduzi-los em pelo menos um terço, ainda servindo ao mesmo número de clientes. Constantemente ele se questionava: como podemos continuar fazendo o que estamos fazendo por um terço do custo?

Então, um dia, a resposta surgiu. "E se pegássemos um caminhão baú e o dividíssemos ao meio?", contou. "Um lado para um tanque e o outro lado para carga." Agora, sua empresa poderia fornecer óleo para as Jiffy Lubes e os Walmarts do mundo usando um tipo de caminhão, operado por um motorista. O Sr. Inovador colocou a ideia em prática e acabou superando seu objetivo, cortando as despesas *quase pela metade*. Essa mudança simples permitiu que ele expandisse seu negócio em dificuldades para uma empresa de US$50 milhões com um resultado positivo.

O Sr. Errado não disse mais um "a". E o Sr. Inovador pagou a conta para todos na mesa com um sorriso.

O dinheiro está em toda parte[1]. O dinheiro sempre pode ser encontrado através de modernização e inovação, e isso começa com as grandes perguntas. As perguntas impossíveis. As perguntas que ninguém mais ousaria fazer. Ninguém mais além de você.

---

[1] "O dinheiro está em toda parte." Eu mesmo não acreditava nessa afirmação até que conheci Becky Blanton. Compartilho sua história no livro *Surge*.

É MAIS INTELIGENTE CAVAR UM POÇO DO QUE FAZER CHOVER

Ainda não conheci um empreendedor que nunca quis contratar alguém que faça chover, aquele vendedor mágico que, assim como as empresas que dizem que podem lhe dar acesso à fortuna não reivindicada de sua bisavó Sally, salvará o dia trazendo grandes vendas atrás de grandes vendas. Isso sem falar que nós, os proprietários e líderes que amamos nossas empresas e o que fazemos, somos os mestres dos fazedores de chuva; é essa abordagem de "linha superior" [ou seja, receita] para resolver uma crise de fluxo de caixa que atravanca o desenvolvimento das empresas. Acionar a equipe de vendas para "fazer chover" não ajudará sua empresa se não houver implementação de eficiência, pois, em última análise, qualquer receita de um novo cliente gerada terá os custos correspondentes. E esses provavelmente não serão considerados.

Se quiser aumentar a lucratividade (e é melhor que você queira fazer isso), é preciso primeiro criar eficiências. Concentrar-se apenas no aumento das vendas é como montar algumas cisternas perto de sua casa e fazer uma dança da chuva frenética vestindo tanga e cocar, ignorando uma enorme fonte de água debaixo de seus pés.

Tomemos como exemplo o estado norte-americano de Idaho. Os moradores do estado desfrutam de uma média de 431 milímetros de chuva por ano, 508mm abaixo da média nacional. Assim, 95% do suprimento de água do estado vem do subsolo. O Rio Big Lost, com 217 quilômetros de extensão, coleta água das Montanhas Rochosas enquanto serpenteia por Idaho e depois desaparece no subsolo. As águas do Rio Big Lost, do Rio Snake e de outras fontes subterrâneas de água se acumulam no Aquífero do Rio Snake, que mede 643 quilômetros de largura. Isso é água suficiente para atender a maioria das necessidades agrícolas de Idaho, de modo que a batata proveniente de Idaho existe graças a um abastecimento de água subterrânea, e não pela dança da chuva que os moradores locais aprenderam na internet (embora eles saibam chacoalhar os esqueletos muito bem).

Por que você deveria se importar com Idaho e seus lagos subterrâneos? Porque 95% da lucratividade de sua empresa depende do que acontece abaixo da superfície (depois das vendas), e não do que acontece a céu aberto (as vendas em si). E é o que está acontecendo no "subterrâneo" que o ajudará a "encontrar" muito dinheiro.

ESPREMA O LUCRO

Há alguns anos me pediram para dar uma palestra no Global Student Entrepreneur Awards em Washington, D.C., na qual os principais empreendedores universitários de todo o mundo se reúnem e são reconhecidos por seu incrível impacto. No café da manhã do evento, acabei me sentando ao lado de Greg Crabtree. Greg é o autor de *Simple Numbers, Straight Talk, Big Profits!* [sem publicação no Brasil]. Ele chamou minha atenção imediatamente, ao conversar com outro cavalheiro em nossa mesa sobre futebol americano universitário. Entrei na discussão futebolística deles e, em pouco tempo, a conversa derivou para empreendedores e lucratividade. Lembro-me de pensar: "Espere — estamos falando de futebol universitário *e* lucratividade. Deus existe!"

Depois de Greg repetir algumas informações que ele compartilha em seu livro sobre como maximizar a lucratividade, perguntei: "Existe algo como lucro demais? Há um limite?"

"Você sempre quer expandir o lucro", respondeu Greg. "Na verdade, isso é necessário, porque existem forças externas que continuamente tiram sua lucratividade — a concorrência. À medida que você encontra maneiras de aumentar a lucratividade, ou não, sua concorrência está fazendo o mesmo. Todos estão tentando se tornar mais lucrativos. E conforme as empresas se tornam mais lucrativas, a pressão competitiva se instala e os preços caem para atrair mais clientes.

"Quando você descobre como dar um grande salto na lucratividade, a concorrência também o fará, e é só uma questão de tempo antes de ela fazer a mesma coisa. Então alguém derruba os preços para conseguir mais clientes, e todos os outros, incluindo você, têm que fazer o mesmo para permanecer no negócio. É assim que os lucros são espremidos."

Todos já vimos repetidas vezes esses fenômenos descritos por Greg. Pense nos televisores de tela plana, por exemplo. Eles se tornaram comercialmente populares no início dos anos 2000, mas ainda eram um item de luxo até por volta de 2005, quando o custo das TVs de tela grande começou a cair 25% por ano. No final da década, os fornecedores haviam baixado os preços de forma tão significativa que parecia que os varejistas os estavam praticamente doando. Assim, como a fabricação de televisores ficou cada vez mais fácil, os lucros aumentaram, mas apenas por um curto período de tempo. Não demorou muito para que todos começassem a baixar os preços novamente para capturar a demanda, até o ponto em que agora parece que um varejista precisa pagar para você aceitar um modelo de tela plana pequeno ou do ano passado. James Li, executivo-chefe da Syntax Groups Corporation, fabricante da marca Olevia de televisores de tela plana, disse que se os concorrentes "forem para US$3.000, eu vou para US$2.999".

O lucro é um animal escorregadio. Quando as margens de lucro são grandes, geralmente acima de 20%, as pessoas percebem quase que instantaneamente e começam a imitar o que você está fazendo, e procuram maneiras de fazê-lo melhor, mais rápido e, acima de tudo, mais barato do que sua empresa. Não estou, de forma alguma, dizendo que você deveria parar de investir em eficiência e, assim, (temporariamente) aumentar o lucro. Estou dizendo que mesmo que ache que é bom com lucro, você não é. A concorrência acabará apertando, e logo você continuará buscando maneiras de fazer o que faz, melhor, mais rápido e mais barato. O bom disso é que, à medida que mantém sua porcentagem de alocação de lucro consistente, você será automaticamente forçado a encontrar maneiras de fazer isso acontecer. Por exemplo, quando a concorrência se instala e os preços caem, sua alocação de lucro sentirá a pressão, o que significa que é hora de inovar mais uma vez.

O DOBRO DO RESULTADO COM METADE DO ESFORÇO

A essa altura você descobriu que se concentrar apenas no pensamento da linha superior (vendas, vendas, vendas!) não gera lucratividade. Na verdade, mais vendas, sem eficiência, levam a mais ineficiência. Em outras palavras, mais vendas o tornam menos lucrativo. É um círculo vicioso. Assim, você pode precisar desacelerar ou suspender suas vendas enquanto procura novas eficiências — antes de poder se concentrar nas vendas, você deve primeiro adotar a Eficiência Básica. Lembre-se da analogia da pasta de dente? Pense nesse processo como se estivesse trocando seu tubo de creme dental de tamanho normal por um desses tubinhos de tamanho de viagem. Como vai fazer com que a pasta dure mais? Lembre-se, a Lei de Parkinson é sua aliada. Um tubo cheio de pasta de dentes pode durar quatro semanas, assim como um tubo que está quase vazio. Tudo que você precisa é do equilíbrio entre frugalidade (usar conservadoramente) e inovação (torcer, girar e espremer suas ideias) para conseguir o que ninguém mais considerou antes.

A eficiência aumenta suas margens de lucro ou a quantidade de dinheiro que ganha como lucro em cada produto ou serviço que oferece. O aumento das margens de lucro aumentará os lucros de sua empresa sem a necessidade de aumentar as vendas. E então, quando você reativar a máquina de venda (o que trataremos mais adiante), os lucros decolarão. Portanto, o método é simples: alcançar maior eficiência primeiro, depois vender mais, melhorar ainda mais as eficiências e depois vender ainda mais. Com o passar do tempo, acelere o ritmo entre a eficiência e a venda até que as duas ocorram simultaneamente.

Tornar sua empresa mais eficiente é mais do que apenas vetar coffee breaks e sublinhar despesas. Para explorar o fluxo de lucros correndo logo abaixo da superfície de sua empresa, você precisa olhar para a eficiência em todos os aspectos de seu negócio. Servir os mesmos tipos de (ótimos) clientes com problemas iguais ou muito semelhantes e aperfeiçoar suas soluções para que possa usá-las consistentemente para corrigir seus problemas são dois caminhos de eficiência. Você quer dobrar o número de melhores clientes, aqueles que têm uma necessidade consistente; e, por sua vez, reduzir para o menor número possível a variedade de coisas que faz a fim de melhor atender às necessidades de seus melhores clientes. Pense no McDonald's. Essa empresa é uma máquina lucrativa porque alimenta pessoas famintas — que não se importam, pelo menos no momento, com a saúde tanto quanto com a fome — com alguns produtos: batatas fritas, hambúrgueres e frango empanado. O menor número de coisas que você pode fazer repetidamente para atender a uma necessidade essencial do cliente — isso aumenta a eficiência.

Quero que você defina uma meta enorme para si mesmo. Observe cada aspecto de seu negócio e determine como obter o dobro dos resultados com metade do esforço. Isso é uma coisa importante, então vou dizer de novo:

Como você consegue o dobro do resultado com a metade do esforço?

O esforço é o custo financeiro e o custo do tempo (seu tempo, o tempo de seu pessoal, o tempo de seu software, o tempo de sua máquina). Por exemplo, se você possui uma empresa de limpeza de neve e atualmente limpa um estacionamento por hora, peço-lhe para descobrir como limpar dois estacionamentos (o dobro do resultado) em 30 minutos (metade do tempo).

Seu primeiro pensamento pode ser: "Fácil para você dizer! Isso é impossível, Mike! Você não conhece meu negócio! Está maluco!" Não estou ofendido pela crítica, nem mesmo daqueles que o fazem sem sequer abrir o livro, porque sei que a maioria dos pessimistas está de fato com medo. Talvez você esteja com medo também. Talvez tenha feito sacrifícios pessoais pela sua empresa, sacrifícios que talvez não possa mais justificar, porque você *terá* tempo para sua família e seus amigos. Talvez você tenha medo de que fazer mais em menos tempo torne seu papel menos significativo. Ou, quem sabe, está preocupado com o fato de seus clientes não quererem pagá-lo tanto se parecer que você é capaz de fazer mais com menos.

Seja qual for o motivo, se acredita que é impossível aumentar a eficiência dessa forma, acaba preso no modo "deixe que o outro cara descubra". O problema, meu amigo, é que o outro cara *vai* descobrir. É só uma questão de tempo.

Se você disser: "Hmm... Deixe-me pensar sobre isso. Deixe-me encontrar um caminho", você colocará sua empresa no caminho para a lucratividade exorbitante. Por quê? Porque a inovação ocorre em pequenos passos, grandes saltos e de todo jeito. Dobrar os resultados com metade do esforço é um grande objetivo que força o pensar grande, e envolve pequenos e grandes progressos — tudo isso vai para a lucratividade.

Fazer mais com menos recursos teve um impacto significativo em meus negócios. Sou muito ativo na Hedgehog Leatherworks, e empregar o Lucro Primeiro desencadeou graus de inovação que suspeito fortemente que ninguém mais na indústria do couro jamais alcançou. Perder nossa capacidade de comprar o equipamento tradicional e caro usado na indústria do couro nos obrigou a encontrar novas formas mais baratas de obter os mesmos (e, em muitos casos, melhores) resultados. É incrível o que você pode fazer quando está vasculhando o Home Depot, o Hobby Lobby e os ferros-velhos por aí para *fazer* o que você precisa. (Um pouco de fita adesiva faz milagres, meu caro.) Inventamos novos sistemas que alcançaram melhores resultados que os padrões da indústria a 1% do custo. Por ter aplicado o sistema Lucro Primeiro, fizemos centenas de inovações — ajustes, novas ideias, sistemas novinhos em folha e tudo mais — tudo porque *precisávamos*. Meu editor pediu detalhes sobre o que descobrimos, mas como nosso processo é protegido por direitos autorais, tive que deixá-lo na mão. Desculpe, Kaushik — não quero que você abandone o setor de livros para começar um negócio de couro concorrente!

A maioria dos empreendedores se concentra apenas em pequenas melhorias — "Como faço isso alguns minutos mais rápido?" Perguntas pequenas geram apenas respostas pequenas. Você quer as melhorias incrementais e as descobertas revolucionárias, e encontrará as duas fazendo as grandes perguntas.

O ato de limpar a neve de um estacionamento cinco minutos mais rápido não causará muito impacto em seus resultados. Assim como pular o coffee break ou "segurar" quando você precisa ir ao banheiro.

Porém, quanto mais você se concentrar em melhorar substancialmente a eficiência, como um limpador de neve capaz de remover a neve duas vezes mais rápido, mais perto conseguirá chegar do dobro do resultado com metade do esforço. E descobrirá todos os pequenos passos que coletivamente o aproximam da grande vitória. Esse ganho de eficiência é ampliado quanto mais você vende. Esse é o poder das porcentagens. Como você agora limpa cada estacionamento com mais eficiência, cada novo cliente é uma oportunidade para aumentar o lucro.

Lembra-se do Sr. Inovador? Ele perguntou: "Como posso cortar custos em um terço e ainda atender a mesma quantidade de clientes?" *Divida o caminhão. Divida o caminhão. Divida o caminhão.*

Eis outra história sobre caminhões: você sabia que os caminhões da United Parcel Service (UPS) quase sempre viram à direita? Em 2006, a UPS ousou fazer a pergunta de eficiência sobre os custos de combustível. Ela descobriu que quanto menos tempo os motoristas da UPS passassem nas faixas de rodagem à esquerda, menos combustível consumiam esperando o sinal para cruzar o tráfego, e menos tempo ocioso tinha cada motorista. A UPS agora está experimentando uma economia de US$6 milhões por ano com a mudança.

A empresa do "caminhão marrom" não parou com a primeira descoberta de eficiência. Da próxima vez que você vir um motorista entregando um pacote, olhe para ele e tente localizar suas chaves. Deixe-me dar uma dica: elas não estão no bolso (aquilo é uma banana).

Os motoristas da UPS descobriram que, quando voltavam para o caminhão, perdiam as chaves nos bolsos, o que lhes custava de 5 a 10 segundos (ou mais) cada vez. A UPS descobriu que é mais eficiente manter suas chaves penduradas em seus dedos mindinhos. Agora, um motorista da UPS faz um rápido movimento do pulso e as chaves estão na mão. Multiplique isso, economizando de 5 a 10 segundos em 50 paradas por dia e 5 zilhões de motoristas e você terá uma economia muito grande de fato.

E eles não pararam por aí também. A UPS também descobriu que poderia economizar milhões lavando seus caminhões uma vez a cada dois dias, em vez de todos os dias. Com o tempo, isso lhes proporcionou uma enorme economia de tempo, energia e água — e os caminhões pareciam igualmente reluzentes.

Ao ouvir meu desafio pela primeira vez, pode parecer impossível, mas se você nunca se perguntou seriamente: "Como posso obter o dobro do resultado com metade do esforço?", como sabe que é impossível? Você pode estar deixando de realizar seu próprio milagre de eficiência como a manobra à direita, o mindinho-chaveiro, a lavagem em dias alternados e nem se dar conta disso.

DIMINUA AS DESPESAS GRADATIVAMENTE

Wesley Rocha não recebeu um aumento em 10 anos. Fundador da LinkUSyss, uma empresa que fornece serviços de marketing, ferramentas e design de sites para o setor imobiliário e pequenas empresas, Wesley observou sua empresa crescer e sua própria renda permanecer estagnada. "Não entendi porque parecia que, embora ganhássemos mais dinheiro, nunca sobrava. Eu me sentia estressado com as finanças o tempo todo."

Wesley terminou de ler *Lucro Primeiro* em um fim de semana e percebeu rapidamente que suas despesas estavam fora de controle. "Não pude implementar [o corte de custos] imediatamente sem prejudicar projetos ou a empresa. Literalmente precisava de todos os funcionários e 90% de tudo pelo que estávamos pagando, porque estávamos presos e comprometidos com isso", disse Wesley. "Eu tinha medo do que poderia quebrar ou dar errado se implementasse o Lucro Primeiro rápido demais. Então, tive que começar a pensar em como poderia eliminar as despesas com cuidado."

Pouco a pouco, Wesley começou a cortar suas despesas. "No ano passado, infelizmente, tive de desligar seis funcionários, mas consegui substituir suas tarefas eliminando produtos e serviços não lucrativos, recriando e otimizando processos e simplificando outras partes do negócio", explicou Wesley. "Agora, posso determinar qual despesa é permitida [para um projeto] antes de aceitá-lo. Caso contrário, temos que encontrar outra solução."

Encontrar outra solução. Isso é música para meus ouvidos. Nada de: "Temos que encontrar mais dinheiro para cobrir os custos." Hora de quebrar a cabeça e encontrar outra saída do labirinto, porque o helicóptero não está vindo.

No primeiro ano de implementação de Lucro Primeiro, Wesley conseguiu dobrar seus lucros, o que lhe permitiu aumentar sua renda anual em aproximadamente 46%, entre salário e desembolsos. "Consegui reservar dinheiro para impostos e usar os lucros para ajudar no pagamento de uma entrada para uma casa, o que antes seria impossível."

Lá vem essa palavra novamente: impossível. No começo, Wesley achou que não conseguiria cortar despesas e continuar a servir seus clientes. E, ainda assim, depois de um ano, ele foi capaz de fazer exatamente isso, o que lhe possibilitou fazer essa outra coisa "impossível", algo que ele não conseguiu fazer em mais de dez anos de batalha nos negócios: economizar para dar uma entrada em uma casa. Em todos os anos, apesar do crescimento, ele nunca teve dinheiro sobrando. E ao cortar despesas e simplificar seus sistemas, ele *encontrou* dinheiro em seus negócios.

Você não precisa sair cortando tudo no momento em que terminar de ler este livro. Você pode ir devagar. Apenas comece.

LIVRE-SE DE CLIENTES RUINS

Quem leu *The Pumpkin Plan*, sabe que, embora o livro seja anunciado como um sistema para ajudar os líderes empresariais a transformar suas empresas em gigantes da indústria, ele é, secretamente, um livro sobre eficiência. Deixar de lado os clientes que nos sugam e consomem nossas margens de lucro é uma maneira de dar espaço aos clientes que podemos servir excepcionalmente bem, fazendo o que fazemos melhor e com menos recursos. Tudo que precisamos é melhorar não apenas a linha superior (vendas), mas também a linha inferior (lucro).

Um estudo realizado pela empresa de consultoria em crescimento Strategex, com sede em Chicago, analisou a receita, o custo e a distribuição de lucros para mil empresas. O que eles encontraram foi nada menos do que um momento "dã", do tipo: "Dã, eu já sabia disso, mas ainda não fiz nada a respeito em meu próprio negócio porque adoro sofrer."

A Strategex classificou os clientes de cada empresa em quatro seções, em ordem decrescente com base na receita. Por exemplo, se uma empresa tinha 100 clientes, os 25 clientes que geraram mais receita foram colocados no quartil superior, os 25 clientes seguintes geradores de receita no segundo quartil e assim por diante. A Strategex descobriu que o quartil superior gerava 89% da receita total, enquanto o quartil mais baixo representava apenas 1% dela.

E fica pior. O estudo descobriu que cada grupo de clientes requeria praticamente a mesma quantidade de esforço (custo e tempo). Isso significa que foi preciso o mesmo esforço para atender a um cliente com receita grande do que para um cliente que quase não afetava a receita.

Então veio o momento estranho de "engolir em seco". A análise de lucro da Strategex mostrou que o quartil superior gerava 150% do lucro de uma empresa. Os dois quartis médios empatavam, e o quartil inferior, que gerava 1% da receita total, resultou em uma perda de lucro de 50%! No final, os lucros gerados pelos principais clientes são usados, em parte, para pagar as perdas acumuladas no atendimento aos clientes que geram menos lucro.

Tenho certeza de que você conhece esse cenário muito bem. Aqueles clientes que pagam uma miséria, mas reclamam constantemente do quanto você cobra e de como você não faz nada direito; os clientes que exigem que refaça tudo o que fez pela terceira vez e não pagam pelo trabalho extra e que nunca lhe pagam em dia — esses clientes estão lhe custando dinheiro. Livre-se deles. Rápido!

Livrar-se de qualquer cliente que gere dinheiro (mesmo que seja o pior cliente do mundo) pode parecer contraditório no começo. Mas nunca esqueça o que eu disse antes: nem toda receita é igual. Se você remover seus piores clientes não lucrativos e os custos agora desnecessários associados a eles, verá um salto na lucratividade e uma redução no estresse, geralmente dentro de algumas semanas. Igualmente importante, você terá mais tempo para buscar e duplicar seus melhores clientes. Perdi a conta de quantos leitores compartilharam histórias de como sua receita e lucratividade melhoraram depois que implementaram essa e outras estratégias de crescimento que revelamos em *The Pumpkin Plan*. Sei que parece que estou me gabando, mas não. O sistema não é um milagre que inventei; é apenas matemática simples.

Sei como é assustador abandonar qualquer cliente quando você está lutando para cobrir a folha de pagamento desta semana, especialmente se lutou muito para consegui-lo. Mas, lembre-se, o lucro envolve porcentagens, não um único número. Então, pegue leve. Comece jogando fora uma pequena abóbora podre do canteiro, aquela que você ocasionalmente fantasia deixar em uma ilha deserta ou enviar para Marte. A distração emocional que o cliente causa a você e sua equipe desaparecerá imediatamente. Os lucros que ganhou de outros clientes e estavam sendo gastos para manter esse cliente ruim agora ficarão em seu bolso. E como suas exigências especiais não precisam mais ser atendidas, você tem tempo e espaço físico para encontrar outro cliente melhor — um cliente ideal, um clone de seus melhores clientes.

CLONE SEUS MELHORES CLIENTES

Só por um momento quero que pense em seu cliente favorito: a ligação que você sempre atende, a pessoa ou empresa a quem você diz sim sem hesitação. Esse é o cliente que lhe paga seu real valor, no prazo, sem perguntas. Esse é o cliente que confia, respeita e segue suas instruções. Esse é o cliente que você ama e que o ama. Agora, imagine que esse cliente tivesse cinco empresas gêmeas idênticas que queriam trabalhar com você. Isso não impulsionaria seu negócio? Não seria fácil atendê-los? Não ajudaria a manter seus resultados saudáveis? Agora imagine 10, ou 100, clones.

Assim como para quase todos os negócios B2B [empresas que vendem para outras empresas] no mundo, conseguir 100 clones de seu melhor cliente o colocaria na liderança. A empresa dominaria seu nicho. O mesmo é verdade para as empresas B2C [empresas que vendem para o consumidor final]. Se apenas 10% de seus clientes se comportassem como seu cliente número um, essas empresas também seriam líderes.

Ter clientes com necessidades semelhantes e comportamentos muito semelhantes oferece alguns benefícios mágicos de lucro:

1. Você se tornará supereficiente, porque agora atende a muito poucas necessidades consistentes, em vez de um conjunto excessivo de necessidades variadas.

2. Você vai adorar trabalhar com seus clones, o que significa que fornecerá natural e automaticamente um serviço melhor. Nós atendemos as pessoas com quem nos importamos.

3. O marketing se tornará automático. Pássaros da mesma plumagem voam juntos (de verdade) e isso significa que seus melhores clientes conhecem os líderes de outros negócios com as mesmas qualidades de "melhor cliente" que você procura. Seus melhores clientes são incríveis, lembra? Você os ama e eles amam você, e isso significa que eles falarão bem de você em todas as oportunidades que tiverem.

Clones de seus melhores clientes são a própria definição de eficiência, e é por isso que eles valem ouro. Encontre-os. Cultive-os. E, em seguida, encontre ainda mais clones de melhores clientes e os cultive também.

O PRINCÍPIO DE PARETO

Você pode estar familiarizado com o Princípio de Pareto, comumente conhecido como a regra 80/20. Para os aficionados por história: Vilfredo Federico Damaso Pareto foi um economista italiano que estudou a distribuição de riqueza na Itália no final do século XIX. Ele descobriu que 20% da população italiana possuía 80% da terra. Então, ao analisar sua horta, observou que 20% das vagens continham 80% das ervilhas. Depois, olhou para os pés e exclamou: "Meu Deus, tenho cinco pares de sapatos, mas uso essas botas superconfortáveis 80% do tempo!"

O Princípio de Pareto também se aplica aos seus clientes: 20% deles geram 80% de sua receita. E vai além, 80% de seu lucro é proveniente de 20% dos produtos e/ou serviços que você oferece.

A chave para essa estratégia avançada é conectar os dois — seus clientes e sua oferta. Alguns de seus principais clientes compram a maioria de suas ofertas lucrativas; alguns de seus principais clientes optam pela oferta com a menor margem de lucro. Da mesma forma, alguns de seus clientes mais fracos consistentemente compram suas coisas lucrativas e alguns dos clientes fracos fazem o inverso, comprando o mesmo material não lucrativo repetidas vezes.

Depois de apurada essa situação, as decisões tornam-se muito fáceis. Livre-se dos clientes "ruins" que só querem seus produtos e serviços menos lucrativos. Você está perdendo dinheiro aí, atendendo a clientes ou consumidores que não são bons para sua empresa.

Encontre uma nova maneira de gerenciar os clientes fracos que compram suas ofertas mais lucrativas. Muitas vezes os clientes "ruins" podem se tornar melhores clientes se você se reunir com eles para estabelecer novas expectativas e métodos de comunicação. Conheça seus principais clientes que também não compram as ofertas lucrativas. Descubra como você pode passar a vender itens lucrativos para eles.

Quando você se concentra no Lucro Primeiro, mesmo ao escolher os clientes e consumidores com os quais está disposto a trabalhar, você aumenta seu lucro drasticamente. Cortar as despesas relacionadas ao atendimento de clientes fracos, que não compram ofertas rentáveis, não apenas poupa dinheiro como também libera seu tempo, energia e criatividade para se concentrar nos clientes que ama e que trazem o lucro. Aplicado à sua base de clientes, o Princípio de Pareto é uma técnica avançada de Lucro Primeiro que cumpre uma dupla função — economiza dinheiro e obtém lucro. Não tem como não ficar fã!

VENDA INTELIGENTE

Já mencionei brevemente Ernie, meu jardineiro, mas quero que você conheça um pouco mais sobre sua história. O caso dele é um ótimo exemplo de como as coisas podem degringolar para "upselling" rapidamente. No outono, pago meu serviço de jardinagem para limpar todas as folhas do quintal. Alguns anos atrás, Ernie, o dono do negócio, bateu em minha porta. Disse: "Notei que há folhas nas calhas." Ele se ofereceu para removê-las, por uma certa quantia. Gostei muito da ideia.

Ernie acabara de expandir sua oferta de serviços. Dinheiro fácil! Para executar o trabalho, ele comprou algumas escadas para o caminhão. Enquanto Ernie estava no telhado, porém, percebeu que precisava de uma ferramenta para arrancar as calhas. Ele também viu mais oportunidades — telhas danificadas, uma rachadura na chaminé e um ponto amolecido no telhado, um sinal de madeira podre. Mais uma vez, perguntou se eu queria que eles fossem consertados; eu disse que sim, e ele correu para comprar algumas ferramentas de telhado, uma ferramenta para limpar calha, serras de fita, cimento e suprimentos de tijolos, e contratou mão de obra temporária. Ernie voltou perto do final do dia e fez hora extra para conseguir terminar o serviço. Ele até comprou holofotes para manter a área de trabalho acesa enquanto o anoitecer se aproximava.

No final do dia, paguei US$1.500 por todo o trabalho. Nada mal para Ernie, considerando que ele recebe "apenas" US$200 para limpar o gramado. Mas os US$1.500 que ele ganhou lhe custaram um investimento de cerca de US$2.000 em ferramentas e suprimentos naquele dia, além de muitas idas e vindas e o custo de contratar um ajudante.

Ernie perdeu dinheiro comigo, mas aumentou muito suas vendas. Amanhã ele pretende usar seus novos equipamentos e ferramentas para cuidar de outros clientes e, em teoria, ganhará seu dinheiro de volta e mais um pouco. O problema é que isso raramente acontece. Conforme os gastos se acumulam, a pressão aumenta para vender mais e mais; e você acaba trabalhando em projetos nos quais tem experiência limitada e às vezes pouco interesse.

À medida que a variedade de coisas que você faz aumenta, é preciso comprar mais ferramentas e equipamentos e contratar mão de obra mais especializada. E nada disso é usado em seu potencial máximo porque você faz muitas coisas diferentes, não uma coisa só. Seu material fica lá sem uso. Enquanto você limpa gramados, suas escadas simplesmente ficam lá. Enquanto você conserta os telhados, os sopradores de folhas simplesmente estão parados no caminhão.

Você fica preso na Armadilha da Sobrevivência e acaba não fazendo um trabalho muito bom em nada. Por exemplo, quando Ernie terminou o dia, disse: "Volto amanhã cedo para limpar o gramado novamente."

Por quê? Porque ele jogou as folhas das calhas no gramado que acabara de limpar, assim como telhas e outras coisas. Seu trabalho adicional exigia que ele realmente refizesse seu trabalho original, enquanto todo aquele equipamento novo que ele comprou ficou parado no caminhão, sem uso. O que isso tem de eficiente? Nada. Do outro lado da rua, meus vizinhos Bill e Liza contratam um cara diferente, Shawn, para limpar suas folhas no outono. Ele também cobra US$200. No mesmo dia em que Ernie trabalhou em minha casa e ganhou US$1.500, Shawn atendeu mais quatro propriedades e também bateu nas portas de duas outras propriedades que, pela aparência de seus gramados, precisavam de sua ajuda. Suspeito que se Ernie e Shawn tivessem tomado uma cerveja juntos naquela noite, Ernie teria se gabado de fazer uma vez e meia mais vendas que Shawn, mas Shawn acabaria pagando pelas bebidas. Shawn alcançou eficiência e a reconhece como o molho secreto da lucratividade — fazer mais das mesmas coisas com resultados cada vez melhores, usando cada vez menos recursos.

Vender mais é a maneira mais difícil de aumentar os lucros, porque nos melhores cenários, os percentuais permanecem os mesmos; e nos piores, e mais comuns, as despesas geradas para suportar as vendas aumentam mais rápido, resultando em menores porcentagens e menor margem de lucro.

Vendas sem primeiro colocar medidas de eficiência e sistemas em funcionamento é um jogo perigoso que só leva a maiores despesas e menos clientes ideais. Aplicar estratégias de eficiência à sua linha superior — livrar-se de clientes ruins, clonar os bons, refinar sua oferta para aproveitar ao máximo seus recursos e, depois, vender de maneira inteligente — é uma maneira infalível de aumentar a lucratividade.

TOME UMA ATITUDE: LIVRE-SE DO PESO MORTO

Passo 1: Concentrando-se em um aspecto de seu negócio (um que beneficia seus melhores clientes), desafie-se a descobrir como obter o dobro do resultado com metade do esforço.

Passo 2: Usando os parâmetros descritos neste capítulo, identifique seus clientes mais fracos. Mire os elos mais frágeis. Não estou sugerindo que você entre no modo "Suma da minha vida". Não queime pontes. Com polidez, simplesmente termine os relacionamentos. Vocês não estão mais namorando, mas ainda podem ser amigos.

Capítulo 9

LUCRO PRIMEIRO: TÉCNICAS AVANÇADAS

Você está convidado a visitar a ProfitCON. Ela pode muito bem ser considerada a primeira conferência no mundo sobre lucratividade. Iniciei a conferência em 2015 e, por mais que tenha tentado, nunca encontrei nenhuma outra como ela. Em nosso primeiro encontro, tínhamos apenas contadores, contabilistas e business coaches que estavam aprendendo maneiras de ajudar seus clientes e, eles próprios, a aumentar a lucratividade. Mas depois ela cresceu e passou a incluir todos os tipos de empreendedores, profissionais de contabilidade e especialistas em negócios que desejam aprender e compartilhar estratégias de lucratividade.

Na conferência mais recente, Erin Moger (nós a chamamos de Mo), do nosso escritório, fazia sua apresentação no estilo perguntas e respostas sobre Lucro Primeiro quando um dos participantes levantou a mão e disse que as cinco contas fundamentais do sistema Lucro Primeiro não funcionavam com o seu negócio, em razão de necessidades muito específicas.

Mo olhou para a plateia e disse: "Em caso de dúvida, acrescente uma conta."

Aí está a resposta. Talvez você tenha um negócio sazonal em que o volume de receita aumenta e diminui. Outra conta, especificamente uma conta ADIANTAMENTOS, ajudaria aqui. Talvez você precise desembolsar muito dinheiro para equipamentos de vez em quando, então uma conta EQUIPAMENTO ajudaria.

Leve o Lucro Primeiro para o próximo nível e adapte-o para seu negócio, é bem simples. Siga a regra de Mo: acrescente outra conta.

Quando você começar a adicionar novas contas para atender às suas necessidades específicas, considere-se um usuário avançado do Lucro Primeiro.

A questão é a seguinte: aprender o sistema Lucro Primeiro equivale a correr sua primeira maratona. Você precisa estar preparado e em plena forma antes da corrida. Portanto, prossiga com a leitura, mas não implemente essas coisas antes de concluir pelo menos dois trimestres inteiros (180 dias ou mais) com os elementos básicos que aprendeu sobre o sistema Lucro Primeiro. Você está fazendo suas alocações quinzenais? Está acumulando algum lucro, não importa de que tamanho? Já fez algumas distribuições de lucro? Está participando de alguma forma de prestação de contas? Se respondeu sim (um *verdadeiro* sim) a todas essas perguntas, se aprendeu a *não* quebrar as regras, pode calçar seu tênis de corrida e seguir em frente.

Você começou devagar com uma caminhada em volta do quarteirão. Depois, usou o método corre-caminha-corre-caminha. Começou a correr mais rápido e por distâncias maiores. Agora você é um deles: um corredor. É hora de treinar para uma maratona.

SIMPLIFICAÇÃO AVANÇADA

Alguns anos depois de implementar o Lucro Primeiro, percebi que realmente poderia levar minha gestão financeira para o próximo nível se ajustasse meu sistema ainda mais. As coisas que lhe ensinei no começo deste livro estavam funcionando bem, mas havia certas ocasiões em que eu ainda precisava fazer o trabalho contábil para entender a saúde financeira da minha empresa. Às vezes, meus depósitos não eram feitos como resultado de vendas; eram apenas reembolsos de despesas. Outras vezes, um cliente pagava uma quantia em dinheiro adiantado pelo trabalho que eu faria em lotes ao longo do próximo ano. Às vezes, eu precisava fazer grandes compras e queria economizar para elas. Meu negócio não era o único que precisava de ajustes; todos para quem prestei consultoria precisavam. O seu também. E o processo é simples. Basta acrescentar mais algumas contas.

Apesar de não parecer, abrir contas adicionais simplifica o processo. Sempre que puder obter uma imagem clara e precisa de quanto você tem disponível para gastar em um aspecto específico de seu negócio, tomará decisões melhores e será menos propenso a se comprometer com projetos, vendedores e transportadores que não se alinham com os saldos nessas contas.

Da mesma forma, se você sabe exatamente quanto dinheiro está fluindo para sua empresa a todo momento, pode tomar melhores decisões sobre onde precisa concentrar seus esforços.

Você já abriu suas contas fundamentais do Lucro Primeiro — RECEITA, LUCRO, IMPOSTOS, REM. DO PROPRIETÁRIO e DESPOP — além de contas que não podem ser tocadas, RESERVA DE LUCRO e RESERVA DE IMPOSTOS em um banco diferente. Eis algumas contas adicionais que recomendo que você abra de acordo com as necessidades de sua empresa:

O Cofre

Vamos começar acumulando algum dinheiro, porque esse é o meu lugar feliz (obrigado, Suze Orman). O Cofre é uma conta de baixo risco e com incidência de juros que pode ser usada para emergências de curto prazo. Em determinado ponto, deixar 50% em sua conta LUCRO para servir como fundo de emergência não é prudente, porque o fluxo de dinheiro é um pouco imprevisível. Um trimestre ruim não contribuirá muito para a conta LUCRO. Em seguida, você retira 50% de participação nos lucros, e agora a reserva na conta LUCRO pode ser pequena demais para sustentar um grande negócio. Todas as empresas devem ter uma reserva de três meses, o que significa que, caso não haja uma única venda, todos os custos podem ser cobertos por três meses (um trimestre). A questão não é *se* você terá um dia chuvoso (seu fornecedor vende a empresa, seu maior cliente vai à falência, seus melhores funcionários pedem demissão e abrem uma concorrente direta e seus clientes decidem ir com eles, etc.). A questão é *quando*? O Cofre está lá para isso.

Ao criar a conta Cofre você também *precisa* estabelecer algumas regras para sua utilização. O que quero dizer é que quando acontece algo tão terrível que você precise acessar esse dinheiro, terá também instruções previamente escritas sobre como proceder. Por exemplo, se o dinheiro for utilizado em razão de uma queda nas vendas, você planejará que, além de tentar aumentar as vendas, também cortará todos os custos relacionados em seu negócio dentro de dois meses, caso as coisas não melhorem. Poucas pessoas têm a disciplina para pensar claramente ou agir adequadamente em momentos de pânico, e é por isso que documentamos um conjunto de regras e instruções simples com antecedência.

A ideia por trás do Cofre de todo o sistema Lucro Primeiro é colocar suas decisões bem à frente de qualquer crise monetária. Sua dinâmica de negócios pode, de fato, não melhorar; mas sua tomada de decisão estará sempre muito à frente do atual impacto financeiro. Então, o objetivo do Cofre *não* é ganhar tempo; ele até pode proporcionar algum tempo para resolver desafios inesperados, mas seu objetivo é se obrigar a tomar decisões importantes cedo, para que seu negócio não entre em uma crise de caixa (e você caia novamente na Armadilha da Sobrevivência).

Conta Estoque

Esta é uma conta para grandes compras e para financiar o estoque de seus produtos. Por exemplo, a empresa de forros de telhado de meu amigo JB, a RoofDeck Solutions, Ltd., vende os materiais que os empreiteiros precisam para concluir seus projetos. JB inclui algumas porcas e parafusos básicos em cada pedido, geralmente 50 ou 100 de cada; no entanto, seu fornecedor exige um pedido mínimo de 10 mil por vez, o que custa à JB em torno de US$5 mil. Cada pedido dura 10 meses ou mais, então ele configurou o que ele chama de uma conta para grandes compras em que aloca 1/20 (ou US$250 por vez) dos recursos necessários para a próxima compra de porcas e parafusos. Por que 1/20? Porque ele sabe que precisará do próximo pedido em 10 meses e faz alocações no 10º e no 25º dias. Dez meses, 2 vezes por mês, é igual a 20 alocações antes da próxima grande compra. Ao fazer isso, JB é capaz de liquidar a grande fatura antes que aconteça. Então, quando chegar a hora de desembolsar os US$5 mil pela próxima grande encomenda de porcas e parafusos, ele estará pronto. No passado, esse projeto o pegou desprevenido e ele teve que se esforçar para pagá-lo. Agora, ele mal sente os US$250 que aloca em sua conta ESTOQUE duas vezes por mês.

Conta Repasse

Algumas empresas recebem receitas de clientes que não devem ser alocadas para a conta Lucro ou Rem. do Proprietário. Às vezes, você pode fornecer um serviço ou um produto ao cliente a preço de custo (ou próximo ao custo) e outras vezes pode ser apenas reembolsado por custos. Por exemplo, viajo muito a trabalho e, em quase todos os casos, meus clientes reembolsam meus custos de viagem. Essa receita não é alocada para cobrir a folha de pagamento ou adicionada à minha conta LUCRO. Esse é só um repasse e deve ir diretamente para essa conta, e depois para o fornecedor correspondente para liquidar a fatura. Se eu pagar uma conta antecipadamente, o dinheiro é depositado na conta REPASSE e depois transferido (no 10º ou 25º dia) para a conta DESPOP, a partir da qual eu pago a fatura original. Aliás, com todas essas contas avançadas, o apelido que atribui a cada uma é inteiramente com você. Minha conta se chama REEMBOLSO.

Como você não quer que esse dinheiro entre na RECEITA, configure essa conta como uma conta corrente e deposite o reembolso (ou repasse) diretamente nela.

Conta Materiais

Se a maior parte de sua receita (conforme indicado na Avaliação Instantânea) se enquadrar como Receita (linha superior) e não fluir para a Receita Real, a maior parte de sua receita é repasse e a essência de seu negócio é basicamente o gerenciamento desses repasses. Se esse for o caso, configure uma conta MATERIAIS para o dinheiro alocado especificamente para a compra de materiais. Não o aloque para mais nada. (Nunca!) Se por algum motivo houver dinheiro sobrando no final do trimestre (em outras palavras, se você teve uma margem de lucro maior do que o esperado), mova esse saldo para sua conta RECEITA e faça as alocações de acordo. A conta MATERIAIS funciona da mesma maneira que a conta REPASSE, mas é separada para que você saiba que sua finalidade exclusiva é a compra de materiais.

Conta Subcontratados/Comissões

Se a sua empresa não compra materiais, mas usa subcontratados ou pessoas que recebem em comissão, configure uma conta SUBCONTRATADOS ou COMISSÕES para alocar recursos para pagar a essas pessoas. Trate esta conta exatamente como a conta MATERIAIS, mas utilize-a para pagar subcontratados e membros da equipe que recebem comissões. Caso você compre materiais *e* utilize os serviços de subcontratados, use uma conta MATERIAIS e uma SUBCONTRATADOS.

Conta Folha de Pagamento

O salário dos funcionários é relativamente previsível — os funcionários em tempo integral recebem salário e os funcionários em tempo parcial, na maioria das vezes, trabalham um número médio de horas por semana. Isso significa que você é capaz de prever o pagamento bruto acumulado de seus funcionários, mais os impostos sobre a folha de pagamento que incorrerão e alocar fundos de sua conta RECEITA (se estiver usando o Lucro Primeiro avançado) ou DESPESAS OPERACIONAIS (se estiver usando o Lucro Primeiro básico) para a conta FOLHA DE PAGAMENTO a cada 10º e 25º dia. Se usar um serviço de folha de pagamento, programe-o para utilizar recursos desta conta (não da conta DESPESAS OPERACIONAIS).

Conta Equipamentos

Semelhante à sua conta ESTOQUE, essa conta é para grandes compras que você pode precisar fazer mais adiante, como novos computadores ou uma impressora 3D de alto nível. Estime quanto pode gastar em compras futuras de equipamentos, divida essa quantia pelo número de meses que você tem que economizar, divida esse número por dois e aloque essa quantia todo 10º e 25º dias para acumular dinheiro suficiente para essa compra.

Conta Adiantamentos

Essa conta é para recebimentos fixos, adiantamentos e pagamentos antecipados de trabalho que sua empresa concluirá durante um longo período e para os quais você ainda não usou recursos. Digamos que você tenha um grande projeto (aliás, parabéns) e receberá US$120 mil do cliente adiantados pelo trabalho que concluirá todos os meses durante um ano. Isso significa que a cada mês, na verdade, receberá US$10 mil. Então, ao receber o montante, coloque os US$120 mil na conta ADIANTAMENTOS e depois transfira automaticamente US$10 mil para a conta RECEITA todo mês (ou melhor ainda, US$5 mil todo 10º e 25º dias). Não toque no saldo da conta ADIANTAMENTO. Só faça alocações ao transferir a parte dos recursos referente àquele mês — nesse caso, US$10 mil por mês — para a conta RECEITA.

A conta ADIANTAMENTOS o ajudará a gerenciar o verdadeiro fluxo de caixa do dinheiro ganho, para que você possa gerenciar suas despesas e custos. Por exemplo, a mão de obra do trabalho será paga mensalmente. Ajudei a implementar uma conta ADIANTAMENTOS para meus amigos da TravelQuest International em Prescott, Arizona. Eles proporcionam à sua clientela viagens únicas, desde assistir grandes eclipses dos melhores pontos de observação do mundo, a visitas ao Polo Sul para ver a Aurora Austral e experimentar a gravidade zero no espaço sideral. As pessoas reservam essas viagens com até cinco anos de antecedência, enquanto a maioria das despesas da empresa ocorre durante o ano do evento. É aqui que entra em ação a conta ADIANTAMENTOS.

Conta Despesas Menores

Configure uma conta bancária e use um cartão de débito para DESPESAS MENORES, como almoços com clientes. Em seguida, aloque um valor regular de sua conta DESPESAS OPERACIONAIS para DESPESAS MENORES. O que eu faço? Aloco US$100 a cada duas semanas para mim e também para alguns funcionários que precisam. Os recursos servem para cobrir presentes, almoços e outras pequenas compras. Desculpe — se eu pagar a conta — é provável que não tenhamos uma refeição de oito pratos. Se não está na minha conta DESPESAS MENORES, não está no meu orçamento.

Conta Pré-pagamento

Conforme mencionado no Capítulo 6, você pode economizar uma quantia considerável de dinheiro pré-pagando por serviços. O seguro de carro custa menos quando você paga à vista em vez de parcelas mensais, e alguns serviços lhe darão descontos maiores se pagar com antecedência por um ano inteiro. Configure uma conta especificamente para reservar fundos para pré-pagamentos para que você possa aproveitar as ofertas. Se não houver desconto e você tiver dinheiro suficiente para cobrir vários meses ou um ano de serviços, ofereça-se para pagar antecipadamente por um desconto. A maioria das empresas terá prazer em aceitar.

Conta Tributos sobre Vendas

Sua empresa precisa recolher os tributos gerados ao realizar vendas, e cada centavo deles deve ser imediatamente alocado para essa conta. No Brasil, quando sua empresa faz uma venda, e consequentemente emite uma nota fiscal, a legislação tributária brasileira entra em cena e diversos tipos de impostos e tributos são calculados com base no valor dessa nota fiscal. Considerando que a carga tributária no Brasil é, grosso modo, de 35%, e que o Imposto de Renda da pessoa jurídica, de 15%, já foi alocado na conta IMPOSTOS, os restantes 20% devem ser alocados nesta conta. Por exemplo, se o valor da venda for R$100, você depositará R$120 em sua conta RECEITA. A primeira coisa a fazer logo em seguida é transferir R$20 para sua conta TRIBUTOS SOBRE VENDAS; então, faça as alocações do sistema Lucro Primeiro com os R$100 restantes. Lembre-se: tributos são uma obrigação legal sujeita a penalidades em caso de não cumprimento, assim, dê a César o que é de César (o governo).

A Figura 6 mostra minha configuração de contas. Os números das contas são fictícios, é claro, e os saldos não são reais. Mas eles mostram uma fuga de caixa muito típica. Os nomes das contas são os nomes verdadeiros que atribuí às minhas contas. Ao lado de cada nome, coloco o valor em dólares ou a porcentagem que entra em cada conta nos momentos de alocação (10º e 25º dias). Entre parênteses, coloco a PAD direcionada para essa conta. Você deveria fazer o mesmo.

BANCO 1 (PARA AS OPERAÇÕES DA EMPRESA)

NOME	CONTA	SALDO
Receita	**3942	US$13.432,23
Lucro 15% (PAD 18%)	**2868	US$0.00
Rem. do Prop. 31% (PAD 32%)	**0407	US$4.881,88
Impostos - Dinheiro do Gov. 15%	**4365	US$0,00
Despop 39% (PAD 35%)	**5764	US$3.676,18
Despesas Pequenas US$75	**4416	US$142,66
Pagamento de Func. US$1.500	**8210	US$1.845,46
Reembolso 0%	**4247	US$212,58
Adiantamento 0%	**8264	US$27500,00

BANCO 2 (SEM TENTAÇÕES)

NOME	CONTA	SALDO
Reserva de Lucro	**1111	US$14.812,11
Reserva de Impostos	**2222	US$5.543,91
O Cofre	**3333	US$10.000,00

Figura 6. Configuração das contas de Mike.

Olhando para os números, posso ver instantaneamente em que pé está meu negócio. Posso executar uma Avaliação Instantânea a qualquer momento. Para os propósitos deste exemplo, defini minha renda pessoal mensal necessária em US$10 mil por mês. A partir daí, posso calcular instantaneamente a receita total da empresa que preciso ter entre cada período de alocação.

ESCREVA O PROCESSO

Crie um documento de página única que defina a função de cada conta. Explique a finalidade de cada conta e o processo a ser seguido. Por exemplo, documente que, no 10º e 25º dias do mês, todo o dinheiro de sua conta RECEITA é distribuído para as contas LUCRO, REM. DO PROPRIETÁRIO, IMPOSTOS e DESPOP com base nos respectivos percentuais. Em seguida, os valores específicos em reais — R$75 para a DESPESAS MENORES e R$1.500 para a FOLHA DE PAGAMENTO — são transferidos da conta DESPOP para as respectivas contas. Por fim, o dinheiro total nas contas LUCRO e IMPOSTOS do Banco 1 é transferido para o Banco 2.

Esse processo é um sistema, por isso precisa ser documentado. Seu contabilista pode ter que fazer isso por você; caso contrário, você pode beber muito em uma noite e esquecer as regras que configurou para suas contas.

MUDE SEU FOCO DA "BASE MENSAL"

A famosa "base mensal" é uma distração horrível. A base mensal é um remanescente da mentalidade PCGA, que simplesmente nos diz o número de que precisamos todo mês para manter as portas abertas. E *isso* é um absurdo. A base mensal foca — você adivinhou — despesas, não lucro. O conceito da base mensal faz com que você se concentre em despesas e faça tudo o que puder para ganhar o valor de base com vendas suficientes. Em outras palavras, nos faz colocar os custos em primeiro lugar e transforma o objetivo em cobrir despesas, não melhorar a lucratividade. Algo o fez lembrar da "Armadilha da Sobrevivência?" Eu sabia que podia contar com sua astúcia.

Você só vai alcançar a meta em que se concentrar, então pare de focar as despesas. Concentre-se no lucro e as despesas cuidarão de si mesmas. Dane-se a base mensal. Seu foco deve ser em sua Renda Necessária para Alocação (RNA). Ela é o valor que você precisa depositar até o 10º e novamente no 25º dia para ter uma empresa saudável, para receber o salário que deseja e para obter os lucros que merece. Ponto final.

Meu parceiro de negócios, Obi-Ron Kenobi (ponho apelidos em todo mundo, se é que você ainda não percebeu), ensina um método simples para conseguir isso. Pegue a renda pessoal mensal de que precisa para viver e divida-a por dois, porque você será pago duas vezes por mês. Em seguida, divida esse número pela porcentagem que está sendo alocada na conta Rem. do Proprietário. Usando os montantes (fictícios) da Figura 6, eu dividiria US$5 mil por 0,31. O resultado é de pouco mais de US$16 mil em receita de negócios, o que significa que, no 10º e 25º dias de cada mês, preciso arrecadar e depositar cerca de US$16 mil na conta RECEITAS. É simples assim.

Serão 24 alocações por ano. Portanto, para obter o número anual, multiplique esses US$16 mil por 24 e você terá a receita anual de negócios necessária, que nesse caso é de US$384 mil. Para receber US$5 mil a cada período de pagamento, você precisaria gerar US$384 mil e, é claro, viver de acordo com os percentuais de alocação especificados.

Então, quando olho para minha conta RECEITA (na Figura 6), sei instantaneamente que atualmente tenho US$3 mil, e preciso manter as vendas em movimento. A cada duas semanas, a conta RECEITA cai para zero quando faz alocações, e preciso reconstruí-la até US$16 mil ou mais. Sim, eu tenho um belo saldo na conta ADIANTAMENTOS; mas esse dinheiro é para serviços que prestarei ao longo dos próximos doze meses, portanto, ele será responsável por apenas US$1 mil a cada período de alocação. Usando esse sistema, minha receita mínima de vendas se torna muito, muito clara.

QUANDO A EMPRESA TEM MAIS DE UM PROPRIETÁRIO

Só mais um ponto sobre a Rem. do Proprietário: se você tem um sócio, ou vários, que também recebe salário, é necessário adicionar os valores necessários de receita total para os proprietários. Então, se você precisa de R$10 mil por mês e seu sócio também precisa de R$10 mil, a remuneração total do proprietário é de R$20 mil por mês. Divida esse número por dois; em seguida, divida novamente por 0,31 e você obtém um RNA de mais de R$32 mil.

POR QUE LUCRO E IMPOSTO TÊM SALDO ZERO NO BANCO 1

Você também pode perceber que a conta LUCRO (15%) no Banco 1 está com saldo zero. Isso porque essa conta é apenas um local de espera por um dia ou dois. O dinheiro é alocado da conta RECEITA e vai para a conta LUCRO (15%) no Banco 1. Então, no mesmo dia, inicio uma transferência para o Banco 2, para retirar o valor total da conta LUCRO (15%) no Banco 1 e colocá-lo na conta RESERVA DE LUCRO no Banco 2. É nela que o lucro se acumula. E pelo que posso ver, parece que terei uma comemoração de mais de US$7 mil de lucro no final deste trimestre. É um cálculo simples: US$14.812,11 vezes 50%. Oba!

Essa mesma configuração de local de espera acontece na minha conta IMPOSTOS (15%). Aloque e depois remova a tentação imediatamente.

Além disso, você pode notar que não há um "total geral" no extrato mostrado na Figura 6. As contas não são automaticamente somadas para mostrar um saldo total combinado. Muitos bancos fazem esse cálculo para sua conveniência, mas sugiro que você desative a opção (se puder). O total geral de todas as suas contas mostra todo o dinheiro em um grande prato novamente — exatamente o que queremos evitar. Olhar para um total geral confunde sua cabeça, então não faça isso.

LEVANTAR CAPITAL

Levantar dinheiro é um desafio arriscado. Geralmente eu desencorajo essa prática, a menos que você tenha uma confiança extremamente alta de que um investimento trará muito mais lucro. Como se sabe se um investimento trará mais lucro? Só saberá se você já for rentável. Seja lucrativo primeiro e quando conhecer os elementos exatos de sua empresa que estão obtendo esse lucro, considere a possibilidade de usar dinheiro externo para ampliar o que está funcionando. Há muito mais considerações a fazer, mas a lucratividade é um requisito fundamental. Além disso, espero que converse com um especialista em contabilidade ou finanças que compreenda como levantar capital antes de buscar o dinheiro.

Se optar por levantar capital, você precisa colocar em prática uma rápida técnica avançada de Lucro Primeiro. Você adivinhou: configurar outra conta. Chame-a de CAPITAL EXTERNO. Todo o dinheiro arrecadado vai para lá, e é usado de acordo com o cronograma e as diretrizes especificadas para a utilização dos recursos acordados com o investidor. Se a dinâmica de seu negócio mudar, e houver um uso melhor dos recursos, você deve acordar um novo plano com o investidor. E se você ainda não precisa do dinheiro, ele fica lá até que o uso e o momento corretos se apresentem. Na verdade, a TSheets, uma empresa de software de rastreamento de tempo em rápido crescimento, fez exatamente isso. Matt Ritter, seu cofundador, arrecadou US$15 milhões para sua empresa. Ele conseguiu os recursos e, em seguida, espertamente guardou o montante até que o momento certo e a oportunidade surgissem para usar esse dinheiro para ampliar o que já estava funcionando.

Observação: tudo nesta seção também se aplica à obtenção e ao uso de recursos de empréstimos. Espere até que você seja lucrativo e, em seguida, use o dinheiro para ampliação.

COMO DETERMINAR QUANDO VOCÊ PODE CONTRATAR UM NOVO EMPREGADO

Existe uma fórmula realmente simples para determinar se você é capaz de arcar com uma nova contratação[1] — ou se sua empresa está, atualmente, com falta ou excesso de pessoal. Para cada funcionário em tempo integral, sua empresa deve gerar uma receita real entre US$150 mil a US$250 mil (idealmente mais, mas esse é o mínimo). Então, se você quer uma empresa de um milhão de dólares, sabe que pode pagar quatro a seis funcionários (incluindo você). Esse é apenas um número aproximado; cada negócio é único. Mas não use seu status diferenciado como uma desculpa para contratar mais pessoas.

A eficiência é sempre o objetivo. Sempre. E não contratar o primo de seu marido que está sem sorte e "precisa realmente de um emprego". Não encontrar uma vaga para o garoto brilhante que tem uma tonelada de grandes ideias que você poderia usar... algum dia. Agora você é uma pessoa focada em lucro, não é mesmo? Está retirando o Lucro Primeiro. E é por isso que você é obrigado a ter cuidado com suas despesas.

E lembre-se: estamos falando de Receita Real, não a receita de linha superior. Subtraia os custos com Material & Subcontratados *antes* de dividi-la pelo número mágico de sua faixa para chegar ao número de funcionários ideal.

Novamente, esse não é um sistema exato e perfeito, mas lhe dará uma compreensão melhor e mais realista do que significa estar sobrecarregado ou com menos pessoal. A razão de esses números não serem perfeitos é porque os custos trabalhistas variam enormemente. Um cara que está fritando batatas no McDonald's ganhará muito menos do que a mulher que projetou um smartphone da próxima geração. Nesse exemplo, a mão de obra barata é menos dispendiosa, mas também tem um impacto menor na receita. O cara da fritura apenas facilita a venda de batatas fritas, mas o engenheiro cria um produto e um fluxo de receita inteiramente novos.

---

[1] N.E.: Os números a seguir se referem ao contexto dos EUA. No Brasil, os contadores fazem um cálculo que visa verificar se há excesso de pessoal, e daí, indiretamente determinar se há necessidade de aumentar o quadro de funcionários. Eles se baseiam em alguns dados extraídos da própria empresa: a) número de horas para a venda por colaborador; b) preço de venda da hora e c) faturamento médio mensal.

De acordo com Greg Crabtree, o autor de *Simple Numbers, Straight Talk, Big Profits*, sua receita real deve ser 2,5 vezes o custo total da mão de obra se você estiver administrando uma empresa de tecnologia. Isso ocorre porque a indústria de tecnologia exige tradicionalmente mão de obra cara (pessoas altamente treinadas que têm um grande impacto na receita). Se, por outro lado, você estiver em um ramo de mão de obra barata, como o exemplo de restaurante de fast-food que eu usei anteriormente, sua renda real deve ser 4 vezes o custo total da mão de obra.

Por exemplo, digamos que você seja um fabricante com R$6 milhões de Receita Real. Se contratar mão de obra barata, como pessoal da linha de montagem, dividirá R$6 milhões por 4 e obterá R$1,5 milhão. Isso significa que seu custo total de mão de obra (operários e funcionários de escritório) não deve exceder a R$1,5 milhão. E se for um fabricante com R$6 milhões de Receita Real, mas usar mão de obra dispendiosa, como cientistas e engenheiros, divida os R$6 milhões em Receita Real por 2,5 e obterá um custo total de mão de obra de R$2,4 milhões.

TÁTICAS DE MINIPODER

Algumas estratégias avançadas do sistema Lucro Primeiro exigem muito pouco tempo e são supereficazes. Estou constantemente ajustando e aprimorando meu sistema, então se quiser saber sobre minhas últimas descobertas e compartilhar as suas, visite meu blog em Mike Michalowicz.com [conteúdo em inglês]. Aqui estão minhas favoritas (até agora):

O Dinheiro do Governo

É muito fácil "pedir emprestado" de nossa conta IMPOSTOS. (Na realidade você está roubando, mas não preciso lhe dizer isso. Opa, acabei de dizer.) O dinheiro está lá parado, nos provocando com todos aqueles zeros que poderíamos colocar em bom uso. Quando cedemos e sacamos da conta IMPOSTOS, não sentimos a dor imediatamente. Mas quando chega a hora de pagar os impostos, podemos nos meter em *grandes* problemas. Se devermos mais em impostos do que temos dinheiro para pagar, isso significa que, no mínimo, pagaremos juros e possivelmente multas sobre o valor devido.

Uma tática inteligente é primeiro mover essa conta para um terceiro banco, longe de suas vistas e, em seguida, alterar o nome da conta IMPOSTOS para DINHEIRO DO GOVERNO. Agora, desconfio que, como eu, você ficaria *muito* mais relutante em "roubar dinheiro do governo" do que em "emprestar dinheiro da conta IMPOSTOS".

Contas Ocultas

Seguindo a teoria de "longe dos olhos, longe do coração (e da mente)", é menos provável que você justifique a transferência ou a retirada de recursos de suas contas se elas não estiverem à vista. Alguns bancos permitem que você "oculte" contas para que não as veja na primeira visualização ao fazer login no banco online. Tente esconder todas elas, exceto a conta DESPOP. Ainda é possível fazer todos os pagamentos e aplicar o sistema Lucro Primeiro usando essa tática; significa apenas que agora você não vai considerar as outras contas ao tomar decisões sobre despesas.

Contas de Receita Externas

As chances são de que, à medida que seu negócio amadurece, você adicione uma variedade de outras contas que recebam receita. Você pode ter uma conta do PayPal para receber fundos ou uma conta eletrônica para transferências internacionais ou locais. O desafio com essas contas é que você pode começar a vê-las como "extras", como um fundo de caixa adicional. Eles não são extras. Fazem parte de sua receita e você precisa garantir a proteção e a alocação de recursos da mesma forma que faria com qualquer depósito em sua conta bancária principal.

Para essa tática, configure todas as contas de receita externa para que qualquer receita seja transferida para sua conta RECEITA principal diariamente. Alguns bancos permitem que você configure uma transferência automática do saldo total para a conta externa, o que é ideal contanto que você mantenha o saldo mínimo necessário para evitar taxas de administração extras.

Se você não puder fazer isso automaticamente, basta transferir o dinheiro para sua conta RECEITA quando fizer suas alocações quinzenais. Apenas observe que essas transferências podem demorar alguns dias, portanto, você não terá o dinheiro instantaneamente na conta RECEITA e terá que esperar até a próxima data de alocação para transferir o dinheiro para todas as contas individuais.

Retrato da Conta

Para acompanhar suas contas, configure notificações automáticas para suas principais contas por e-mail ou texto. Peça ao banco para relatar os saldos de suas contas RECEITA e DESPESAS OPERACIONAIS no 10º (quando todo o seu dinheiro acumulou) e no 15º dia do mês (quando todo o seu dinheiro foi alocado e todos os pagamentos já foram feitos) e novamente no 24º (acumulado) e no 30º (alocado). Configure uma notificação diária do saldo de sua conta DESPESAS MENORES. Verifique as outras contas manualmente.

Esse relatório rápido assegura que você fique ciente de como o dinheiro entra (conta RECEITA) e o que está disponível para sair da empresa (conta DESPOP) e de sua própria alocação de despesas (conta DESPESAS MENORES).

Transferências Bancárias

Até que o pagamento seja compensado, ainda pensamos no dinheiro como nosso. E às vezes esquecemos que emitimos um cheque. Olá, cobranças por insuficiência de fundos e uma passagem sem volta para o nono círculo do inferno. Essa técnica altera essa dinâmica imediatamente. Em vez de pagar com cheques prefira transferências eletrônicas.

Também chamadas, no Brasil, de TED, as transferências eletrônicas bancárias são processadas pelo seu banco rapidamente. Mais importante, o banco removerá de sua conta o valor da transferência imediatamente. Dessa forma, você sabe que o dinheiro se foi para sempre assim que fizer a transferência.

Sim, o banco ganha dinheiro com a transação e você perde eventuais juros que poderia ter ganho nos poucos dias em que o pagamento seria recebido e processado pelos fornecedores. Mas eu digo: "Quem se importa?" O negócio é: se você gerencia centenas de milhões ou bilhões processando verificações e transferências manualmente, é uma boa estratégia agarrar-se ao seu dinheiro por alguns dias, porque os juros ganhos em sua operação capital em apenas alguns dias são significativos. Mas para a maioria dos empreendedores, os juros ganhos no período são constrangedoramente insignificantes — geralmente em torno de US$5 por ano nos Estados Unidos. Então é melhor deixar que o banco trabalhe por você, certo?

TOME UMA ATITUDE: PLANEJE COM ANTECEDÊNCIA

Escolha uma das táticas ou estratégias avançadas neste capítulo e adicione-a à sua lista de tarefas para daqui a seis meses. Pode parecer bobo adicionar um item em sua agenda com tanta antecedência, mas se não colocá-lo no radar, pode acabar se esquecendo de que existem estratégias avançadas que podem ajudá-lo a levar o sistema Lucro Primeiro — e a sua empresa — para o próximo patamar.

Capítulo 10

O ESTILO DE VIDA LUCRO PRIMEIRO

"Quando você ganha dinheiro suficiente, não precisa fazer orçamento."

No Capítulo 6, compartilhei algumas novidades de Jorge, cofundador e proprietário da Specialized ECU Repair. No final da nossa conversa, ele soltou aquela pequena bomba. Tenho que admitir, o monstro da frugalidade em mim inicialmente rejeitou o comentário de Jorge como sendo totalmente fora da realidade. Mas Jorge é um ávido praticante de kitesurf e meu garoto propaganda do Lucro Primeiro, então mantive minha boca fechada enquanto ele explicava o que queria dizer.

"Minha mãe tinha um bom emprego como executiva na indústria farmacêutica", começou Jorge. "Há muito tempo, quando eu estava na faculdade, estávamos fazendo compras na Bed Bath & Beyond. Ela comprava como louca. Como eu tinha cerca de US$60 em minha conta bancária na época e não conseguia sequer conceber fazer algo do gênero, perguntei a ela: "Você faz algum orçamento para as coisas que compra?" Foi quando ela disse: "Quando você ganha dinheiro suficiente, não precisa fazer orçamento."

"Pode parecer errado, mas como uso o sistema Lucro Primeiro, não preciso orçar muito", continuou Jorge. "Quando saímos de férias, fazemos o que queremos. Não somos loucos; não nos hospedamos no Four Seasons. Mas vamos aonde queremos, fazemos qualquer aventura que desejarmos. Nunca pensamos, *podemos pagar*? Não sou milionário, mas como sigo o Lucro Primeiro, não preciso me restringir quando viajo ou gasto minha parte nos lucros."

Ah, entendi. Um orçamento, neste caso, é uma restrição. E quando se trata de Lucro Primeiro, implementamos muitas (boas) restrições para tornar o negócio lucrativo. Mas quando o dinheiro é retirado e é hora da recompensa, as restrições, dentro do razoável, acabam.

Assim como eu, Jorge não gosta de usar cartões de crédito. Por usar o sistema Lucro Primeiro, ele não precisa. Ele e José simplesmente observam as vendas e, quando alcançam o valor mínimo mensal, sabem que tudo ficará bem. Criaram um estilo de vida que amam e podem bancá-lo porque sabem que a distribuição de lucros não apenas é certa, mas que seus negócios também podem continuar a crescer sem esse lucro.

Lucro Primeiro ajuda você a criar o estilo de vida que deseja, mesmo que esteja apenas começando a implementar o sistema. Laurie Dutcher, CEO, contadora e proprietária da Secretly Spoiled, uma empresa que começou a usar o Lucro Primeiro há três anos, compartilhou comigo que levou sua família em suas primeiras férias na Disney usando sua primeira distribuição trimestral de lucros (que foi dois anos e nove meses atrás). Uma pessoa determinada e focada em números, Laurie investia tudo o que tinha em seus negócios — a maior parte de seu tempo e todos os seus ganhos.

"Eu vivia mês a mês", explicou-me Laurie. "Não recebia um salário."

Tudo isso mudou assim que Laurie começou a aplicar o Lucro Primeiro ao seu sistema já muito bem organizado. Em poucos meses, suas finanças pessoais estabilizaram, e quando chegou a primeira distribuição trimestral de lucros, ela tinha o suficiente para levar sua família em sua primeira viagem à Disney.

"A viagem foi incrível, e já fizemos várias outras", disse Laurie. "Mas o que realmente me surpreendeu foi, depois de canalizar todo meu dinheiro para meu negócio pensando que era a única maneira de fazê-lo crescer, meu negócio realmente começou a crescer *mais rápido* quando comecei a me pagar e me concentrar no lucro primeiro!"

Como muitos de nós acostumados a "fazer qualquer coisa" para que nossa empresa cresça (incluindo ficar sem pagamento e adiar o recebimento de lucros indefinidamente), Laurie teve que aprender a se permitir usar seu dinheiro suado não apenas para pagar a si mesma, mas também para se *divertir* — proporcionar experiências para sua família que melhorariam sua qualidade de vida e criariam uma vida inteira de boas memórias. O negócio não era mais um monstro que comia dinheiro. Nem chegava perto disso. A empresa apenas disse: "Bon voyage!" para Laurie e sua família quando elas foram para a Disney pela sétima vez. Ninguém se cansa daquele lugar.

Isso não será um choque para você: tudo o que acabou de aprender sobre a criação de um negócio no estilo Lucro Primeiro também se aplica à sua vida pessoal. Quero dizer, se pensar sobre isso, administrar sua vida é como administrar um negócio. Você gera renda e gasta dinheiro. Sua renda provavelmente varia às vezes. Nunca sabe quando uma crise pode causar um grande impacto em sua conta bancária. E você tem uma visão para sua vida, assim como tem uma visão para seus negócios — uma visão que, antes de ler este livro, poderia incluir ganhar na loteria ou algum outro golpe de sorte inesperado.

Agora você sabe que não é bem assim. Sabe que, a fim de economizar dinheiro suficiente para os dias difíceis e para curtir os prazeres da vida, precisa separar esse dinheiro antes de gastar um centavo em outras coisas. Sabe que um prato menor ajudará você a cortar a gordura de seu estilo de vida, identificar o que é mais importante e encontrar soluções criativas e agradáveis para conseguir o que deseja. E sabe que a grande visão para sua vida não tem que depender da sorte ou do destino — ela pode ser conquistada, não com alguns trocados para apostar na loteria, mas com uma simples mudança de hábito, praticada de forma consistente.

Sabe o que mais? Isso é muito importante. Você criou o milagre que é seu negócio e agora, ao implementar o sistema Lucro Primeiro, garantiu sua grandiosidade — não apenas em termos de lucratividade, mas também em termos do impacto positivo que sua empresa terá no mundo.

O ESTILO DE VIDA LUCRO PRIMEIRO

O objetivo final do estilo de vida Lucro Primeiro é a independência financeira, que defino como fazer o que você escolher fazer sempre que quiser. Isso vai mudar com o tempo. Jorge e José usaram as distribuições de lucro do sistema para financiar muitas férias na América Central, Canadá, Europa e Austrália. Hoje, suas escolhas são diferentes. Jorge ainda gosta de aventuras, mas ele está mais focado em ajudar sua esposa a obter seu diploma de direito e passar no exame da Ordem. Seu sócio, José, concentrou-se em comprar e reformar uma casa inacreditavelmente bonita para sua família, que de tão maravilhosa já apareceu em comerciais. Independência financeira significa que você chegou a um ponto em que o dinheiro que economizou rende juros suficientes para apoiar seu estilo de vida e continuar a crescer. O caminho para a independência financeira é criado com pequenas e simples mudanças de hábitos que se tornam sistematizadas e se aplicam tanto às suas finanças pessoais quanto comerciais.

No entanto, não escrevi este livro para lhe ensinar sobre seu orçamento familiar ou seu plano de aposentadoria, mas posso lhe garantir o seguinte: se você possui um negócio, sua saúde financeira pessoal está em sintonia com a saúde financeira de sua empresa. Na verdade, a analogia de sua empresa ser um de seus filhos é apenas parcialmente correta. Uma analogia melhor é que seu negócio é seu gêmeo siamês. Separar-se dele deve ser feito com precisão cirúrgica, e mesmo se a operação for bem-sucedida, vocês sempre compartilharão a mesma alma.

Então, alma gêmea, você precisa aplicar tudo o que está fazendo agora (e planejando fazer) para consertar sua empresa com o Lucro Primeiro em sua vida também.

1. Encare os fatos. Essa etapa deve ser mais fácil agora que já enfrentou a verdade sobre as finanças de sua empresa. Adicione todas as suas contas mensais, além das contas anuais e eventuais dívidas.

2. Se tiver alguma dívida, pare de acumular mais. Suspenda todas as compras que não puder pagar em dinheiro.

3. Crie um hábito pessoal Lucro Primeiro. Configure uma retirada automática para que toda vez que você receber o pagamento, que agora deve ser duas vezes por mês, no 10º e no 25º dias, um percentual seja imediatamente transferido para uma conta de aposentadoria. Se tiver alguma dívida, mantenha a porcentagem de aposentadoria em 1% até que a dívida seja paga. Use cada centavo disponível após as despesas essenciais para liquidar sua dívida.

4. Prepare seus "pratos pequenos". Crie cinco contas fundamentais, várias contas de Rotina e de Grandes Acontecimentos.

    A. Conta RECEITA. Esta é a conta em que você faz os depósitos. Desta conta, aloque dinheiro para as demais. Não a use para qualquer outra finalidade.

    B. A conta COFRE. Inicialmente, essa é a conta "de emergência", as economias que deve ter disponível para passar o mês se — ou melhor — *quando* algo terrível acontecer. Suze Orman recomenda economizar 8 meses de despesas essenciais, mas isso não é possível de cara para o ser humano médio neste planeta. No entanto, trabalhe devagar e metodicamente — você sabe, ao estilo Lucro Primeiro. Um bom saldo inicial para o Cofre é o valor do aluguel ou o pagamento da hipoteca de um mês. Se puder poupar isso agora, transfira o valor para a conta Cofre imediatamente. Lembre-se de que essa conta deve ser de difícil acesso (por exemplo, em um banco diferente, sem acesso via internet, sem talão de cheques, etc.). Uma vez que você liquide a dívida, o Cofre crescerá cada vez mais, a intenção é que o dinheiro guardado aqui em algum momento se torne uma fonte de renda. É nessa hora que o dinheiro ganha mais dinheiro.

C. Conta PAGAMENTOS RECORRENTES. Esta conta é para o pagamento de suas faturas recorrentes, incluindo gastos fixos (como sua hipoteca ou financiamento do carro), variáveis (como contas de serviços públicos) e de curto prazo (por exemplo, um plano de parcelamento para o aparelho ortodôntico de seu filho). Determine a média mensal de suas contas recorrentes variáveis e acrescente 10%. Em seguida, some suas contas recorrentes fixas. Some os dois totais mais o custo de suas faturas recorrentes de curto prazo: esse é o valor que você transferirá de sua conta RECEITA para sua conta PAGAMENTOS RECORRENTES todo mês. Se já tiver, transfira o valor agora.

D. Conta ROTINA (várias, se necessário). Há muitos custos rotineiros para manter o funcionamento de sua casa — mantimentos, roupas, material escolar, saídas noturnas, tênis de corrida, biscoitos, babás, artigos de higiene pessoal, gasolina, biscoitos... Ok, talvez eu já tenha comprado o suficiente... só mais um? Não? Está bem, eu paro.

Configure uma conta ROTINA para todas as pessoas na casa que sejam responsáveis por incorrer nesses tipos de despesas e transfira da conta RECEITA o valor que cada pessoa precisa no 10º e 25º dias dos mês com base nos requisitos de gastos. Por exemplo, minha esposa e eu compramos coisas para a casa — sou o rei da Costco; ela lida com o mercado e hortifruti. E nós dois abastecemos os carros e pagamos as despesas das crianças. Forneça um cartão de débito para cada pessoa para que as compras sejam deduzidas dessa conta imediatamente.

E. Conta DESTRUIDORA DE DÍVIDAS. Esta conta recebe todos os recursos restantes e serve para ir liquidando suas dívidas. Seguindo o conselho de Dave Ramsey, faça o pagamento mínimo de cada dívida. Então, independentemente das taxas de juros (a menos que sejam extremas), pague primeiro a dívida menor. Acabe com essa desgraçada e depois passe para a próxima. Ramsey sabiamente diz que o pagamento de uma dívida, por menor que seja, cria um estímulo mental que o motivará a saldar o restante de suas dívidas mais rapidamente. Lembre-se, somos seres emocionais, não racionais.

F. Você vivenciará grandes acontecimentos em sua vida, como comprar uma casa, comprar carros, pagar casamentos (provavelmente os casamentos de seus filhos... talvez os seus), faculdade, faculdade e ainda outro filho indo para a faculdade. A questão é a seguinte: existem bons programas financeiros para essas coisas. Essas são apenas algumas ideias para contas que podem ser muito úteis, mas não são obrigatórias.

Se você está com dívidas, quero que corte os cartões de crédito. Lembre-se, é muito mais fácil seguir o padrão de comportamento humano do que contrariá-lo, então remover as tentações é a melhor solução.

Não obstante, tenho uma exceção. Os rendimentos de um empresário podem ser altamente imprevisíveis. Você pode ter um mês incrível seguido por um mês a zero, seguido por um mês não tão ruim, seguido por um mês "porque ainda insisto nisso". Se você segue o sistema Lucro Primeiro, a conta REM. DO PROPRIETÁRIO deverá se encarregar de resolver essa questão e seus rendimentos passarão a ser consistentes. Mas, no começo, provavelmente não serão. E se você é uma startup, pode não receber dinheiro algum no início. Por essas razões, acredito em manter um cartão de crédito para ajudar a ampará-lo nos meses mais sombrios. Coloque o cartão de crédito em um envelope lacrado rotulado "Abra Somente em Caso de Emergência" e entregue a um amigo de confiança para guardá-lo. É sério. É preciso remover as tentações.

Veja como você gerencia seu cartão de crédito de emergência no sistema Lucro Primeiro: a cada trimestre, à medida que progride no pagamento de dívidas, reduza seu limite de crédito em 50% do valor que pagou. Digamos que você tenha um cartão com limite máximo de R$10 mil. Até o final do trimestre, conseguiu pagar R$3 mil dessa dívida (muito bem, meu amigo). Agora você tem R$7 mil em dívidas e um limite de R$10 mil. O que eu quero que você faça é ligar para a empresa de cartão de crédito e pedir a eles que reduzam seu limite em R$1.500, o que representa 50% do valor que você pagou no primeiro trimestre. Agora sua dívida é de R$7 mil e seu limite de crédito é de R$8.500. Ao fazer isso, você cria um tipo de rede de segurança, um mecanismo para se proteger e manter seu endividamento total mais baixo (caso você se convença de que está tudo bem usar o limite de seu cartão de crédito novamente), mas ao mesmo tempo garantindo que tenha crédito disponível caso precise do cartão para emergências durante os meses lentos.

Continue seguindo esse método a cada trimestre até que seu saldo no cartão de crédito seja zero e seu limite de crédito seja de R$5 mil. Coloque esse cartão de crédito em um envelope lacrado e guarde-o em um lugar seguro (sua carteira, é evidente, *não* é segura). Melhor ainda, peça a um amigo de confiança para guardá-lo para você. Ele é seu salva-vidas.

Agora, para aqueles que dizem: "Mas Mike, se eu abandonar meu cartão de crédito, minha classificação de crédito vai despencar e minhas taxas de juros vão subir!"

Para isso eu digo: "E daí?" O objetivo aqui é remover o estresse financeiro de sua vida liquidando dívidas, e não obter melhores taxas para *mais* dívidas. Podemos nos preocupar em melhorar sua classificação de crédito assim que estiver livre das dívidas. Lembre-se de Jesse Cole, proprietário do Savannah Bananas? Se ele conseguiu liquidar uma dívida de US$1,3 milhão em menos de dois anos, você pode se comprometer a queimar a sua. Isso mesmo, queime. Queime-a como em um ritual. Queime as dívidas *até virarem cinzas*.

ARRANQUE O BAND-AID

No dia em que minha filha entregou seu cofrinho em uma tentativa de ajudar a resolver minha crise financeira, eu ainda tinha meus três carros de luxo estacionados na garagem. Ainda era membro do country club que nunca frequentei e tinha uma tonelada de despesas recorrentes que, francamente e ainda mais constrangedor, eu não era capaz de listar.

Nas semanas e meses que antecederam aquele momento, eu sabia que o tempo estava se esgotando, mas ainda me agarrava às armadilhas do estilo de vida que havia conquistado (mas não "aprendido"), o estilo de vida que achava que merecia e que não queria abandonar. Mas o incrível ato de abnegação de minha filha me acordou para a realidade de que nada disso importava.

É comum para nós, seres emocionais, desistir das coisas com as quais não podemos mais arcar (ou nunca pudemos) aos poucos. Nós nos apegamos. Continuamos esperando que algo "apareça" e "salve o dia", e assim distribuímos a dor em pequenas porções, aguardando o momento certo. Fazemos isso porque odiamos a perda. Mais especificamente, temos um desejo muito maior de evitar perder algo do que temos de adquirir alguma coisa. Essa resposta comportamental é chamada de aversão à perda.

A aversão à perda está em toda parte e é muito poderosa. Combine-a com o Efeito Dotação [ou Efeito Posse] — a teoria que afirma que atribuímos um significado muito maior a algo que possuímos do que a uma coisa idêntica que *não* possuímos — e você estará lidando com uma teimosia que se assemelha à de uma criança de 3 anos fazendo cabo de guerra por sua mantinha preferida. ("É minha!")

Por exemplo, o lindo Porsche vermelho no qual você estava de olho — seria bom tê-lo, com certeza. Mas assim que o compra, ele passa a ser muito mais que "legal". Agora, é fantástico (e você também). Você lustra o carro. Leva amigos para passear nele. Tira selfies com essa beleza vermelha no fundo de cada foto (por acaso, é claro). Você o adora porque agora ele é seu, sua relação com ele mudou, mesmo que seja o mesmo carro que admirou despretensiosamente na loja.

Então, um dia, recebe uma notificação: deixou de fazer outro pagamento. Se perder mais um, o banco vai tomar seu bebê. *Seu* bebê. Daí, o que você faz? Devolve o carro? Não, você cancela a aula de balé de sua filha (ela nunca será uma grande bailarina mesmo), e sua academia (você não tem solução mesmo) e aquela viagem de férias para a Europa (porque todo mundo sabe que viajar para a Europa está fora de moda... e muito). Passa a comer macarrão instantâneo todas as noites. Que droga, você até cancela o seguro do maldito carro e o mantém estacionado em segurança na sua garagem até que "dias melhores" cheguem. E daí que você nem pode dirigi-lo? Pelo menos não o perdeu. Pelo menos o carro ainda *é seu*.

Eu me comportei da mesma maneira. Cortei os gastos de tudo que consegui, não de tudo que deveria. Então, quando não conseguia pagar uma conta e os cartões de crédito estavam no limite, eu cortava apenas o suficiente para sobreviver. No mês seguinte, acontecia tudo de novo, só que pior. Fazer malabarismo com as contas e ganhar dinheiro eram fonte de estresse constante.

Na noite após o "momento do cofrinho", lembrei-me do que costumava fazer no passado, quando o dinheiro estava mais apertado nos primeiros dias de um novo negócio: eu não cortava despesas com pequenos ajustes ineficientes aqui e ali. Eu cortava todas.

Era hora de voltar ao que funcionava. Era hora de arrancar o Band-Aid.

Cortei tudo. Os carros de luxo? Já eram. (Substituí os três carros por dois modelos básicos usados.) A associação do clube sofisticado? Já era. As pequenas extravagâncias como a conta da Netflix? Já eram. E sabe o que tornou tudo isso mais fácil? Percebi que ninguém dá a mínima. Quero dizer, ninguém se importa. Estou supondo que você não tinha ideia de que eu estava cortando tudo quando estava na pior, nunca pensou por um segundo: "Ei, me pergunto como Mikey está se saindo com suas finanças?" E aposto que também não está chorando por mim agora. E não tem problema, pois a vida é assim.

Quando você percebe que 99,99% das pessoas que o conhecem não se importarão com o que você possui, onde vive ou qual sua situação de vida e que o 0,01%, que por qualquer razão não gosta de você, simplesmente lhe apontará o dedo, rirá de forma maligna e logo destilará seu veneno em outra pessoa, é bem mais fácil deixar o carrão de lado.

Quando você percebe que 99,99% das pessoas que *realmente* o conhecem e o amam de verdade apoiarão sua coragem, como a minha família fez por mim, é *aí* que você se levanta, sacode a poeira e diz: "Vamos lá!"

MORTE À DÍVIDA

Agora, sua empresa fará um pagamento trimestral de distribuição de lucros. Vivaaaa! Hora de comemorar! E você sabe qual a melhor maneira de celebrar quando você tem grandes dívidas pessoais? Uma festa de morte para dívida. É superdivertido e é mais ou menos assim: logo que recebe seu pagamento, ouça uma música que o deixe muito empolgado — minha escolha seria "Seek and Destroy" do Metallica; caso essa não seja sua praia, escolha outra música. Mas pelo amor de Deus não coloque Barry Manilow ou "Escape (The Piña Colada Song)" de Rupert Holmes... Queremos destruir a dívida, não fazer amor com ela.

Então, pegue sua taça de rituais ou qualquer uma disponível. Finalmente, tire 99% de sua distribuição de lucros e use-os para pagar uma dívida (a menor primeiro). Faça o pagamento usando seu cartão de débito ou a internet imediatamente. Então, e só então, levante sua taça e diga: "Parabéns para mim!" Depois dançamos (ou balançamos nosso cabelo suado ouvindo Metallica). A festa acabou em cerca de dez minutos, mas e a dívida? Ela se foi para sempre. Isso não foi uma tremenda diversão?

Você pode pensar que estou sendo sarcástico aqui, mas não estou. Para mim, pagar dívidas é *vencer* e vencer é divertido.

Use o 1% restante de sua distribuição de lucros como quiser, mas ele precisa ser uma recompensa. Saia para jantar. Se você não tem o suficiente para o jantar, vá tomar sorvete. Não importa o valor de sua distribuição de lucros, saboreie-a. Celebre. Sua empresa está servindo você e liquidando suas dívidas ao mesmo tempo.

As recompensas são um aspecto importante do Lucro Primeiro. Devemos celebrar. Muitos especialistas dirão a você para apenas liquidar a dívida. O problema é que apesar da redução da dívida aliviar a dor, ela não proporciona muito prazer. Experimentar os dois é o ideal — tem mais impacto. Liquidar a dívida é bom, e recordar o momento em que rasgou uma fatura do cartão de crédito desfrutando uma boa garrafa de vinho é melhor.

Depois de liquidar sua dívida principal — cartões de crédito, empréstimos bancários e empréstimos estudantis —, comece a usar 45% de sua distribuição trimestral de lucros para eliminar as dívidas remanescentes de longo prazo e guarde 55% para suas extravagâncias. Essa é outra estratégia psicológica. É mais gratificante ficar com a fatia maior dos frutos do seu trabalho e gastá-lo em qualquer coisa que você queira do que pegar o pedaço menor. Portanto, use 45% para acelerar o pagamento de dívidas de longo prazo além dos pagamentos mensais normais (hipoteca, financiamento de carro) e fique com o restante para qualquer maluquice que inventar. (O quê? Eu não julgo. Não estou nem vendo.)

Depois de quitar seus carros e sua casa e ter eliminado dívidas de todos os aspectos de sua vida, 100% da distribuição de lucro vai para você. E dessa vez a festa deve ser para valer. Estou falando de uma banda e um pouco de bebida, talvez pizza com borda recheada em vez de simples. E é melhor que eu e minha esposa sejamos seus convidados. Nós vamos de kiteboard.

CONGELE SEU ESTILO DE VIDA

De acordo com a Lei de Parkinson, se você tiver dez reais no bolso, gastará dez reais. À medida que nossa renda aumenta, a Lei de Parkinson assume o controle e nós gastamos cada centavo extra que ganhamos.

Agora que já sabe qual seu salário e o recebe de fato, precisa viver dentro de sua condição. Então você vai congelar seu estilo de vida. Isso significa que não importa o quanto as coisas estejam indo bem (e isso será um desafio para você, porque agora que usa o Lucro Primeiro, as coisas vão ficar *incríveis*), você não ampliará seu estilo de vida. É preciso acumular dinheiro — muito dinheiro — e isso significa que não haverá carros novos, móveis novos ou férias loucas. Pelos próximos 5 anos, você vai congelar e viver o estilo de vida que está projetando agora, de modo que todo seu lucro extra seja direcionado para lhe proporcionar a recompensa final: a independência financeira.

Não surte. Não estou dizendo que não deva sair para jantar com o seu amor ou fugir para descansar um fim de semana. (Estava pensando em uma pousada? Gosto de pousadas.) Você precisa aproveitar a vida. Eu entendo e dou o maior apoio. O que estou dizendo é que, para que o Lucro Primeiro tenha um impacto permanente em sua vida, você precisa criar a maior distância possível entre o que ganha e o que gasta. Quanto mais dinheiro puder acumular, melhor, porque em certo ponto o dinheiro começa a render uma quantia substancial por si só. O dinheiro rende juros e retornos de investimentos. E lembre-se, uma vez que o dinheiro que acumulou começa a render a cada ano mais dinheiro novo do que você gasta em um ano, você terá alcançado a independência financeira.

Aqui estão cinco regras para ajudá-lo a congelar seu estilo de vida pelos próximos cinco anos:

1. Sempre comece procurando uma opção gratuita.

2. Nunca compre algo novo quando puder obter o mesmo benefício se comprasse usado. (É usado assim que você comprá-lo de qualquer maneira.)

3. Nunca pague o preço total se puder evitar.

4. Negocie e procure alternativas primeiro.

5. Atrase grandes compras até que você tenha escrito dez alternativas para fazer a compra e tenha pensado cuidadosamente em cada uma delas. Guarde os gastos extravagantes para as distribuições trimestrais do sistema Lucro Primeiro! Oba!

O estilo de vida do Lucro Primeiro é frugal, com certeza. Mas isso não significa o mesmo que um estilo de vida mesquinho. Você pode e vai viver muito bem (na verdade, melhor) quando for frugal do que faria quando posa de grande gastador. Por quê? Porque a frugalidade elimina o estresse financeiro, permitindo que você aprecie e aproveite melhor as coisas e experiências que compra. Os grandes gastadores compram as mesmas coisas, mas suas compras são regadas com uma grande porção de grande estresse. Quem tem tempo para isso? Lembre-se, pobreza bem vestida ainda é pobreza.

Se congelar seu estilo de vida pelos próximos cinco anos é demais para você, tudo bem. Tenho um plano B para você. (E se conseguir enfrentar esses cinco anos, este é seu próximo passo para quando seu período de congelamento chegar ao fim.) Chama-se *Wedge*, um termo que circula nos meios empresariais há algum tempo e que, até onde sei, foi originalmente cunhado por Brian Tracy. A ideia do Wedge é de forma gradual (e consciente) ampliar seu estilo de vida à medida que sua renda aumenta. Toda vez que sua renda aumentar, você reserva metade do valor do aumento como poupança para que não expanda seu estilo de vida para, como sugere a Lei de Parkinson, "usar todos os recursos disponíveis".

Então, por exemplo, se está levando para casa R$100 mil por ano (debitados os impostos, que são pagos pela sua empresa) e seu estilo de vida Lucro Primeiro significa reservar R$20 mil por ano e viver com R$80 mil; é aqui que você começará seu Wedge. Metade de cada renda além dos R$100 mil vai diretamente para o Cofre. O Cofre começa a acumular dinheiro, e muda de um fundo "Caramba, não tenho dinheiro" para um fundo "Caramba, é muito dinheiro".

Digamos que sua renda vá para R$135 mil, um aumento de R$35 mil em relação ao ano anterior. Você pegaria 50% dos R$35 mil (R$17.500) e depositaria no Cofre. Isso deixa pouco mais de R$117 mil. Porque você vive o estilo de vida Lucro Primeiro, agora pega 20% e o reserva a título de poupança. Com o aumento da renda, esse número agora é de R$23.400. Isso leva sua economia anual para cerca de R$50 mil. E você agora está vivendo com mais — R$93.600, para ser exato, um aumento de mais de R$13 mil. Sua vida avança, mas o sistema Wedge, combinado com o Lucro Primeiro, permite que suas economias aumentem muito rápido, tornando seu caminho até a independência financeira mais curto.

LUCRO PRIMEIRO PARA CRIANÇAS

Independentemente de como recebe seu dinheiro, o universo parece encontrar uma maneira de nos fazer merecê-lo. É por isso que não dou uma mesada aos meus filhos. Em vez disso, monto uma lista de trabalhos (uma variante das tarefas) com as taxas de pagamento correspondentes e fixo na geladeira. As crianças decidem quanto vão ganhar com base no quanto trabalham. Enquanto escrevo isso, minha filha está em uma viagem de férias de seis semanas no Havaí pela qual ela mesma pagou. Três anos atrás, ela foi para a Espanha com seu próprio dinheiro. Falo isso com orgulho de pai com certeza, mas também quero deixar claro que o objetivo do Lucro Primeiro para as crianças é fazer com que elas apreciem o valor do dinheiro, aprendam a administrá-lo e eliminem qualquer senso de direito adquirido. Veja as noções básicas de como fazer isso.

Dê aos seus filhos alguns envelopes e peça-lhes que nomeiem cada um deles:

1. Um para o grande sonho, como o cavalo da minha filha. Peça que guardem até 25% do dinheiro deles neste envelope.

2. Um para ajudar à família. Esse valor deve ser recorrente, como R$5 por semana para contribuir com as compras de alimentos ou diversão. O segredo é manter uma taxa recorrente para que eles se acostumem a ter que pagar por algo regularmente. Certifique-se de que o valor seja apropriado para a idade.

3. Um para impacto. Peça-lhes que coloquem de 5% a 10% neste envelope para doar a uma instituição de caridade de sua escolha, ou para usar de uma maneira significativa... como começar seu próprio negócio, que sirva à comunidade e que ganhe dinheiro!

4. Um para o Cofre. É aqui que eles vão economizar 10% de seus recursos para uma emergência séria (espero que seus filhos nunca tenham uma, mas você os quer preparados desde cedo), esse valor também se tornará uma fonte de investimento à medida que o dinheiro se acumula.

5. Um envelope para loucuras, para comprar o que eles precisarem ou quiserem — brinquedos, música, livros, etc. Deixe-os ganhar dinheiro e se divertir!

Desnecessário dizer que as crianças devem seguir a regra de ouro do Lucro Primeiro: sempre alocar o dinheiro para as contas diferentes (envelopes) antes de fazer qualquer outra coisa. Esse sistema ensinará muito aos seus filhos sobre o valor do dinheiro — como administrá-lo, como ganhá-lo, como financiar seus sonhos. Pode parecer estranho no início (estou falando com vocês, superpais), e você certamente vai enfrentar alguma resistência, mas isso é um grande presente para eles. Imagine como sua vida financeira poderia ter sido diferente se alguém lhe ensinasse essas importantes lições e estratégias. Ou se teve sorte o suficiente para que seus pais tenham lhe ensinado, pense em como isso serviu a você e faça o mesmo por seus filhos.

É engraçado — a história do "cofrinho" é uma das que os leitores mais mencionam. É marcante, eu sei, com certeza foi para mim. Ela estará para sempre gravada em minha memória e sei que será meu pensamento final antes de morrer.

Minha filha, Adayla, está crescida agora e foi aceita na Virginia Tech, minha *alma mater*. (Vamos Hokies!) Quando eu a levei para a semana de orientação, paramos em um Cracker Barrel. Durante o almoço, mencionei a história do cofrinho; não tocávamos no assunto desde que ela tinha 9 anos.

"Do que você está falando?", questionou ela.

Eu contei a história e ela balançou a cabeça. Ela não se lembrava de nada. Por um segundo, fiquei triste de que um momento tão crucial fosse simplesmente uma lembrança fugaz para ela. Então eu percebi, *é claro que ela não vai se lembrar.* Para ela, me oferecer todas as suas economias suadas era uma coisa automática a fazer, como manter a porta aberta para uma pessoa idosa. Boa gestão financeira e cuidar dos outros são coisas automáticas para ela. Não requer habilidades extras ou reflexão; é só quem ela é.

Quando deixei Adayla no campus, fiz o velho discurso sobre tirar o máximo proveito da faculdade, blá, blá, blá, coisas de pai, blá, blá, blá. Krista e eu exigimos que nossos filhos participem do pagamento de sua educação universitária. O que Adayla ainda não sabe é que algumas das últimas distribuições de lucro já pagaram pela faculdade dela. O dinheiro que ela destinará para a faculdade vai pagar pelo casamento dela — com um grande bolo de casamento no formato de cofrinho.

TOME UMA ATITUDE: VIVA O LUCRO PRIMEIRO

Passo 1: Crie contas de alocação do sistema Lucro Primeiro para suas despesas pessoais.

Passo 2: Com base no seu pagamento mais recente e no "congelamento e estilo de vida" explicado neste capítulo, descubra um valor realista para seu custo de vida.

Passo 3: Sente-se com toda sua família e converse sobre números. Diga-lhes o que você está fazendo com o Lucro Primeiro e o impacto positivo que isso terá na saúde financeira de longo prazo de sua família. E se isso ajudar, você pode dizer às crianças que esse método foi algo sugerido pelo "Tio Mikey".

Capítulo 11

COMO EVITAR QUE TUDO VÁ POR ÁGUA ABAIXO

O pior inimigo do Lucro Primeiro não é a economia, seus funcionários, seus clientes ou sua sogra. (Bem, *poderia* ser sua sogra.) O pior inimigo do Lucro Primeiro é *você*. O sistema é simples, mas você tem que ter disciplina para implementá-lo de forma consistente, e é aí que a maioria de nós deixa a desejar. Nós não manteremos o Congelamento da Dívida até o fim. Não reduziremos nossas despesas com funcionários nem entraremos em um escritório simples e pouco glamouroso. Certamente não vamos desafiar as normas do setor e tentar inovar. Mas *vamos* roubar de nós mesmos, pegando dinheiro que originalmente alocamos para o lucro para pagar as contas. Roubaremos de nossa conta IMPOSTOS para pagar nossos próprios salários. Faremos empréstimos. Vamos mendigar. Roubar (de nós mesmos). E quando deixarmos o Lucro Primeiro desmoronar, qual será a única razão? Fizemos tudo sozinhos.

Quando escrevi a versão original deste capítulo, estávamos enfrentando um terrível inverno aqui na costa leste dos Estados Unidos. Ouvi dizer que outras partes dos Estados Unidos também sofreram, mas fiquei preso dentro de casa em razão da neve pelo que me pareceram 84 anos. Lembro-me de ter medo de ligar o canal de previsão do tempo por temer enlouquecer de vez. Não tenho certeza em qual estado a situação foi pior, mas apesar de meu coração achar que foi minha amada Jersey, tenho quase certeza de que foi Minnesota. Na verdade, tenho certeza de que foi Minnesota.

Anjanette Harper, uma das minhas melhores amigas (do tipo que compartilha desodorante em viagens) e a melhor escritora do planeta, vive do outro lado da fronteira, em Nova York. Nós estávamos trocando histórias de guerra pelo telefone sobre como a mais recente tempestade afetara cada uma de nossas cidades quando ela disse: "Mike, sobrevivi a uma caminhada de quase um quilômetro e meio no Minnesota Northwoods... em janeiro. Fomos enviados com neve até a cintura e nada além de uma bússola, alguns fósforos e um saco de granola. Esse inverno não conseguiu me vencer."

Anjanette me contou uma história hilária sobre o Camp Widjiwagan (sim, esse é o nome verdadeiro), um acampamento de inverno que ela frequentou com seus colegas perto de Ely, Minnesota, quando tinha 13 anos.

"Era ridículo — éramos um grupo de garotos da cidade enviados para um acampamento ambiental no norte durante o mês mais frio do ano. Não podíamos usar o único banheiro interno, a não ser para escovar os dentes — é sério, o assento da privada tinha fita adesiva para mantê-lo fechado —, assim, tínhamos que vestir três camadas de roupas para ir até o banheiro externo no meio da floresta para fazer xixi. Experimente ir no breu da noite a um banheiro com assento congelado em um pequeno barraco de madeira, com duas matilhas de lobos uivando uma para a outra nos arredores."

Eu ri tanto que Anjanette me contou mais sobre suas aventuras em Camp Widjiwagan, mas só depois que ela explicou como os orientadores conseguiram fazer os campistas mudarem seus hábitos de desperdício que percebi que *precisava* compartilhar a história dela com você.

"Na primeira noite, depois do jantar, nos pediram para raspar os restos de alimentos de nossos pratos em um balde. Um dos orientadores pesou nossas sobras combinadas e anunciou que havíamos conseguido desperdiçar vários quilos de comida. Sendo um bando de pirralhos privilegiados, respondemos com um simples 'Tá, e daí?'"

"Tivemos que ouvir um sermão sobre como alguns quilos de lixo, repetidos diariamente, somam algumas toneladas de lixo e, logo, resultam em alguns aterros cheios de lixo. Em seguida, recebemos o ultimato: tínhamos que reduzir o desperdício por refeição a apenas alguns gramas até o final da semana. Não me lembro qual seria a consequência exata se não o fizéssemos, mas era algo terrível, como ser obrigado a dançar quadrilha... uns com os outros."

Anjanette continuou explicando como, nos dias que se seguiram, ela e seus colegas passaram a controlar a quantidade de comida que deixavam em seus pratos ao final de cada refeição. Eles elaboraram estratégias e apresentaram soluções — a mais importante delas era pegar porções menores para começar.

"Nós nos ajudamos mutuamente", explicou Anjanette. "Se, depois que eu acabasse de comer, ainda tivesse purê de batata vegano no meu prato e Ted e

Brian quisessem uma segunda porção, eu passava as minhas sobras. Nós cutucávamos uns aos outros (ou gritávamos uns com os outros, o que preferir) quando nossos pratos tinham comida demais. Perto do fim da refeição, quando parecia que poderíamos não alcançar nosso objetivo, começávamos a pressionar uns aos outros. Porque, vamos encarar — nós tínhamos acabado de atingir a puberdade. Teríamos feito qualquer coisa para evitar ter de nos tocar, muito menos para dançar quadrilha."

No último jantar, Anjanette e seus colegas acampados se surpreenderam — eles conseguiram chegar a zero de desperdício. Zero. Nada. Nadinha. Ninguém precisava fazer nada relacionado àquelas duas palavrinhas que nunca deveriam ser ditas juntas... dança e quadrilha.

Em essência, o que Anjanette e seus amigos fizeram foi se unirem para garantir que atingissem seu objetivo. Os benefícios de usar um amigo ou grupo de responsabilidade são numerosos. Os principais são:

1. Sua perseverança vai às alturas porque mais alguém conta com você, e também porque uma boa e velha competição amigável não mata ninguém.

2. Quando você passa por um processo doloroso junto com outras pessoas, a dor é mitigada.

3. A ação de impor um plano ou sistema junto com outra pessoa garante que você tenha mais chances de fazer sua parte.

4. Quando se reúne regularmente com seu parceiro e/ou grupo, você entra em um ritmo que torna mais fácil manter o rumo e alcançar seu objetivo. Grandes metas de aspiração são divididas em pequenas metas alcançáveis.

O Lucro Primeiro funciona, e conseguir um parceiro de responsabilidade garantirá que você possibilite isso.

Agir sozinho é o maior erro (**Erro nº 1**) que os empreendedores cometem ao implementar o Lucro Primeiro, mas há outros. Neste capítulo, compartilho mais algumas armadilhas e como evitá-las ao trabalhar no sistema Lucro Primeiro. Não se preocupe, nenhuma das minhas soluções exige que você dance quadrilha. (Sem ofensa aos meus leitores que gostam de quadrilha.)

ERRO Nº 2: FAZER MUITO, RÁPIDO DEMAIS

É extremamente comum que empreendedores iniciantes no Lucro Primeiro comecem a alocar 20% ou até 30% em sua conta LUCRO desde o início. No mês seguinte, percebem que não conseguem arcar com isso tudo e devolvem o dinheiro para pagar as contas, o que anula todo o processo. Você deve alocar lucro e não tocar mais neste valor, então precisa ter certeza de que sua empresa consegue lidar com a redução na receita operacional.

Para aumentar seu lucro, você precisa se tornar mais eficiente, para entregar os mesmos ou melhores resultados a um custo menor. O Lucro Primeiro funciona de modo reverso, partindo-se do resultado final. Antes, você costumava tentar ser mais eficiente para ter lucro. Agora, ao alocar o lucro primeiro, você deve se tornar eficiente para apoiá-lo. O mesmo resultado, engenharia reversa.

É por isso que sugiro que você comece com uma pequena porcentagem. Não caia na armadilha de ir com muita sede ao pote, alocando muito lucro antecipadamente para depois ter que devolver parte do dinheiro em sua conta DESPESAS OPERACIONAIS quando chegar a hora de arcar com a folha de pagamento. Comece com uma pequena porcentagem para criar o hábito. A cada trimestre, ajuste suas porcentagens de alocação do sistema Lucro Primeiro em direção a sua meta, aumentando-as em mais 1 ou 2%. Começar devagar e dar passos pequenos e seguros ainda o obrigará a procurar maneiras de melhorar e ser mais eficiente no que faz, mas você não será tentado a desistir de todo o sistema porque a pressão é muito grande ou a tarefa é impossível.

Jorge e José, empolgados pelos resultados alcançados com porcentagens menores, alocaram 20% para sua conta de lucros e rapidamente perceberam que sua empresa não suportaria a retirada de lucro *e* continuar crescendo como estava. Então, eles ajustaram o percentual até conseguirem um equilíbrio para a alocação para a conta LUCRO. Eles descobriram que 9% do lucro é alto o suficiente para fazer uma diferença real em suas reservas para emergências e comemorações, mas baixo o suficiente para não atrapalhar sua atual estratégia de dominação do mercado.

Sua estratégia é a inovação constante à frente de seu setor. Para conseguir isso, eles estabeleceram um poderoso plano de retenção de funcionários, pagando-lhes 30% a mais do que a média do setor. Sim, eles pagam *mais* aos seus funcionários do que a concorrência, o que lhes possibilita reter os melhores engenheiros do mercado e — espere só — ainda são extremamente lucrativos para o setor. Esse é o poder da engenharia reversa no lucro. Identifique os elementos que o sustentam — nesse caso, ótimos funcionários que permanecem com você por um longo período — empenhe-se neles e descarte todo o resto. Jorge e José ajustam as porcentagens da conta LUCRO regularmente, considerando as necessidades de curto e longo prazo. Eles fizeram tudo certo — e têm um negócio próspero e bem-sucedido para comprovar isso.

Uma coisa boa também pode ser excessiva, mesmo quando se trata de ver sua conta LUCRO crescer rapidamente. Se cometer esse erro no início da implementação do sistema Lucro Primeiro ou ao longo do caminho, quando o futuro parecer especialmente otimista, corrija-o o mais rápido possível ou você cairá novamente na Armadilha da Sobrevivência.

ERRO Nº 3: CRESCER PRIMEIRO (LUCRAR DEPOIS)

"Eu gosto da ideia do Lucro Primeiro, mas quero ampliar minha empresa."

Essa é provavelmente a objeção mais comum que recebo quando compartilho o sistema Lucro Primeiro. Muitos empresários acreditam que só é possível ter um ou outro: lucro ou crescimento. Eu me espanto ao perceber que tantos empreendedores pensem que tem que haver uma concessão. Escolha o crescimento ou o lucro, mas não é possível ter os dois. Besteira! Lucro e crescimento andam de mãos dadas. As empresas mais saudáveis mostram como ser consistentemente lucrativas primeiro e depois fazer de tudo para crescer.

Talvez a atração das quatro ou cinco histórias mágicas de sucesso que ouvimos repetidas vezes tenha levado esse mito sobre lucro e crescimento a se firmar entre os empreendedores. Você sabe, aquelas histórias de empresas que crescem vertiginosamente e, depois de atrair inúmeros investidores, nadam nos lucros. Quer dizer, quem não quer ser o próximo Google ou Facebook? Nesse caso, o caminho é claro: imite-os. O problema com essa estratégia é que as empresas por trás dessas mesmas histórias de sucesso mágico são as ganhadoras da loteria do jogo empresarial. Eles não são, nem de longe, a regra. Eles são um raro sucesso improvável em um milhão, em que a abordagem correta era crescer, crescer, crescer e isso gerou lucros. No entanto, a abordagem "crescer a todo custo" raramente resulta em lucro. Na verdade, é difícil até mesmo encontrar histórias conhecidas porque a mentalidade de "crescer a todo custo" produziu um cenário de negócios arruinados, abandonados e destruídos de que você nunca ouviu falar porque ninguém fala sobre fracassos (e isso é outra peculiaridade de nosso comportamento, chamado de viés). Mas talvez você conheça o Twitter.

Após dez anos de atividade, o Twitter ainda não é lucrativo. Ele *perdeu* US$2 bilhões desde 2011 e ainda precisa descobrir uma maneira de ganhar um centavo que seja de lucro. A empresa continua contratando novas equipes de gerenciamento, novas lideranças, qualquer coisa para descobrir uma maneira de se tornar lucrativo, mas não consegue. Não parece loucura? Crescer primeiro e depois tentar descobrir como ter lucro? O Twitter está tentando fazer exatamente isso e, a menos que tire um coelho da cartola, sua fonte de capital de investimento secará. No momento que este livro foi escrito, já circulavam rumores há anos de que a empresa está à venda, mas parece que ninguém está interessado. Talvez os compradores estejam aprendendo e tenham decidido que, se uma empresa não conseguiu descobrir como ser lucrativa, ele também não conseguirá.

A ironia é que o Twitter é apenas um grande exemplo do que há de errado quando o foco é o crescimento, deixando o lucro a ser resolvido no futuro. Essa mentalidade está em toda parte[1] e o cenário se repete em negócios de todos os tamanhos. Crescer a todo custo. Até que não haja mais dinheiro e o fim seja uma miserável morte solitária. Que divertido!

Quando o lucro vem primeiro, sua empresa automaticamente lhe mostrará o caminho para o crescimento. Eu me pergunto como o Twitter seria diferente se seus fundadores se comprometessem a ser lucrativos desde o primeiro dia? Provavelmente seria uma empresa muito diferente e muito mais saudável.

Talvez a declaração de Mark Cuban, o empreendedor de grande sucesso e tubarão do *Shark Tank*, tenha esclarecido os fatos. Em seu post de fevereiro de 2009 intitulado "The Mark Cuban Stimulus Plan" ele descreve o que é preciso para as empresas prosperarem e para que ele invista dinheiro em seu crescimento; minhas favoritas são a 1 e a 4:

"1. Pode ser uma empresa existente ou uma startup."

"4. Ela deve ser lucrativa dentro de 90 dias."

Eu acredito que você precisa ser lucrativo desde já. Um dos investidores mais famosos do mundo é um pouco mais leniente. Ele lhe dá o prazo de um trimestre.[2]

---

[1] Um artigo, de 18 de fevereiro de 2016, intitulado "Uber Says It Is Now Profitable in the US" de Dan Primack afirma que a Uber declarou que agora é lucrativa de modo geral nos EUA, mas não está claro como as despesas estão sendo alocadas ao longo de toda a presença global da Uber e, portanto, não está claro onde e/ou quanto a Uber realmente é lucrativa. Desconfio que se ela usasse o Lucro Primeiro, tudo estaria muito claro... bastaria olhar a conta lucro. http://money.cnn.com/ 2016/03/21/technology/twitter-10th-anniversary/ [conteúdo em inglês].

[2] Confira toda a estratégia de investimentos de Cuban, conforme postado em seu site em http://blog.maverick.com/2009/02/09/the-mark-cuban-stimulus-plan-open-source-funding/ [conteúdo em inglês].

ERRO N° 4: CORTAR OS CUSTOS ERRADOS

Até agora você sabe que sou um viciado em frugalidade. Fico empolgado quando economizo dinheiro, e mais ainda quando encontro uma maneira de eliminar uma despesa para sempre. Ainda assim, nem todas as despesas devem ser cortadas. Precisamos investir em ativos, e eu defino ativos como coisas que trazem mais eficiência para seu negócio, permitindo que você obtenha mais resultados a um custo menor por resultado. Portanto, se uma despesa facilita a obtenção de melhores resultados, ela é necessária.

Certa vez, visitei a fábrica de uma empresa que faz facas. Quando percebi que eles estavam usando ferramentas antigas, um dos proprietários disse: "Sim. Nós temos sistemas dos anos 1960! Economizamos muito dinheiro mantendo nosso equipamento antigo."

Durante a minha visita, notei também que as facas que produziam eram inconsistentes em termos de qualidade. Algumas das facas eram afiadas; outra não. Os cabos raramente tinham uma empunhadura confortável. Coincidentemente, visitei uma outra empresa de facas no início daquela semana e notei que em uma hora de fabricação cumulativa a empresa conseguia produzir uma faca perfeita atrás da outra em um volume quatro vezes maior que o da empresa que ainda vive na década das barulhentas fãs dos Beatles e do amor livre.

O dinheiro é criado pela eficiência — invista nela. Se uma compra trará sua lucratividade e criará eficiência significativa, encontre maneiras de cortar custos em outros lugares e considere equipamentos (ou recursos ou serviços) diferentes ou com desconto, em vez de sacrificar a eficiência pelo que você acha que é economia.

ERRO N° 5: "REINVESTIR OS LUCROS"

Usamos termos sofisticados para justificar a retirada de dinheiro de nossas diferentes contas de alocação para cobrir despesas. Os dois usados com mais frequência são *capitalizar* e *reinvestir os lucros*, que são, na verdade, apenas outras maneiras de se dizer emprestar. Já fiz isso. Eu "reinvesti" o dinheiro da minha conta LUCRO para cobrir despesas operacionais, e cara, como me arrependo disso.

Quando você não tem dinheiro suficiente em sua conta DESPOP para cobrir as despesas, isso serve como um grande sinal vermelho de que suas despesas são muito altas e você precisa encontrar uma maneira de corrigi-las rapidamente. Muito raramente, isso também pode significar que está alocando demais para as contas Lucro ou Rem. do Proprietário. Isso só acontece quando você começa com um percentual de Lucro ou Rem. do Proprietário muito alto. E quando isso acontece, é porque você está tirando um percentual de lucro ou salário que ainda não é capaz de sustentar; as eficiências ainda não estão operando para sustentar sua lucratividade. Mas, novamente, essa raramente é a razão pela qual sua conta DESPOP está no vermelho.

Da mesma forma, alguns empresários continuam a usar seus cartões de crédito para as operações do dia a dia e os chamam de linhas de crédito. Isso não é verdade. É dinheiro que você não tem. Seu limite de gastos com cartão de crédito quase nunca é um empréstimo-ponte para ajudar a empresa a superar períodos de baixo fluxo de caixa (por exemplo, um cliente grande e lucrativo não está pagando a fatura em dia, como deveria). Não. Cartões de crédito são usados apenas para pagar as despesas e resultam em dívidas, é simples e claro. Usar um cartão de crédito para pagar itens que não consegue arcar sem ele é também um sinal vermelho de que suas despesas são muito altas. Pare de usar o cartão de crédito e reserve-o para emergências legítimas ou circunstâncias únicas (como para uma compra que precisa ser feita para gerar renda).

Quando você se vê em uma situação em que sente a necessidade de "reinvestir seus lucros", *pare* para se reavaliar. Há sempre uma maneira melhor e mais sustentável de manter a saúde de seu negócio. Você precisa colocar a cabeça para funcionar, não reinvestir dinheiro.

ERRO N° 6: ATACAR A CONTA IMPOSTOS

No primeiro ou segundo ano de implementação do Lucro Primeiro, você pode ser pego na armadilha fiscal por só alocar os valores estimados. Por exemplo, seu contador pode preparar estimativas com base na renda e na lucratividade do ano anterior de sua empresa que dizem que você deverá efetuar pagamentos de R$5 mil a cada trimestre.

À medida que suas contas LUCRO e IMPOSTOS crescem, você pode se surpreender ao perceber que está reservando cerca de R$8 mil por trimestre. Ao ver isso, você pode pensar: "Ei, meu contador disse que deveria pagar R$5 mil por trimestre. Estou reservando demais para os impostos." Uma pequena voz dentro de sua cabeça pode até dizer: "Não toque nesse dinheiro; provavelmente você precisará dele para os impostos." E, em seguida, uma voz mais alta dirá: "Não, não se preocupe com isso; provavelmente isso não acontecerá, e mesmo que aconteça, você tem tempo." Pegue R$3 mil para pagar seu salário ou pagar as contas. (Uma voz ainda mais alta — que eu mesmo já ouvi) poderia dizer: "Por que não financiar um novo carro esportivo com esse dinheiro? Não seria só uma despesa de negócios, você se tornaria instantaneamente o ser mais sexy do planeta." Não escute! Perigo, Will Robinson! Perigo!)

Grande erro.

Seus impostos crescem no mesmo ritmo que sua lucratividade. Na verdade, pagar mais impostos é um indicador de que a saúde do negócio está melhorando. No entanto, não estou dizendo que deve pagar mais impostos do que o necessário (o imposto é apenas uma despesa como qualquer outra), mas que deve saber que seus impostos crescerão na mesma medida que a saúde de sua empresa. Então, não roube da conta de impostos pensando que não precisará desse dinheiro para impostos, porque você vai precisar.

Às vezes, pode até precisar mais do que pensa. Em determinado ano, errei ao alocar os impostos estimados a cada trimestre e usei o dinheiro extra para aumentar minha Remuneração do Proprietário quando descobri que havia dinheiro sobrando. Que idiota! As estimativas de impostos se baseiam no rendimento do seu ano anterior. Se você lucrar mais este ano (e isso é certo), pagará mais impostos, mas suas *estimativas* de impostos continuarão as mesmas. Se você gastar as "sobras" de sua conta IMPOSTOS simplesmente porque alocou mais do que a estimativa, terá uma bela surpresa quando chegar a hora de pagar os impostos.

Converse com um contador especializado *tanto* na maximização do lucro *quanto* na redução de impostos (se você não tiver certeza se essa é a estratégia utilizada, peça que eles lhe expliquem seu método) a cada trimestre para reavaliar sua estimativa de impostos. E não tire dinheiro da conta IMPOSTOS! Seu negócio está crescendo em grandes saltos e impostos mais altos certamente são o futuro.

Outra questão tributária tem a ver com o pagamento de dívidas. Eu a chamo de pagar pelos seus pecados, porque se você tem dívidas que precisa eliminar, implementar o Lucro Primeiro vai ser mais doloroso no começo. Sei bem do que estou falando, aconteceu comigo.

O problema é o seguinte: o governo concede uma redução de impostos sobre as despesas, mas não leva em consideração o dinheiro que você reserva para pagar uma dívida como despesa. Os lançamentos feitos em seu cartão de crédito e os juros e as taxas de cartão de crédito podem ser considerados despesas, mas o pagamento dos cartões não.

Não acredito que estou dizendo isso, mas neste caso o governo está certo. Você obtém o benefício fiscal no ano em que efetua a compra, não importando se pagou pela despesa em dinheiro, cartão de crédito ou com recursos de um empréstimo bancário ou linha de crédito. À medida que você se torna lucrativo e salda a dívida, pagará os impostos sobre essa renda (usada para quitar a dívida). Liquidar a dívida e pagar impostos pode parecer uma maldição dupla. Mas não é — você só está pagando por seus "pecados".

ERRO Nº 7: ADICIONAR COMPLEXIDADE

Conforme o Lucro Primeiro foi ganhando popularidade, encontrei um ponto passível de falha completamente inesperado: as pessoas acham que o sistema precisa ser mais complexo. É um fenômeno estranho, mas muitos empreendedores estão tão acostumados a pelejar com os detalhes contábeis que sentem que precisam enfrentar a mesma dificuldade com o Lucro Primeiro. E se essa dificuldade não aparece, pensam que algo deve estar errado. E assim inventam regras para adicionar confusão. Sei que parece estranho, mas já vi isso acontecer mais de uma vez.

Já vi empresários modificarem seus saldos bancários, acrescentando depreciação ou amortização. Não faça isso. Dinheiro é dinheiro. Ou você tem ou não tem.

Vi empreendedores fazerem uma distribuição de lucros, colocá-la em suas economias, depois pagar por uma compra ou fazer uma contratação com esse dinheiro e dizerem que isso não é despesa porque saiu de seu próprio bolso. Ahhh! Isso é um jogo de aparência. E é uma despesa. O lucro é uma recompensa (na forma de uma distribuição em dinheiro) para os proprietários do negócio, e deve ser um acréscimo de seu salário por trabalhar no negócio (Rem. do Proprietário).

O sistema é superfácil. Ele foi projetado para trabalhar em sintonia com seu modo natural de trabalhar; por isso é fluido. Não pense demais nisso. Não adicione complexidade. Não tente "enganar" o sistema. Aceite o fato de que, às vezes, obter os resultados desejados é muito mais fácil do que todo aquele trabalho pesado feito para obter os resultados indesejados.

ERRO Nº 8: NÃO UTILIZAR AS CONTAS BANCÁRIAS

Algumas pessoas tentam "simplificar" o sistema Lucro Primeiro deixando de criar as contas bancárias. Elas simplesmente pedem aos seus contadores para gerenciar o sistema. Afinal, elas são empreendedoras e não têm tempo para detalhes "desnecessários". Então, usam uma planilha ou modificam o plano de contas em seu sistema contábil para simular as contas do Lucro Primeiro. Então, desde logo, o Lucro Primeiro não funciona. Quando isso acontece, eles culpam o sistema, mas o problema é que eles não *usaram* o sistema.

O Lucro Primeiro deve ser configurado para integrar seu comportamento natural, como empreendedor. Como você faz login na sua conta bancária para analisar seu saldo e tomar decisões, é necessário que o Lucro Primeiro esteja lá. As planilhas e os relatórios do livro-razão geral de seu sistema de contabilidade também são excelentes, mas eles chegam tarde demais. Você não os consulta antes de tomar decisões de momento; apenas depois dos fatos. Examinar um plano de batalha depois que a guerra acabou é inútil.

O sistema Lucro Primeiro configurado no banco estará sempre à sua frente quando analisar suas contas, permitindo que gerencie as decisões de lucratividade e fluxo de caixa em tempo real. Configurar suas contas significa que você não será capaz de fugir do sistema e é exatamente assim que precisa ser.

Meu próprio negócio — e minha vida — mudou para melhor por causa do Lucro Primeiro. Sou eternamente grato pela estabilidade financeira e liberdade que ele me proporcionou. Mas também sei como é fácil sair dos trilhos do Lucro Primeiro. Antes que minha contabilista ninja, Debra, começasse a me pressionar, aconteceu comigo, e já vi isso acontecer em muitas empresas. As pessoas não só saem dos trilhos como acabam sendo atropeladas pelo trem.

É fácil voltar aos velhos tempos porque eles parecem fazer sentido (mas não fazem), ou porque nosso contador diz que não precisamos nos preocupar (deveríamos), ou porque achamos que éramos mais felizes fazendo as coisas do jeito antigo (não éramos). Vou deixar você com uma citação do grande atleta Sir Roger Bannister, que derrubou o mito de que não era possível superar a marca de 1,6km em 4 minutos: "O homem capaz de ir mais longe quando o esforço se torna doloroso é o homem que vai vencer."

Certo, Sir Roger.

TOME UMA ATITUDE: SEJA HONESTO COM SEU CONTADOR

Sente-se com seu contador, contabilista ou coach (idealmente, todos os três) e crie um plano tático para garantir que não acabe alocando receita demais para sua conta LUCRO e *aloque* o suficiente para sua conta IMPOSTOS. Programe avaliações trimestrais para se assegurar que esteja acumulando seu lucro e outras alocações de modo consistente, além de reduzir suas despesas operacionais.

E se, por qualquer motivo, você ainda não tiver criado o Lucro Primeiro no banco, em nome de tudo que lhe for sagrado, faça-o agora. Siga o exemplo de Claudio Santos, que me enviou um e-mail da África do Sul enquanto eu digitava as últimas linhas deste capítulo dizendo: "Comecei a ler seu livro. Não parece fazer sentido. De qualquer forma, estou seguindo suas instruções e fazendo tudo que disse." Claudio abriu sua conta e me enviou um e-mail para me contar, assim como lhe pedi no Capítulo 1. Desconfio que ele está prestes a ver um retorno positivo em seus lucros.

É isso aí. Apenas faça.

EPÍLOGO

Rick Barry é um dos maiores arremessadores de lance livre de todos os tempos. Ele foi 12 vezes All-Star da NBA e membro do Naismith Memorial Basketball Hall of Fame. Seu recorde de acertos de lance livre é de 89,3%. Na NBA, a média é de 75% e muitos jogadores erram na metade das vezes. Dois dos maiores jogadores de basquete de todos os tempos, Shaquille O'Neal e Wilt Chamberlain, tiveram uma porcentagem de lance livre de menos de 53%, e ambos erraram mais de 5 mil tentativas de lance livre ao longo de suas carreiras.

Como Barry converteu tantos lances livres? Ele arremessava no estilo lavadeira ou "estilo vovozinha", como é conhecido nos EUA — arremessando por baixo.

O arremesso por baixo, ironicamente, não é com as mãos embaixo da bola de basquete. As mãos do atirador seguram as laterais da bola, com a bola na altura da cintura. Então o arremesso é feito balançando os braços para cima e jogando a bola para frente. Duas coisas interessantes acontecem. Primeiro, o movimento do braço é bastante simples. Ao contrário do arremesso com uma mão que requer a coordenação de muito mais articulações (leia isso como mais variáveis), o arremesso por baixo mantém os braços travados e os punhos engatilhados (leia isso como menos variáveis). O resultado é um arremesso muito mais consistente. Além disso, coloca muito mais efeito na bola, permitindo que aterrisse mais bem posicionada. Se atingir o aro, ele quica verticalmente com mais frequência, o que permite que a bola fique perto da borda e aumenta a probabilidade de acertar a cesta.

Se você tentar (e insistir) no arremesso ao estilo vovozinha de Rick Barry, seu percentual de acerto de arremessos livres aumentará drasticamente. E ainda assim você provavelmente não gostaria de exibir esses dotes diante de seus amigos. Jogadores de basquete profissionais e universitários adotando o estilo da vovó? De jeito nenhum. Mesmo que os jogadores mais talentosos ganhem milhões por *pontuar mais*, e usar o estilo vovó os ajudará a marcar mais pontos, jogadores profissionais não adotarão esse estilo. O medo de parecer tolo ou inexperiente vence a lógica, que diz aos jogadores que o arremesso por baixo lhes dará uma taxa de sucesso maior. E também pode ajudá-los a entrar para os livros dos records. Ora,

Wilt Chamberlain, o cara com a pequena taxa de acerto de lances livres, se tornou uma lenda, em parte quando marcou um recorde de cem pontos para o Philadelphia Warriors contra o New York Knicks em 1962, e fez isso marcando mais pontos em lances livres. Na verdade, ele quebrou o recorde de lance livre naquele jogo. Como ele fez isso? Nesse jogo, Chamberlain arremessou seus lances livres no estilo vovozinha.

Quem diria que a vovó era tão fera? Gostaria de saber arremessar como a boa e velha vovó. Esquece. Eu gostaria de continuar arremessando como ela (porque era assim que eu arremessava quando era criança) e nunca ter preferido parecer "descolado demais" a ponto de abrir mão de pontos. Lição aprendida, vovó. Nunca vou preferir ser esperto demais para pontuar mais. E nunca, jamais, serei bacana demais para abrir mão do lucro (mesmo que ninguém mais pratique retirar o lucro primeiro).

Eu não poderia estar mais empolgado pela aceitação do sistema Lucro Primeiro. Mas é provável que você ainda seja o primeiro de seus amigos a adotar esse sistema. E assim como bons amigos agiriam quando você é o primeiro a tentar algo novo, eles podem zombar de você. Bem-vindo ao plano de administração financeira e contabilidade da vovó: Lucro Primeiro. Ao implementá-lo, as chances de sucesso e realização nos negócios estão agora ao seu favor. Mas para aqueles que não estão familiarizados com o sistema, pode parecer uma abordagem inábil ou excessivamente simplista para contabilidade e escrituração contábil.

À medida que você caminha pela sua própria linha de lance livre — o banco — e abre um monte de contas que agora sabe que vão mudar sua vida, você pode ouvir risadinhas e insultos. Tudo bem. Assim como Barry, você sabe que funciona. E está em boa companhia. Diariamente — literalmente, todos os dias — recebo pelo menos cinco ou seis e-mails de pessoas que leram *Lucro Primeiro* e me escrevem para contar como aplicá-lo ajudou a transformar seus negócios. Isso só via e-mail. Eu também recebo constantemente posts no Facebook, Tweets, correio tradicional (acredite ou não) e ligações, e algumas pessoas até escreveram artigos sobre suas histórias de sucesso com o Lucro Primeiro. Algumas histórias, compartilhei com você neste livro. Outras, eu compartilho via keynote. Algumas pessoas, entrevistei em meu podcast *Profit First*. E todos esses relatos estão guardados e armazenados em meu disco rígido por toda a eternidade. Erradicar a pobreza empreendedora é a missão da minha vida e meus leitores são parte disso. Você faz parte disso.

Não consigo lembrar de todos os nomes, mas lembro das histórias. Como a agricultora de orgânicos, que, após 14 anos de perdas, decidiu desistir e fechar a fazenda. Antes que colocasse sua decisão em prática, ela decidiu tentar Lucro Primeiro. Em 6 meses, conseguiu seu primeiro lucro. Ela se sentiu revigorada e seu negócio estava crescendo e sendo lucrativo. Um casal que cria cavalos no interior da Austrália, em uma cidade com uma população de dez pessoas, escreveu para mim não muito tempo atrás. Seu casamento estava em ruínas porque seus negócios estavam lentamente sugando suas almas. Então, eles leram *Lucro Primeiro* e aplicaram o que aprenderam. Isso salvou seus negócios e seu casamento. Eu ouvi de inúmeros CEOs e empreendedores que recuperaram sua confiança, alegria, sanidade mental, fins de semana e de pessoas que já não são atormentadas pela ansiedade, insônia e outras doenças causadas pelo desafio de administrar uma empresa não lucrativa.

Quanto a mim, administrar um negócio e um estilo de vida Lucro Primeiro me deu total confiança sobre minhas próprias finanças e me libertou da busca interminável pelo grande negócio. Não estou mais procurando por um milagre — não preciso disso. Não estou esperando que um dia alguém compre minha empresa e me salve de um negócio que sobrevive mês a mês. Meus negócios são lucrativos hoje e continuarão lucrativos amanhã, no próximo mês e nos próximos anos. Estou livre de dívidas e colecionando uma pequena vitória financeira após a outra — a cada 10º e 25º dia do mês.

A resposta normal para corrigir problemas é tentar mudar nossos hábitos. Em *O Poder do Hábito*, Charles Duhigg diz que os hábitos são "clique, zum". Acionado por alguma coisa (como uma conta bancária vazia) — clique — nós entramos em nossa reação de rotina, como fazer ligações de cobrança desesperadas, por exemplo — zum. Como aponta Duhigg em seu livro, mudar os hábitos é possível, mas também é realmente muito difícil. No entanto, sistemas simples que capturam as partes boas de seus hábitos e nos protegem das partes ruins trarão mudanças positivas e permanentes, rapidamente.

E Lucro Primeiro é exatamente isso — um sistema simples que funciona *como nós*. Tudo o que você precisa fazer é segui-lo. Você não precisa de um MBA, um curso de contabilidade ou começar a devorar artigos no *Wall Street Journal*. Você nem precisa saber ler sua própria demonstração de resultados, demonstração do fluxo de caixa ou balanço patrimonial. Você não precisa mudar ou "consertar" quem você é para que isso funcione. Basta fazer.

Por que eu pediria para mudar quem você é? Você conseguiu desenvolver seu próprio negócio incrível fazendo o que faz, e isso é notável. Agora, tudo o que precisamos fazer é capturar seus bons hábitos financeiros e implementar salvaguardas para protegê-lo de sua "humanidade".

É realmente muito simples. Vamos reservar o lucro primeiro. Ponto final.

Vá até a linha de arremesso. Ignore os pessimistas. Segure a bola e arremesse ao estilo da vovó. Não se importe com o que os outros pensam; eles simplesmente não entendem ainda. Faça como Barry — e Chamberlain, em um jogo lendário — marque pontos e verá seu lucro e sua empresa crescerem enquanto faz o que é natural para você. E, acredite em mim, você certamente não vai parecer uma vovó — mas sim um gênio empreendedor. Não é preciso um milagre ou uma noite de sorte em Vegas. Não é preciso um ganho inesperado, um cliente excepcional ou um fenômeno mundial para concretizar a visão que teve para seu negócio desde que abriu sua primeira caixinha de cartões de visita. Você simplesmente precisa colocar seu lucro em primeiro lugar e todo o resto entrará nos trilhos. Não é ciência espacial nem requer um nascer com um dom especial. A liberdade financeira realmente está a apenas alguns pequenos pratos de distância.

Apêndice 1
O GUIA RÁPIDO PARA CONFIGURAÇÃO DO LUCRO PRIMEIRO

CONFIGURAÇÃO ÚNICA:

1. Configure as cinco contas bancárias básicas em seu banco atual como contas correntes. Chamaremos esse banco de **Banco 1**. 1. RECEITA; 2. LUCRO; 3. REMUNERAÇÃO DO PROPRIETÁRIO; 4. IMPOSTOS; 5. DESPOP.
2. Configure duas novas contas de poupança em um banco diferente: Chamaremos esse banco de **Banco 2**. O objetivo aqui é remover a tentação de "tomar emprestado" dessas contas. 1. RESERVA DE LUCRO; 2. RESERVA DE IMPOSTOS.
3. Determine as PADs (Porcentagens de Alocação Desejadas) para sua empresa usando a Avaliação Instantânea (veja o Apêndice 2 ou www.altabooks.com.br). Mas comece implementando as APAs (Atuais Porcentagens de Alocação) que sua empresa consiga administrar para o restante do trimestre atual.

DIARIAMENTE:

1. Toda a receita proveniente de vendas ou de outros negócios vai para a conta RECEITA.
2. Se estiver usando as contas do sistema Lucro Primeiro Avançado, deposite recibos para reembolsos, comissões, etc., nas respectivas contas.
3. Gaste um minuto diariamente para analisar os saldos de suas contas no Banco 1 para ver as tendências do fluxo de caixa para os principais aspectos de seu negócio. Esse é todo o tempo de que você precisa para conhecer a situação atual!

A CADA 10º E 25º DIA:

1. Transferir todos os fundos acumulados na conta RECEITA para as outras contas no **Banco 1** com base nas APAs que está usando.
2. Transferir todo o dinheiro da conta LUCRO do **Banco 1** para a conta RESERVA DE LUCRO no **Banco 2**. Transfira todo o dinheiro de sua conta IMPOSTO no **Banco 1** para a conta RESERVA DE IMPOSTOS no **Banco 2**. Isso deixará um saldo de R$0,00 nas contas LUCRO e IMPOSTOS no **Banco 1**.
3. Se estiver usando técnicas de Lucro Primeiro, transfira a folha de pagamento dos funcionários e outros valores fixos da conta DESPOP para as respectivas contas.

4. Transfira os salários do(s) proprietário(s) da empresa a partir da conta REMUNERAÇÃO DO PROPRIETÁRIO. Deixe todo o dinheiro excedente à distribuição de salários na conta REMUNERAÇÃO DO PROPRIETÁRIO.
5. Pague as despesas a partir da DESPOP.

TODO TRIMESTRE:
1. Pegue 50% do dinheiro acumulado na conta RESERVA DE LUCRO como distribuição de lucros. Lembre-se, esse dinheiro é para os donos da empresa e não para ser usado para "reinvestir" no negócio.
2. Pague suas obrigações tributárias a partir da conta RESERVA DE IMPOSTOS.
3. Reúna-se com seu profissional de contabilidade e ajuste suas APAs para Lucro, Impostos, Remuneração do Proprietário e Despesas Operacionais para maximizar sua saúde financeira.

TODO ANO:
1. Analise suas finanças com seu contador e especialistas financeiros.
2. Faça contribuições de fim de ano para o COFRE, contas de aposentadoria ou faça compras de capital apropriadas, conforme determinado por você e seu especialista financeiro.

Apêndice 2
O FORMULÁRIO DE AVALIAÇÃO INSTANTÂNEA

	ATUAL	PAD	LC$	DELTA	AÇÃO
Receita Bruta	A1				
Materiais & Subcont.	A2				
Receita Real	A3	100%	C3		
Lucro	A4	B4	C4	D4	E4
Remune. do Prop.	A5	B5	C5	D5	E5
Impostos	A6	B6	C6	D6	E6
Despesas Operacionais	A7	B7	C7	D7	E7

Apêndice 3
GLOSSÁRIO DE TERMOS ESSENCIAIS

APAs (Atuais Porcentagens de Alocação): Estes são os percentuais atuais usados para alocar dinheiro em suas várias contas. Uma margem de lucro de 5% significa que, duas vezes por mês, você transferirá 5% do saldo da conta RECEITA para a conta LUCRO.

Armadilha da Sobrevivência: Quando você opera sua empresa mês a mês, cai na armadilha da sobrevivência, fazendo qualquer coisa para gerar receita, mesmo quando isso contraria a visão de sua empresa e está fora dos limites das necessidades de seus principais clientes.

Avaliação Instantânea: Demonstrações de resultados e balanços podem ser tediosos e confusos. A Avaliação Instantânea é uma ferramenta que oferece uma visão clara e rápida da atual situação financeira de sua empresa.

Aversão à Perda: Relacionada ao Efeito Posse, a aversão à perda é o fenômeno psicológico que nos torna resistentes a desistir do que já temos, mesmo que seja para obter um ganho igual ou maior.

Congelamento da Dívida: Significa mais do que simplesmente "chega de dívidas novas". É um processo rigoroso, passo a passo, para reduzir seus gastos desnecessários, parar de incorrer em novas despesas e encontrar maneiras de se tornar mais lucrativo.

DESPOP (DESPESAS OPERACIONAIS): No sistema Lucro Primeiro, você deve pagar todas as contas a partir de sua conta DESPOP.

Dia Zero/Dia Um: Dia Zero é o dia anterior à implementação do Lucro Primeiro. O Dia Um é o dia em que você implementa o Lucro Primeiro.

Dívida Bola de Neve: Termo cunhado por Dave Ramsey, a Dívida Bola de Neve é uma abordagem para lidar com a dívida que liquida suas dívidas menores primeiro. Isso ajuda você a criar impulso para enfrentar suas dívidas maiores e alcançar a liberdade financeira.

Efeito Posse: Estudos em economia comportamental mostram que tendemos a valorizar o que possuímos mais do que o que não possuímos.

Efeito Primazia: Nossa tendência em dar maior ênfase ao que encontramos primeiro. Então, se os lucros são importantes para você, coloque o lucro em primeiro lugar.

Lei de Parkinson: O adágio de C. Northcote Parkinson de que o trabalho se expande para preencher o tempo disponível é a mesma tendência de que sua empresa precisa usar todos os recursos disponíveis. Isso também é conhecido como demanda induzida. Essa é a principal razão pela qual você precisa guardar seus lucros antes de encontrar maneiras de gastá-lo.

Margarita: Um delicioso coquetel feito com tequila, triple sec e limão. Deve ser sempre servido com sal na borda. Você é incentivado a desfrutar de uma como recompensa por chegar ao final deste livro.

PADs (Porcentagens de Alocação Desejadas): O percentual ideal de receita que almeja alocar como Lucro, Impostos, Remuneração do Proprietário e Despesas Operacionais. Você aumentará gradualmente suas APAs em direção às suas PADs de Lucro, Impostos e Remuneração do Proprietário. Você diminuirá gradualmente suas APAs para DESPOP.

PCGA (Princípios Contábeis Geralmente Aceitos): São um conjunto de normas e procedimentos contábeis usados pela maioria das empresas. Eles presumem que Vendas – Despesas = Lucro, tratando o lucro como uma preocupação posterior.

Princípio de Pareto: Também conhecido como a regra 80/20, o Princípio de Pareto afirma que 80% dos efeitos provêm de 20% das causas. Em outras palavras, 80% de sua receita tende a vir de 20% de seus clientes. Para aumentar ainda mais sua receita, tente replicar e fazer mais negócios com esses 20% melhores.

ProfitCON: Minha conferência anual Profit. Mais detalhes estão em www.ProfitCON.us [conteúdo em inglês].

Receita Real: Ao realizar a Avaliação Instantânea, usamos a Receita Real como alternativa ao lucro bruto. Nos casos em que há um uso significativo de subcontratados e/ou materiais, esses custos são subtraídos do Lucro para derivar a "verdadeira receita" (ou seja, a Receita Real) gerada pela empresa. Os cálculos para o lucro bruto na contabilidade tradicional podem variar com base em diferentes interpretações. O objetivo da Receita Real é simplificar a variável de cálculos.

Surge: Meu livro sobre acertar o momento e pegar a onda de demanda do consumidor.

The Pumpkin Plan: Meu livro sobre como otimizar seus negócios para o máximo crescimento.

The Toilet Paper Entrepeneur: Meu primeiro livro sobre como criar um negócio com pouco ou nenhum dinheiro, educação ou experiência.

Vendas – Despesas = Lucro: A fórmula contábil tradicional que vamos mudar para alcançar a lucratividade: Vendas – Lucro = Despesas.

Wedge: Um sistema para melhorar gradualmente seu estilo de vida à medida que sua renda cresce.

ÍNDICE

A

adiantamentos, 154
agir sozinho, 181
ajustes de estilo de vida, 34
alavancar hábitos, 34
alocação
    de lucro, 82, 137
    quinzenal, 150
armadilha da sobrevivência, 22, 119, 146, 151, 183
atuais porcentagens de alocação (APA), 79
avaliação instantânea, 1, 59, 78, 95, 122, 153
    complete, 74
aversão à perda, 171

B

B2B, 144
B2C, 144
baixar os padrões, 46
balanço patrimonial, 28, 51, 61, 81
base mensal, 157

C

capital externo, 159
capitalizar, 185–186

cartão de crédito, 170
    acúmulo de dívidas, 4, 12, 26
    atividade suspeita, 125
    conta bancária como um, 116
    pagamentos com, 52
    taxas de, 127
ciclo de venda, 41
ciência comportamental, 38
cinco contas fundamentais, 44, 52, 95, 149
cofre, 151, 168
como lidar com o dinheiro, 16
comportamento reativo, 24
congelamento da dívida, 121, 131, 179
contabilidade
    de saldo bancário, 20–21, 50
    tradicional, 25–27
contas, 78
    adicionais, 44, 150
        adiantamentos, 149, 154, 158
        cofre, 112, 151, 168, 198
        despesas menores, 154–155
        destruidora de dívidas, 169
        equipamentos, 149, 154
        estoque, 152, 154
        folha de pagamento, 153
        materiais, 153
        pré-pagamento, 155
        receita, 44, 52, 55, 100–101, 106, 168, 197, 201

repasse, 152–153
  rotina, 169
  subcontratados/comissões, 153
  tributos sobre vendas, 155
bancária, 42
de alocação, 178
de aposentadoria, 168
de receita externas, 162
fundamentais, 151
ocultas, 162
sem tentação, 53
corte de custos, 123, 141
crise, 23–24
CRM, 69
custo
  de oportunidade, 23
  do tempo, 138
  financeiro, 138

D

declaração de imposto de renda, 61
delta negativo, 68
demanda induzida, 38, 202–203
demissões, 124
demonstração
  de lucros e perdas, 28
  de resultado, 51, 61, 81
  do fluxo de caixa, 28, 41, 51, 81
despesas, 121
  menores, 154
  operacionais (DESPOP), 44, 52
destruidora de dívidas, 169
dinheiro
  como lidar com o, 16
  do governo, 161
dívidas, 121, 168

E

efeito
  dotação, 171
  primazia, 26, 40
eficiência básica, 137
empreendedores, 136
empreendedorismo, 29–30, 45, 91–92
engenharia reversa, 19, 42
equipamentos, 154
erros
  nº 1, 181
  nº 2, 182
  nº 3, 183
  nº 4, 185
  nº 5, 185
  nº 6, 186
  nº 7, 188
  nº 8, 188
esforço, 138
essência da segurança financeira, 15
estilo de vida, 166, 171
estoque, 152
  giro de, 51
estresse financeiro, 171

F

fluxo de caixa, 51, 55, 60, 72, 81, 94–95, 104–105
  global, 41
  operacional (FCO), 29
folha de pagamento, 92, 103, 143, 152–153, 157
formulário de avaliação instantânea, 62, 81, 199
Fortune 500, 12
fundo de emergência, 82, 112

G

gerenciamento de caixa, 42, 45, 50, 61, 94
gerente proprietário, 83
giro de estoque, 51
grandes acontecimentos, 168

I

imposto, 44, 52
    de renda, 61, 65
independência financeira, 167, 174–177
indicadores-chave de desempenho (KPIs), 29, 51
infomerciais, 34

K

KPIs (indicadores-chave de desempenho), 29, 51

L

lei de Parkinson, 38, 54, 174
    comportamentos, 39
liberdade financeira, 24, 87, 194, 201
lista de comemoração, 113
lucratividade, 17, 136, 149, 167
lucro, 18–19, 40, 44, 52
    bruto, 64
    esprema o, 136
    primeiro, 51, 78, 92, 117, 149, 165, 179
        o que é, 50–58
        para crianças, 176–177
        pior inimigo do, 179
    primeiro passo, 46
    processo do, 20
    versus renda, 13

M

materiais, 153
metodologia
    focar a receita, 17
método PCGA, 25–28
modo de crise, 24
mudanças de hábitos, 167
mudar a estrutura ao nosso redor, 34

N

negociação, 127
número receita real, 64

P

pagamentos recorrentes, 169
PCGA (princípios contábeis geralmente aceitos), 25
perícia judicial, 12
pior inimigo do lucro primeiro, 179
planejar com antecedência, 163
porcentagem de alocação desejada de lucro (lucro PAD), 67–68, 79–80, 95
posição de caixa, 42
pré-pagamento, 155
prestação de contas, 150
princípio de Pareto, 145
problemas financeiros, 16
    vendas aceleram, 17
    vendas diminuem, 17
processo do lucro, 20

R

receita, 13, 44, 52
    real, 64
recompensa, 173
regra 80/20, 145
regras para congelar seu estilo de vida, 174–175
reinvestir os lucros, 185–186
remuneração do proprietário, 44, 52, 83
renda necessária para alocaçao, 157
rentabilidade sustentada, 24
repasse, 152
reserva
    de impostos, 53
    de lucro, 53
retrato da conta, 162
ritmo, 41
rotina, 168–169

S

saúde financeira, 16
sistema
    de gerenciamento de caixa, 61
    lucro primeiro, 78, 133, 149
        problemas comuns, 78
sobrevivência, armadilha, 23–26
subcontratados/comissões, 153
subcontratantes, 63

T

toque de Midas, 12
transferências bancárias, 163
tributos, 155

V

visão, 23

W

Wedge, 175–177

CONHEÇA OUTROS LIVROS DA ALTA BOOKS!

Negócios - Nacionais - Comunicação - Guias de Viagem - Interesse Geral - Informática - Idiomas

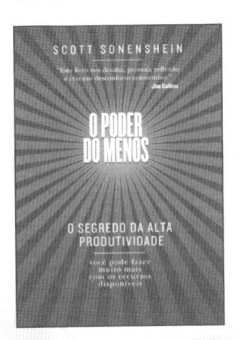

Todas as imagens são meramente ilustrativas.

SEJA AUTOR DA ALTA BOOKS!

Envie a sua proposta para: autoria@altabooks.com.br

Visite também nosso site e nossas redes sociais para conhecer lançamentos e futuras publicações!

www.altabooks.com.br

/altabooks ▪ /altabooks ▪ /alta_books

ALTA BOOKS
EDITORA

Este livro foi impresso nas oficinas gráficas da Editora Vozes Ltda.,
Rua Frei Luís, 100 – Petrópolis, RJ.